TAHITI
ET EN POLYNÉSIE

INSTITUT FRANÇAIS DES PAYS-BAS

MAISON
DESCARTES

BIBLIOTHEQUE

D0491068

Ce guide a été établi par **Alain** D<small>URAND</small>.

Albigeois de naissance, **Alain** D<small>URAND</small> enseigne les sciences naturelles pendant dix ans dans sa ville natale, avant de choisir une vie d'expatrié : Papeete, Rome, Tanger, Port-au-Prince… Après six années de rêve partagées entre Tahiti et les îles polynésiennes, il ne quittera jamais par la pensée les plus belles îles du monde où il retourne aussi souvent que possible. Ses textes et photographies ont fait l'objet de nombreuses publications.

L'auteur remercie Dagmar Götz-Durand pour sa collaboration, Nelson Levy, directeur du GIE Tahiti-Tourisme, Paulette Viénot, présidente de Tahiti Nui Travel, Martin T. Coeroli, directeur du GIE Perles de Tahiti, Verna Teiti, Tahiti-Tourisme à Paris, le GIE Tahiti-Tourisme et son équipe.

Direction : Isabelle Jeuge-Maynart. **Direction éditoriale :** Isabelle Jendron, Catherine Marquet. **Directrice de collection :** Armelle de Moucheron. **Édition :** Élisabeth Cautru. **Secrétariat d'édition :** Claire Willerval. **Lecture-correction :** Christel Mattéï, Christelle Mérino, Viviane Lefèvre, Jeannine Goulhot, Eva Lochet. **Index :** Olga Dubost. **Documentation :** Florence Guibert. **Informatique éditoriale :** Marie-Françoise Poullet, Pascale Ocherowitch. **Maquette intérieure :** Daniel Arnault. **Mise en pages PAO :** Vincent Riveron. **Cartographie :** Alain Mirande. **Dessins :** Gilles Grimon, Frédéric Dégranges. **Fabrication :** Gérard Piassale, Denis Schneider.

Crédit photographique : p. 77, milieu et bas : GIE Tahiti Tourisme ; toutes les autres photos sont de l'auteur, Alain Durand.

Couverture : Atoll de Tetiaroa, **Ernoult Features** (Merkel Dan).

Régie exclusive de la publicité : Hachette Tourisme, 43, quai de Grenelle, 75905 Paris Cedex 15 ☎ 01.43.92.32.52. *Le contenu des annonces publicitaires insérées dans ce guide n'engage en rien la responsabilité de l'éditeur.*

Aussi soigneusement qu'il ait été établi, ce guide n'est pas à l'abri des changements de dernière heure, des erreurs ou omissions. Ne manquez pas de nous faire part de vos remarques. Informez-nous aussi de vos découvertes personnelles. Nous accordons la plus grande importance au courrier de nos lecteurs. **Hachette Tourisme,** 43, quai de Grenelle, 75905 Paris Cedex 15.

Conformément à une jurisprudence constante (Toulouse, 14-01-1887), les erreurs ou omissions involontaires qui auraient pu subsister dans ce guide, malgré nos soins et les contrôles de l'équipe de rédaction, ne sauraient engager la responsabilité de l'éditeur. Par ailleurs, la Société V<small>ISA</small> <small>INTERNATIONAL</small> ne saurait être tenue pour responsable du contenu éditorial de cet ouvrage.

© H<small>ACHETTE</small> L<small>IVRE</small> (Hachette Pratiques : Tourisme), **1995** ;
© **1996** pour les renseignements pratiques
Tous droits de traduction, de reproduction et d'adaptation réservés pour tous les pays.

919.6 DUR

À TAHITI
ET EN POLYNÉSIE

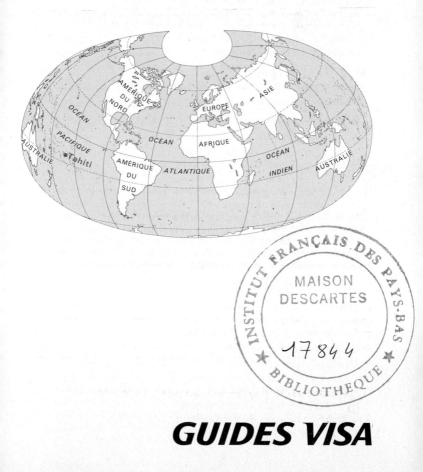

INSTITUT FRANÇAIS DES PAYS-BAS

MAISON
DESCARTES

17844

★ BIBLIOTHEQUE ★

GUIDES VISA

SOMMAIRE

🕊 ALLER À TAHITI ET EN POLYNÉSIE

Toutes les informations nécessaires à la préparation et à l'organisation du séjour.

🔑 QUELQUES CLÉS POUR COMPRENDRE

✳ VISITER TAHITI ET LA POLYNÉSIE

Pour découvrir les principales richesses touristiques du pays, de grands itinéraires accompagnés de 10 cartes et plans et, par étapes, les meilleures adresses d'hôtels et de restaurants.

POUR EN SAVOIR PLUS

ARRÊTS SUR IMAGE

CARTES ET PLANS

Pour vous aider à situer sur les cartes les sites décrits, nous les avons fait suivre de références imprimées en bleu dans le texte.

ENCADRÉS

SYMBOLES ET ABRÉVIATIONS

♥   les coups de cœur
     de la rédaction

Sites, monuments, musées, œuvres

***	exceptionnel
**	très intéressant
*	intéressant

Hôtels

▲▲▲▲	hôtel de très grand luxe
▲▲▲	hôtel de grande classe offrant un confort maximal
▲▲	hôtel de bon confort
▲	hôtel simple mais confortable

Restaurants

♦♦♦♦	cadre luxueux, très bonne table. Prix élevés
♦♦♦	bonne table, service agréable. Prix moyens
♦♦	table simple. Prix modérés
♦	cuisine populaire. Bon marché

Cartes de paiement

Principales cartes acceptées
par l'établissement :

VISA	Carte Bleue Visa
AE	American Express
DC	Diner's Club
MC	Eurocard Mastercard

DÉCOUVRIR TAHITI ET LA POLYNÉSIE

*Peut-on aller à Tahiti et en Polynésie sans rêver
de l'impossible ? De Tahiti à Bora Bora,
des Marquises aux Gambier, la mer, ses volcans
et ses atolls invitent à la flânerie d'île en île,
à la découverte d'un monde différent
tandis que l'accueil tranquille et généreux
des Polynésiens incite à la rêverie devant le « fare »
au toit de « niau » dans l'attente de la nuit
et de ses danses…
Quand on aborde Tahiti
et les îles polynésiennes, il ne faut ni trop
attendre ni trop vouloir des images toutes faites,
mais plutôt se laisser aller au dépaysement…*

■ QUE VOIR EN POLYNÉSIE ?

L'archipel de la Société

Le plus important et aussi le plus peuplé des archipels de la Polynésie française comprend les îles hautes, excepté le petit atoll de Tetiaroa.

*** **Bora Bora** *(260 km N-O)*, joyau des mers du Sud, est avec Tahiti l'île la plus célèbre et donc la plus visitée. L'imposante masse sombre du mont Otemanu (727 m) domine les belles plages de sable blanc de la **pointe Matira**** (p. 180) et des nombreux *motu* (îlots) qui s'étirent le long du récif-

Sauf mention contraire, les distances sont calculées au départ de Tahiti.

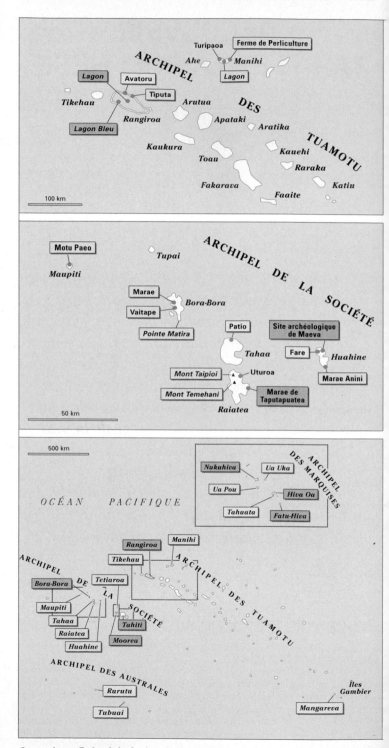

Que voir en Polynésie ?

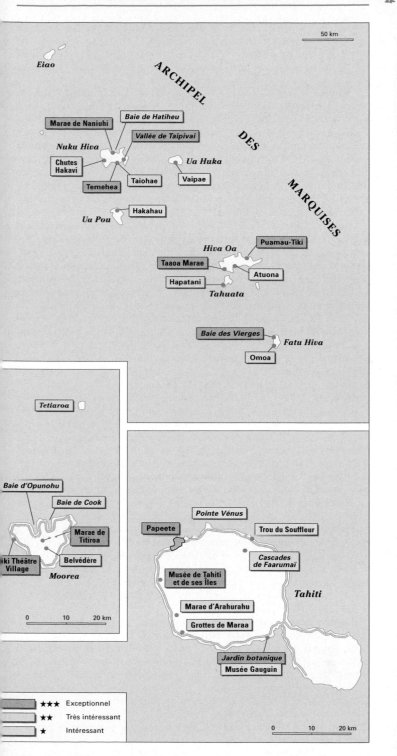

50 km

Eiao

ARCHIPEL DES MARQUISES

Marae de Naniuhi

Baie de Hatiheu

Vallée de Taipivai

Nuku Hiva

Chutes Hakavi

Ua Huka

Temehea Taiohae

Vaipae

Hakahau

Ua Pou

Hiva Oa

Puamau-Tiki

Taaoa Marae

Atuona

Hapatani

Tahuata

Baie des Vierges

Fatu Hiva

Omoa

Tetiaroa

Baie d'Opunohu

Baie de Cook

Marae de Titiroa

ki Théâtre Village

Belvédère

Moorea

0   10   20 km

Pointe Vénus

Papeete

Trou du Souffleur

Cascades de Faarumaï

Musée de Tahiti et de ses Îles

Tahiti

Marae d'Arahurahu

Grottes de Maraa

Jardin botanique

Musée Gauguin

★★★ Exceptionnel

★★ Très intéressant

★ Intéressant

0   10   20 km

barrière. Le ♥ lagon*** (p. 176) de Bora Bora, à nul autre pareil en raison de sa palette de nuances étendues du turquoise pâle à l'outremer intense, passe pour l'un des plus enchanteurs du monde. Visitez le petit village de **Vaitape*** (p. 179) édifié autour du port, ainsi que les nombreux *marae*** (p. 180) de l'île.

*** **Moorea** *(17 km N-O)* est l'île-sœur de Tahiti, dont un simple chenal la sépare. Couronnées de pitons sculptés par l'érosion, les pentes verdoyantes du volcan, encerclées par l'anneau corallien du récif-barrière, plongent vers l'océan. Les eaux du lagon ont inondé, sur le versant N, deux profondes vallées qui comptent parmi les sites les plus caractéristiques de l'île. Les **baies de Cook*** (p. 149) et **d'Opunohu*** (p. 149) sont particulièrement belles. Du **Belvédère*** (p. 150), un magnifique point de vue s'offre à vous. Le *marae* de **Titiroa*** (p. 149), haut lieu de sacrifices ancestraux, en est tout proche. De remarquables spectacles et reconstitutions vouées au culte des traditions vous attendent au **Tiki Théâtre Village***.

*** **Tahiti :** la plus grande des îles de l'archipel de la Société comprend deux imposantes masses volcaniques accolées composant l'île principale Tahiti Nui et la presqu'île Tahiti Iti. Le **tour de l'île*** (115 km) donne accès à un gigantesque jardin luxuriant où les essences de *tiare* et de frangipanier se mêlent aux arbres tropicaux : flamboyants, tulipiers, filaos, manguiers, arbres à pain *(uru)*, châtaigniers *(mape)*, etc. **Papeete***, ville portuaire, principal centre administratif et commercial du territoire polynésien, s'étend en bordure du littoral et du lagon au pied des massifs montagneux du centre dont le point culminant est le mont Orohena (2 241 m). En parcourant la route de ceinture, vous découvrirez le **musée de Tahiti et ses îles*** (p. 130), le *marae* **d'Arahurahu*** (p. 131), les **grottes de Maraa*** (p. 131), le **Jardin botanique Harrison W. Smith*** (p. 133), le **musée Gauguin*** (p. 134), le **trou du Souffleur*** (p. 139), la **pointe Venus*** (Mahina, p. 140).

** **Huahine** *(170 km au N-O)* comprend deux îles distinctes, Huahine Nui et Huahine Iti, formées par deux puissants volcans. On passe facilement d'une île à sa voisine par un pont. La route de ceinture (32 km) se faufile entre les vallées, les crêtes, et lagons qui confèrent aux villages côtiers l'aspect de petites cités lacustres, composées de *fare* sur pilotis. **Fare***, le village principal, dégage une atmosphère bon enfant de province sous les tropiques. Le **site archéologique*** le plus vaste se trouve au village de **Maeva** (p. 163). L'un des plus importants lieux de culte, dans les temps anciens, était le *marae* **Anini*** (p. 164). Situé au S de Huahine Iti, le site du ♥ **Hana Iti*** (p. 165) est très beau.

** **Maupiti** *(40 km à l'O de Bora Bora)*, la plus petite des îles hautes de la Société, ne manque pas pour autant d'intérêt ; isolée à l'O de l'archipel, elle s'est toujours maintenue à l'écart des grands flux touristiques. Le piton volcanique central émerge d'un imposant lagon encerclé de vastes *motu* de sable blanc, déserts. Idéale destination « vie simple » près de la nature. Les nombreux *marae* qui bordent le littoral rappellent le passé religieux de l'île. Voir le *marae* **Royal de Vaiahu***.

** **Raiatea-Tahaa** *(220 km au N-O)* forment un ensemble de deux îles jumelles encerclées par un récif-barrière commun. Le lagon de Raiatea offre l'espace marin navigable le plus vaste des îles de la Société et voue ainsi l'île aux sports nautiques, voile et plongée. La situation privilégiée de Raiatea, au cœur des îles Sous-le-Vent, en fait la première base de navigation de plaisance de Polynésie. Les monts **Temehani*** (p. 169) et **Taipioi*** (p. 169) raviront les randonneurs. **Uturoa*** (p. 169), le centre administratif qui est aussi un port important, et **Patio*** (p. 174) méritent un détour. Le *marae* de **Taputapuatea***, très bien conservé, était dans les temps anciens le plus important lieu de culte de Polynésie.

** **Tetiaroa** (*42 km au N*), île corallienne en forme d'anneau, apporte, à proximité de Tahiti, le dépaysement des atolls de Tuamotu. Tout y est : sable blanc, cocotiers, lagon turquoise, îlots déserts, île aux oiseaux… Idéal pour une excursion d'une journée.

L'archipel des Tuamotu

Cet archipel est uniquement formé d'îles basses coralliennes, c'est-à-dire d'atolls plus ou moins grands.

*** **Rangiroa** (*350 km au N-E*), le plus vaste atoll de Polynésie, enserre dans un anneau corallien qui supporte une multitude d'ilots une véritable mer intérieure : l'ensemble de l'édifice couronne un volcan immergé et mesure 77 km de long sur 26 km dans sa partie la plus large. L'île, étroite bande de sable corallien, se fraie un passage entre ciel et mer. La vie traditionnelle des atolls est entretenue à **Avatoru*** et **Tiputa***. Intéressante excursion aux parcs à poisson et au **Lagon Bleu****.

** **Manihi** (*à 520 km au N-O*), l'île aux perles noires, est plus petite que Rangiroa : 30 km de long sur 5,6 km de large. L'anneau corallien de l'atoll est jalonné de fermes perlières et le **lagon**** renferme des parcs à poissons que vous pourrez visiter. Vie au bout du monde dans le petit village de **Turipaoa***.

** **Tikehau** (*à 310 km N*), dernier atoll des Tuamotu accessible au tourisme grâce aux structures d'hébergement qui s'y sont installées, offre, lui aussi, un cadre naturel exceptionnel. Le lagon est l'un des plus poissonneux de Polynésie.

L'archipel des Marquises

À 1 500 km au N-E de Tahiti, l'archipel des Marquises se compose de 6 îles hautes principales et de 8 îles ou îlots inhabités. Sauvages et authentiques, riches en vestiges archéologiques implantés dans des sites naturels grandioses, les Marquises, témoins actuels du culte des traditions d'antan, recèlent un patrimoine artistique et culturel exceptionnel.

*** **Hiva Oa**, l'île la plus célèbre de l'archipel, où Paul Gauguin et Jacques Brel élurent domicile. Le **site de Taaoa***** (p. 220), avec son immense *tohua*, est l'un des grands *marae* de Polynésie. Le *tohua* Oipona et les plus grands *tiki* sont à découvrir au village de **Puamau***** (p. 220). À Atuona** (p. 220), visitez le **musée Gauguin***, la **maison du Jouir*** ; vous pourrez vous recueillir au **cimetière du Calvaire****, où reposent Paul Gauguin et Jacques Brel.

*** **Nuku Hiva**, l'île la plus importante de l'archipel, a pour chef-lieu **Taiohae**** (p. 207), le centre administratif, économique et culturel des Marquises. Vous y découvrirez, en bordure du front de mer, le ♥ *pae pae* **Temehea***** (p. 210). Au cœur du village, visitez la **cathédrale Notre-Dame**** (p. 210) avec ses admirables statues et sculptures de bois. La **vallée de Taipivai***** abrite des *marae* et des *tiki*. Le *pae pae* **Naniuhi Tohua*****, à l'abri des banyans géants, ancien lieu de rencontre et de culte, est tout proche de la **baie de Hatiheu****. Autre visite à ne pas manquer : celle des **chutes d'Hakaui****.

** **Fatu-Hiva**, la plus septentrionale des îles Marquises, offre une végétation subéquatoriale luxuriante ; ses contreforts découpés en falaises abruptes surplombent directement l'océan. L'île est aussi le plus important centre artistique : sculpteurs réputés au village d'**Omoa****, dont l'un travaille la partie ligneuse de la noix de coco (unique). Fatu-Hiva est aussi l'île des *tapa*. Ne manquez pas le magnifique mouillage de la **baie des Vierges***** (p. 224), le village de **Hanavave**** (p. 224), et les nombreux sites archéologiques** de l'île.

** **Ua Huka** est une petite île constituée par un plateau volcanique. À proximité, un îlot en forme de table rocheuse abrite des milliers d'oiseaux.

Chevaux et chèvres y jouissent d'une totale liberté. À voir, le **village de Vaipaee*** (p. 218) et les centres artisanaux (p. 219).

** Ua Pou se distingue par ses pitons rocheux dénudés et des sites naturels encore sauvages d'un grand intérêt botanique. Habiles artisans sculpteurs au **village de Hakahau*** (p. 216).

* **Tahuata.** Dans la plus petite île de l'archipel, les Polynésiens mènent une vie rurale paisible. Voyez le **village de Hapatoni**** (p. 225) et son église avec de très belles sculptures marquisiennes.

L'archipel des Gambier

À 1 630 km au S-E de Tahiti, cet archipel qui figure rarement dans les circuits touristiques s'organise autour de l'île de Mangareva, l'île principale.

* **Mangareva,** très isolée, doit son actuel développement à l'installation de fermes de culture perlière. Sa visite est soumise à une autorisation préalable. L'île est entourée de 3 autres îles plus petites et de quelques îlots.

L'archipel des Australes

Entre 540 et 1 200 km au S de Tahiti, il comprend 5 îles hautes et 2 petits atolls. Comme les Gambier, les Australes sortent des circuits touristiques : le climat plus frais et tempéré attire moins les vacanciers. Leur économie est fondée sur la pêche et l'agriculture. Loin de tout, ces îles demeurent des « paradis écologiques » qui font le bonheur des plongeurs.

* **Rurutu** *(570 km au S-O) :* c'est une île haute pleine de caractère. Elle dispose de structures d'hébergement plus développées que celles des autres îles de l'archipel.

* **Tubuai** *(env. 570 km S) :* la plus petite île des Australes, elle en est le centre administratif. À la différence de Rurutu, Tubuai possède un très vaste lagon et de belles plages de sable corallien.

■ SI VOUS AIMEZ...

Les plages de rêve

Passer 18 heures en avion, même confortablement installé, et parcourir plus de 15 700 km, est-ce bien raisonnable pour finir allongé sur un transat au bord d'une piscine d'hôtel alors qu'il est bien connu que le résultat sera nettement plus rapide et parfait au bord de la Méditerranée à Palavas-les-Flots ? À l'inverse, n'a-t-on pas le droit de se détendre et de ne rien faire au paradis des cocotiers ? Mais où sont ces plages de sable éclatant de blancheur tant rêvées ? On les oublie bien vite quand, arrivant du froid, on découvre à Tahiti un immense jardin tropical, une montagne splendide mais envahissante et quelques plages de sable noir volcanique (sauf dans le district de Punaauia-Paea) où l'on ne peut s'aventurer à poser directement les pieds tant il est chaud. Et pourtant, les vastes plages immaculées parfois désertes existent, les palmes des cocotiers ondulant mollement sous le souffle rafraîchissant des alizés aussi, tout comme les lagons turquoise aux eaux limpides et protectrices. Ces plages de rêve, quelques îles hautes et la plupart des atolls vous les offrent.

Pour les îles de la Société : Bora Bora (p. 181) et Maupiti (p. 186) ainsi que le petit atoll de Tetiaroa (p. 160), une pure merveille.

Pour les atolls des Tuamotu : surtout Rangiroa (p. 190), mais aussi Manihi (p. 195, *motu*) ou Tikehau (p. 195).

Les vacances sportives

La plupart des grands hôtels offrent des activités sportives variées mais, dans ce domaine, le Club Méditerranée reste insurpassable : les villages-club de Moorea (p. 151) et de Bora Bora (p. 183) permettent aux amateurs de s'adonner en toute liberté à leurs sports favoris, tant terrestres que nautiques.

Les adeptes de **planche à voile** et de **catamaran** trouveront leur bonheur dans toutes les îles polynésiennes équipées de structures hôtelières suffisantes. Les **surfeurs** pratiqueront leur sport favori à Tahiti même (p. 123), à Moorea (p. 151) ou à Huahine (p. 165) par exemple. Les **golfeurs** apprécieront le Golf international Olivier Bréaud (p. 123), situé à Tahiti dans le district de Mataiea, à 40 km de Papeete. Tous les grands hôtels sont équipés de **courts de tennis**.

Les sites archéologiques

Les îles hautes de la Polynésie, îles de la Société et des Marquises, recèlent de multiples vestiges archéologiques. Aux **îles Sous-le-Vent**, on trouve d'anciens lieux sacrés destinés aux cultes ancestraux, les *marae* situés dans l'intérieur des terres ou en bordure de lagon. Les pierres sculptées de pétroglyphes sont aussi fréquentes et il existe dans l'intérieur des terres quelques *tiki* (statues de pierre). Parmi les vestiges archéologiques les plus importants, ne manquez pas le *marae* d'Arahurahu à **Tahiti** (p. 131), celui d'Anini à **Huahine** (p. 164) et celui de Taputapuatea à **Raiatea** (p. 170).

Les **îles Marquises** recèlent de véritables trésors archéologiques. Les sites les plus intéressants se trouvent généralement à l'intérieur des terres, au cœur d'un magnifique site naturel. On trouve également des vestiges de lieux de rencontre *(pae pae)* et de vastes esplanades empierrées qui faisaient office de places de fêtes *(tohua)* et, attenants ou isolés, des *marae* où l'on peut voir encore de nombreux *tiki* anciens ; les pétroglyphes sont aussi présents. **Nuku Hiva** (p. 207) et ses *marae* de Paeke et de Naniuhi, la **vallée de Taipivai** (p. 211) et ses *tiki* en pierre, la **vallée d'Hatiheu** (p. 214) et ses *marae, pae pae, tohua,* pétroglyphes méritent le détour. Taiohae abrite une admirable reconstitution du *pae pae* Temehea en front de mer. Les pétroglyphes d'Eiao, de Purae et de Tahauku à **Hiva Oa** (p. 219), les grands *tiki* de **Puamau** (p. 220) et le site de **Taaoa** (p. 220) sont autant de lieux exceptionnels.

La végétation tropicale

De la caldeira des volcans à la frange de sable tantôt corallien tantôt basaltique, la roche volcanique noire est couverte d'une luxuriante végétation tropicale, à découvrir en 4x4 ou à cheval. Toutes les îles hautes se prêtent aux randonnées en montagne. Les plus beaux paysages naturels sont à découvrir aux **îles Marquises** (p. 201), mais aussi à **Tahiti** (p. 138), **Huahine** (p. 161), **Bora Bora** (p. 177) ou dans la très verdoyante île de **Tahaa** (p. 174). La route côtière s'enfonce dans les vallées profondes, franchit les collines, traverse des villages. Les plantations des centres de recherche agronomique méritent toujours un détour ; la principale attraction est le **jardin botanique Harrison Smith** (p. 133) à Tahiti, district de Papeari.

La plongée

Mettez votre masque de plongée et glissez un œil dans l'onde du lagon : des rayons de lumière mobile habillent de touches vives le ballet des poissons baroques qui enchantent les eaux tropicales. Liée à la diversité géographique des îles, celle des fonds sous-marins est due à la présence d'un lagon protégé par le récif-barrière. Les formations coralliennes créent des écosystèmes variés selon leur situation à l'intérieur du lagon, à proximité de la barrière, dans les passes qui établissent un pont entre le lagon et l'océan, ou encore à l'extérieur des récifs, sur les tombants. Les lagons les plus riches se trouvent aux **Tuamotu** (p. 187), à **Manihi** (p. 195), **Tikehau** (p. 195) et **Rangiroa** (p. 192) où napoléons, mérous, perroquets, carangues, rascasses venimeuses *(Pterois volitant)*, murènes, rougets, poulpes, etc. disputent l'attraction aux plus grosses pièces telles que les requins de lagon, élégamment fuselés. Les plongées dans les passes de Rangiroa, Tikehau et Manihi permettent d'observer des raies manta de 5 à 7 m d'envergure, de grands requins, etc. Ces explorations sont réservées aux plongeurs confirmés.

La plongée sans se mouiller...

Le **lagoonarium** (p. 130), situé en bordure de la route côtière de Tahiti, dans le secteur de Punnauia, à un peu plus de 11 km de Papeete, permet de pénétrer dans une grande bulle en pleine eau du lagon de Tahiti. Vous y admirerez à loisir le ballet des poissons, mais aussi – attraction oblige – de somptueux requins évoluant avec élégance dans leur milieu naturel. Vous aurez la chance, à la mi-journée, d'assister à leur repas.

Les croisières sans contrainte

L'histoire de la Polynésie est liée à celle des grands découvreurs du passé. Les îles ouvertes sur le large incitent au départ et le moyen le plus naturel de les aborder reste le bateau. Si l'ère des grandes croisières transatlantiques est à quelques exceptions près révolue, il subsiste de remarquables possibilités de navigation entre les **îles de la Société** (p. 39 et 158), les **Tuamotu** (p. 192) et les **Marquises** (p. 206). Vous pouvez effectuer de somptueuses croisières de trois jours et une semaine à bord de deux paquebots à voile de très grand luxe, le *Wind Song*, unité de 137 m, à l'ambiance américaine ou internationale, et le plus grand voilier du monde, *Club Med 2*, un cinq-mâts de 187 m, où domine une ambiance franco-internationale. Plus intimes, les croisières Archipels offrent dans un grand confort une véritable navigation à la voile à bord de catamarans de 17,50 m.

La voile en solitaire ou accompagné

Les amateurs de voile disposent en Polynésie d'une importante flotte de voiliers de location disponibles toute l'année. Toutes les formules existent : location sans skipper pour les familiers de la navigation, et location avec skipper et équipage composé d'une hôtesse ou d'un marin-cuisinier.
Les bases principales se trouvent à **Raiatea** (p. 171) avec deux organismes importants : Moorings Yacht charters, et ATM Yacht charters. Accès facile aux îles Sous-le-Vent proches de Raiatea : Tahaa, Huahine, Bora Bora et Maupiti. Également, sur demande, toute la Polynésie française aussi bien au départ de Tahiti que de Raiatea.
Possibilités de location de voiliers à **Tahiti** (p. 122).

Les escapades sur l'eau

Tous les grands hôtels offrent des possibilités d'excursions d'une journée à bord de catamarans ou de bateaux à moteur. On peut contacter, à Papeete, le **GIE Mer et Loisirs** (p. 123 . Les hôtels et les agences de voyages, **Tahiti Nui Travel** (p. 127) à Papeete, proposent toutes sortes d'excursions.

La pêche au gros

Sorties organisées au départ des grands hôtels à bord de vedettes à moteur parfaitement équipées. Les sites de pêche les plus poissonneux se trouvent aux **Tuamotu** (p. 187). Les atolls de **Manihi** (p. 195), de **Tikehau** (p. 195) et aussi **Rangiroa** (p. 192), ainsi que quelques îles de la Société comme **Bora Bora** (p. 184) et **Raiatea** (p. 172), vous permettront de trouver des sites poissonneux.

Les perles noires

Les perles noires de Tahiti sont des perles de culture naturelles. Les huîtres sont pêchées suivant le rite traditionnel de la « plonge » quand elles ont atteint une taille suffisante pour être greffées. Une fois l'opération de la greffe réalisée, les huîtres sont replacées en pleine eau pendant 2 à 3 ans au moins : elles produiront des perles dont la subtilité des teintes est sans équivalent.

Rares et précieuses, les perles noires permettent la création de superbes pièces de joaillerie, que vous admirerez dans les bijouteries de **Papeete** (p. 127), **Moorea** (p. 159) et **Bora Bora** (p. 185). À Papeete, réservez une visite au **musée de la Perle** (p. 112). Les vrais amateurs joindront l'utile à l'agréable en effectuant un séjour dans l'île aux perles noires, l'atoll de **Manihi** (p. 193). Une excursion comprenant la visite d'une ferme perlière en pleine eau est organisée au départ de l'hôtel Kaina-Village.

Les musées

Le **musée de Tahiti et de ses îles** (p. 130), situé au milieu d'un vaste parc en bordure de mer, reconstitue l'histoire de la Polynésie depuis la formation des îles jusqu'à nos jours. De remarquables objets anciens très bien conservés et, surtout, un superbe ensemble de *tiki* de pierre de Polynésie y sont exposés. La visite sera complétée par celle du **musée Gauguin** (p. 134) où ne sont malheureusement exposées que des reproductions. On admirera, dans les jardins du musée, trois *tiki* originaires des îles Marquises. Le **musée des Coquillages** (p. 132) de Papeete permet d'approcher les multiples espèces de coquillages polynésiens. Le **Musée archéologique et artistique** (p. 218) d'Ua Huka réunit une très belle collection d'objets anciens fort bien entretenus.

Les fêtes et les traditions

Le peuple polynésien a une longue tradition d'accueil et de spontanéité. Pas de sourire standardisé, mais un rire franc et joyeux ou une moue boudeuse en période de *fiu* (lassitude). Si les visiteurs font eux aussi des efforts pour s'adapter, des trésors de gentillesse les récompensent. Sans difficulté, vous bénéficierez des grandes fêtes annuelles dans la plupart des îles polynésiennes, qui revêtent un intérêt particulier à Tahiti (p. 124) et à Bora Bora (p. 178). Elles débutent le 29 juin et se poursuivent pendant presque tout juillet. Beau temps et bonne humeur garantis. L'éclat des festivités contribue à faire du mois de juillet la période idéale pour un voyage à Tahiti.

La danse *(le tamure)*

La « danseuse » polynésienne danse toujours, et divinement bien ! Incarnation de l'île pleine de charme sauvage et de séduction, parfois d'une grâce et d'une beauté émouvantes, elle séduit et ensorcelle, le temps d'un *tamure* (p. 48). Mythe et réalité à la fois, on peut la voir partout, mais en particulier dans les grandes îles pendant les fêtes de juillet. Les meilleurs groupes se produisent à **Tahiti** (p. 124), **Raiatea-Tahaa** (p. 168 et 173) et **Bora Bora** (p. 178 et 184). Les spectacles proposés par les grands hôtels sont souvent remarquables. Une mention particulière pour les soirées à thème des hôtels du groupe **Beachcomber Parkroyal** (p. 119 et 151).

Les excursions découverte

En 4x4. Ce moyen de locomotion permet de découvrir les sites sous un autre angle. Une des excursions les plus intéressantes est celle qui traverse **Tahiti Nui** (p. 143) en passant par le lac Vahiria (en période sèche). À **Moorea** (p. 157), vous pouvez visiter plantations d'ananas et de vanille, à bord de ces engins que rien n'arrête. La découverte de l'intérieur de l'île de **Bora Bora** (p. 184) est une véritable merveille. De magnifiques points de vue sur le lagon, les *fare* traditionnels s'offrent à vous. Sur les hauteurs dominant la pointe Patiua, vous apercevrez deux canons, vestiges de l'occupation américaine de l'île lors de la Seconde Guerre mondiale.

En hélicoptère. Quelques îles polynésiennes possèdent un héliport. Survoler ces joyaux du Pacifique en hélicoptère est un véritable bonheur.

Les célébrités

De nombreuses célébrités se laissent ensorceler par la Polynésie. Un musée Gauguin (p. 134) est dédié à ce peintre à Tahiti. Sa Maison du Jouir (p. 137 et 221) a également été reconstituée ; sa visite complète l'hommage au peintre. Jacques Brel était littéralement tombé sous le charme des Marquises et c'est dans le petit cimetière du Calvaire d'Atuona (p. 222) qu'il a souhaité reposer ; à proximité se trouve la sépulture de Gauguin. Le mémorial d'Alain Gerbault (p. 179) se dresse sur les côtes de Bora Bora, où vous pouvez également visiter l'Atelier d'art de Paul-Émile Victor (p. 178).

Les hôtels de charme ou de grand standing

Les grands hôtels de Polynésie égalent sans peine leurs homologues du grand tourisme international, avec l'avantage dans un cadre naturel toujours exceptionnel, qu'il s'agisse du **Beachcomber Parkroyal** de Tahiti (p. 119) et de Moorea (p. 151), ou encore du **Moana Beach Parkroyal** de Bora Bora (p. 182) et du **Bora Bora Lagoon Resort** (p. 181) ; vous y vivrez toujours au bord de l'eau ou sur l'eau, dans des bungalows sur pilotis dotés du confort moderne le plus raffiné. Juché sur la colline du Taharaa, le **Hyatt Regency** (p. 119) de Tahiti vous offre depuis votre chambre la contemplation des espaces marins qui séparent Tahiti de Moorea. Au **Hana Iti** (p. 165) de Huahine, vous changez de monde en pénétrant dans la jungle tropicale, la nature sauvage servant de décor à chaque unité d'habitation grâce au génie inventif d'un architecte visionnaire. Excellent niveau de confort et de raffinement à l'**Hôtel Bora Bora** (p. 181), totalement restructuré, où des jardins en bord de mer entourent les bungalows, dont certains possèdent une piscine privée. L'univers magique des atolls, sable, lagon et ciel à perte de vue, est à votre portée aux **Kia Ora Village** (p. 190) et **Kia Ora Sauvage** (p. 191) de Rangiroa ou au Kaina-Village (p. 194) de Mahini. Les villages du **Club Méditerranée** de Moorea (p. 154) et de Bora Bora, installés au cœur de vastes cocoteraies de bord de lagon, demeurent exceptionnels.

L'artisanat

Les arts traditionnels polynésiens (p. 107) trouvent un prolongement dans des productions artisanales qui reflètent des pratiques ancestrales dont le souvenir se perpétue. Les Polynésiens, très attachés à leur culture artistique, proposent des sculptures sur bois, sur nacre ou sur coquillage, de la petite bijouterie, de la vannerie, des *tapa* traditionnels et leurs dérivés, des *pareu* de toutes sortes, des coquillages de collection, des colliers, ou des *tifaifai*, tissus décorés de motifs ornementaux cousus. Sur les îles à vocation touristique, ils sont vendus dans des centres artisanaux, des coopératives, des galeries d'art, ou dans les *curios* (boutiques spécialisées dans la vente et la production d'artisanat local) ; le **marché central de Papeete** (p. 118) est le plus grand centre de Polynésie. Les **galeries d'art** et les **boutiques de** *curios* **de Tahiti** (p. 125), **Moorea,** (p. 157) et de **Bora Bora** (p. 185) proposent des produits très prisés pour leur qualité ; à Bora Bora, vous visiterez le **centre artisanal de Vaitape** (p. 176).

Aux Marquises, les excursions vous conduiront immanquablement dans les centres et coopératives d'artisanat, où vous verrez notamment des sculptures de bois accessibles au meilleur prix : à **Nuku Hiva** (p. 215), directement chez les sculpteurs à **Taiohae** (p. 210) ; à **Ua Pou**, chez les sculpteurs de **Hakahau** (p. 216) ; à **Ua Huka** (p. 218), dans les **coopératives de Hane** (p. 219), **Hokatu** (p. 219), et **Vaipaee** (p. 219). Le travail des *tapa*, tissus en fibres végétales décorés de motifs stylisés, est une spécialité de Fatu-Hiva (p. 108 et 224) ; ils se font de plus en plus rares dans les galeries d'art et curios de Polynésie, où l'on trouve très souvent des *tapa* de l'île de Tonga ou de Fidji.

■ PROGRAMME

La Polynésie française se compose de 116 îles, en majorité des atolls, épar-
pillées sur plus de 4 millions de km² d'aire marine. Chaque île possède son
caractère propre, et la richesse polynésienne réside dans cette extraordinaire
diversité. Il est recommandé de bâtir son programme suffisamment tôt afin
d'éviter tout désagrément de dernière minute. Pour cela, il faut bien choisir la
période de son voyage, sans oublier de consulter les indications climatiques
(p. 22). Les amateurs de culture et de traditions opteront pour des périodes
de festivités ; les fêtes de juillet revêtent un éclat particulier à Tahiti et en
Polynésie (p. 45).

Sept à dix jours ne suffisent pas pour se remettre des possibles fatigues du décalage horaire et profiter pleinement de son séjour. Prévoyez une quinzaine
de jours, ou, mieux encore, 3 semaines.

Suivez les conseils de professionnels de la Polynésie : en dehors des quelques
exemples que nous vous donnons, les brochures des tours opérateurs, spécialistes ou généralistes qui incluent Tahiti et la Polynésie dans leurs destinations, proposent à des prix très attractifs des voyages « clés en main » fort
bien composés.

Choisissez, pour un premier voyage, une formule incluant la visite d'au
moins deux autres îles que Tahiti : Moorea et Bora Bora, si vous optez uniquement pour les îles hautes ; Moorea, Bora Bora et Rangiroa ou Manihi, si
vous incluez un atoll. *Les liaisons inter-îles étant souvent surchargées, il faut réserver tous vos voyages aériens depuis Paris.*

Certains voyageurs, impatients d'aller dans les autres îles, ne séjournent désormais plus à Tahiti. Même si Papeete a perdu de son intérêt en raison de la
densité de la circulation, l'île de Tahiti ne mérite pas d'être délaissée. Elle
offre toujours des sites remarquables, des visites et excursions uniques, ainsi
que des animations et des soirées exceptionnelles dans les grands hôtels.

Polynésie express (7 jours)

Jour 1 : visite de **Papeete**, le marché central, la mairie, le quartier du commerce, le front de mer. Voir le Fare Manihini, siège du GIE Tahiti Tourisme ;
vous pourrez y trouver une carte de Papeete, des informations sur les manifestations, activités possibles à la période de votre voyage. Visite du musée de
la Perle noire. **Jour 2 : tour de l'île.** Départ tôt le matin vers la côte ouest.
Arrêts conseillés : Lagoonarium, musée de Tahiti et ses îles, *marae*
d'Arahurahu, grottes de Maraa, jardin botanique de Papeari, musée Paul
Gauguin. Déjeuner à mi-distance dans l'un des restaurants du tour de l'île
(p. 142). Prolonger vers la presqu'île (Tahiti Iti). Retour par la côte E, visite
des cascades de Faarumai, arrêt au Trou du souffleur. Très beau point de vue
à la pointe du Taharaa (hôtel Hyatt). Premier plongeon dans le lagon à la
pointe Vénus, vaste plage de sable noir, très fin. Le soir, spectacle traditionnel
de musique, de chants et de danses polynésiens dans votre hôtel ou soirée à
thème. **Jour 3 :** au choix, **excursion en 4x4** à l'intérieur de l'île, au cœur d'une
végétation luxuriante : site exceptionnel du lac Vahiria, ou excursion d'**une
journée dans l'atoll de Tetiaroa**, immense plage de sable blanc corallien, cocotiers, îlots déserts, *motu* aux oiseaux, promenades en pirogue. **Jour 4 :**
Moorea, transfert en avion (Air Moorea), en catamaran rapide ou en ferry.
Repos, plage. **Jour 5 :** tour de l'île et **visites spécifiques** de quelques centres
d'intérêt au choix (p. 149). S'informer du programme du Tiki Théâtre Village
pour votre période de séjour ; possibilité de survoler l'intérieur de l'île, le
lagon, les récifs coralliens en hélicoptère. **Jour 6 : excursion en 4x4 à Moorea.**
Sa richesse et sa diversité sont telles que de multiples excursions à l'intérieur
de l'île sont proposées pour une durée de 4 heures à une journée entière ;
shopping dans les belles boutiques et galeries d'art de l'île. Le soir, dernier
bain dans le lagon, animations. **Jour 7 :** retour à Papeete, shopping.

Pour une semaine complète en Polynésie, vous pouvez aussi, en arrivant à Papeete un samedi matin, opter pour **une croisière de luxe** sur le *Club Med 2*, visite des principales îles de la Société et d'un atoll, Rangiroa, ou sur le *Wind Song*, pour visiter les îles de la Société. Départs au quai des navires, en face du Fare Manihini. Les navigations, effectuées de nuit, réservent un « plein temps » aux excursions ou aux activités de loisir pendant les escales.

Quinze jours pour les îles Sous-le-Vent

En réduisant la durée du séjour à Tahiti, vous aurez un bon aperçu des principales îles de la Société.

Jour 1 : matin, visite de **Papeete** ; après-midi, côte ouest de Tahiti Nui, de Papeete au **musée Gauguin** et retour (une demi-journée). **Jour 2 :** avec un air-pass, **Moorea. Jour 3 : Moorea. Jour 4 : Huahine**, tour de l'île : paysages, végétation luxuriante, plages de sable corallien. Visite de **Fare**, animation du quai, village de **Maeva**, *marae* de Manunu, près de Maeva et, à la pointe S de l'île, *marae* de Anini. Très plaisant point de vue depuis le chemin qui mène à l'hôtel Hana Iti. **Jour 5 : excursion en 4x4**. Très beaux paysages, cultures, vestiges archéologiques dont l'île est fort riche. **Jours 6, 7 et 8 : Bora Bora.** Journée de mer, repos et plaisirs nautiques : baignade dans le lagon et, au choix, mini-croisière en catamaran, sortie en pirogue à voile (p. 183) pour faire le tour de l'île, assister au déjeuner des requins ou encore admirer le coucher du soleil, dîner-croisière au clair de lune… Pour les sportifs : parachute ascensionnel, ski nautique, plongée. Éventuellement, tour en hélicoptère pour un souvenir impérissable de cette île de beauté. Le soir, les groupes folkloriques se produisent dans les grands hôtels, l'ensemble des « Mammas » a un très grand succès. **Jour 9 : Tahiti.** Excursion d'une journée à Tetiaroa. **Jour 10 : Tahiti**, visite de Papeete, shopping.

Trois semaines au fil des îles

C'est la durée optimale pour un voyage en Polynésie. Séjourner sur un ou même deux atolls importants devient alors possible. Nous ne pouvons, faute de place, détailler toutes les formules tant elles sont nombreuses. Ajouter au programme précédent 2 jours à Rangiroa et 2 jours à **Manihi** ou **Tikehau**, par exemple.

En trois semaines, vous pourrez avoir un bon aperçu des îles que vous choisirez de visiter, tout en réservant 7 à 8 journées à une croisière. Les îles abordées par la mer apparaissent encore plus resplendissantes, et le plaisir à vivre sans contrainte sur ces eaux paradisiaques n'a pas d'équivalent.

Le **Club Med** propose un circuit avec des durées modulables : 3, 4, ou 7 jours au choix, à bord du plus grand paquebot à voiles du monde, *Club Med 2*, un cinq-mâts de 187 m présentant une capacité d'accueil de 400 convives, élégantes cabines climatisées de 18 m². Circuit de 7 jours, pour découvrir les principales îles de la Société et un atoll : Rangiroa. Ambiance française et internationale (p. 39).

Windstar Sail Cruises offre des croisières d'une semaine à bord du *Wind Song*, luxueux quatre-mâts de 134 m disposant de 75 vastes et élégantes cabines climatisées. Visite des principales îles de la Société. Ambiance américaine et internationale (p. 39).

Archipels Croisières vous donne la possibilité de découvrir, à bord de confortables catamarans *Archipels 57 Fountaine-Pajot* de 17,50 m, conçus pour 8 passagers maximum, répartis en 4 cabines : les îles Marquises en 8 jours, au départ de Nuku Hiva ; les lagons de Rangiroa et de Tikehau au départ de Rangiroa, en 7 jours ; les îles sous-le-Vent en 7 jours, au départ de Raiatea (p. 39).

L'Aranui, goélette de 105 m de long, permet de faire escale ou de visiter, avec un bon confort, quelques atolls des Tuamotu et surtout les îles Marquises. Le cargo mixte a pour principale mission le ravitaillement des îles. Croisières de 7 à 16 jours (p. 40) avec, en supplément, Fatu-Hiva et excursions en 4x4.

Les Marquises en avion et en hélicoptère

Le Club Med propose un circuit de 7 jours en avion aux îles Marquises, avec, au départ de Papeete, une visite savamment orchestrée des deux îles les plus riches en lieux remarquables, Nuku Hiva et Hiva Oa. Les transferts sont effectués en avion, hélicoptère, bateau ou 4x4. Si l'excursion prévoit la visite d'un site archéologique en 4x4, le retour s'effectue en hélicoptère avec un gain de temps appréciable. Le vol permet, en outre, d'élargir le champ des visites et de voir de façon magistrale les paysages de l'intérieur, inaccessibles autrement. Ceux qui ont déjà effectué des séjours aux Marquises comprendront immédiatement l'intérêt de cette formule.

Croisières-plongée

En 7 jours.
Plongées dans les passes de Huahine, Raiatea, Tahaa, Bora Bora. Moniteur CMAS (croisières Archipels). **Autre formule :** une semaine au départ de Fakarava avec des plongées à Fakarava, Kauehi, Toau et à Rangiroa en catamaran privilèges. (Raie Manta Club/Aquarev).
En 11 jours.
Destinées aux plongeurs confirmés, des croisières sont organisées aux Tuamotu. Ils admireront les grosses pièces des passes de Manihi, Aratika, Kauehi, Fakarava, Toau, Apataki et Rangiroa.

▌ LA POLYNÉSIE AUTREMENT

Se marier à la polynésienne ♥. Nettement plus attrayant et plus original que de se marier à Las Vegas ! Il existe quatre formules au choix pour se marier, ou pour fêter dignement son anniversaire de mariage sous les cieux polynésiens (p. 150).

Se faire tatouer. Le tatouage, indissociable des arts anciens, se pratique toujours dans toutes les grandes îles polynésiennes. Des tatouages réellement artistiques sont exécutés par des maîtres tatoueurs aux îles Marquises et dans les îles de la Société avec des motifs stylisés abstraits aussi étranges qu'ésotériques. Succès garanti à votre retour ! (p. 109).

Séjourner dans un palace en pleine jungle. Après plus de 25 ans de voyages à travers le Pacifique Sud, un multimillionnaire en dollars, Tom Kurth, s'éprend de l'île de Huahine, la plus sauvage des îles de la Société. Dans une véritable jungle de 18 hectares, située sur la côte ouest entre des montagnes et une plage de sable blanc de 400 mètres prolongeant la vallée de Hana Iti, il décide d'édifier un ensemble hôtelier à nul autre pareil. (p. 165).

Circuler en truck. Le moyen de transport le plus typique et le moins onéreux pour se déplacer à Tahiti et dans les îles polynésiennes est le *truck* (p. 58). Ces autobus à carrosserie aérée appartiennent à des petits propriétaires locaux. Ils sont le véhicule principal des Polynésiens que vous pourrez ainsi côtoyer dans une ambiance chaleureuse et décontractée. Les stations se trouvent dans les villes ou les villages.

Vivre chez l'habitant. La solution est économique et permet des séjours de plus longue durée (p. 50). Cette formule, déjà ancienne, a fait ses preuves et certains loueurs sont devenus de véritables professionnels. Mais, attention, le meilleur côtoie le pire.

Devenir expert en perles noires. Une manière originale et passionnante de faire du shopping à la recherche de la perle rare. Il faut auparavant apprendre à connaître les perles noires (p. 57 et 104). Les joailliers tahitiens, du plus modeste au plus célèbre, ont beaucoup de goût et d'habileté. Leurs productions sont proposées à des prix beaucoup plus intéressants que celles des bijoutiers métropolitains (p. 127).

Séduire en pareu. Le *pareu* est un rectangle de coton imprimé, orné de motifs décoratifs aux teintes vives, s'inspirant des beautés de la nature : fleurs d'hibiscus, de tiare, de flamboyant, de bougainvillées, de tulipier, de coquillages ou de motifs décoratifs stylisés d'origine marquisienne. Les grands hôtels, dans le cadre de leurs animations, seront heureux de vous offrir des « leçons de *pareu* » ; vous apprendrez, tout en les admirant, à vous en étreindre (p. 57 et 152).

Rechercher des coquillages. Les coquillages tropicaux sont les premiers habitants des récifs coralliens. Ces formes baroques, telles des fleurs pétrifiées, défient le temps de leurs charmes insolents. Les vrais amateurs tenteront d'en trouver dans les flaques salées du récif-barrière ou sur les tombants. On peut aussi choisir porcelaines, mitres, cônes, harpes, murex ou fuseaux, etc. dans les boutiques spécialisées ou sur les étals des Polynésiens (p. 71 et 126).

Fraterniser avec les requins. Depuis les films qui ont stigmatisé l'intelligence et la férocité des fauves de la mer, des idées totalement fausses restent ancrées dans les esprits. Les requins sont des prédateurs naturels de certains lagons, mais ils sont indispensables à un écosystème dont l'homme ne fait pas partie. Vous ne courez pas de risque à évoluer dans des eaux de rêve en les côtoyant (p. 74).

Vivre dangereusement. Évitez de vous baigner à proximité d'un récif corallien : le calcaire tranchant des madrépores inflige des blessures qui cicatrisent mal. Certains poissons ont des épines empoisonnées, notamment le poisson-pierre. Ne vous approchez pas des murènes qui logent dans les anfractuosités du récif. Sans oublier les coquillages de la famille des cônes qui, inconsciemment récoltés et déposés dans le slip de bain, peuvent foudroyer leur propriétaire ! (p. 38 et 71).

Enfin, lorsque vous aurez échappé à tous ces périls et que vous goûterez un repos bien mérité à l'ombre d'un cocotier, n'oubliez pas que les noix de coco tombent ! Vérifiez qu'elles ont été enlevées ou tenez-vous à l'écart.

Marcher sur les traces de Robinson Crusoé ♥. Une multitude d'îlots déserts sont répartis sur le pourtour de l'atoll de Rangiroa (p. 192). Les amoureux de la nature s'y feront déposer par une pirogue à moteur pour y séjourner avec un minimum de moyens matériels pendant quelques jours. Pêcher ses poissons avec des instruments rudimentaires et les faire griller sur des galets chauffés à blanc, boire l'eau de coco, dormir à la belle étoile…

Arpenter les volcans. Les contreforts des volcans basaltiques, les flancs des caldeiras et des îles hautes sont couverts d'une luxuriante végétation qui protège des reliefs tourmentés : crêtes, vallées qui cachent d'anciens lieux de culte, gués de rivières, plateaux, grottes… À pied, vous bénéficierez des vues les plus étonnantes.

Toutes les îles hautes se prêtent aux randonnées en montagne ; des circuits sont proposés à Tahiti, Moorea, Huahine, Raiatea, ainsi qu'aux Marquises. Les amateurs peuvent consulter l'ouvrage de Paule Laudon *Randonnées en montagne*, éditions du Pacifique.

Jouer au chasseur d'images. Des cieux d'apocalypse, des horizons infinis, le sourire un tantinet moqueur d'une ravissante Tahitienne, le déhanchement d'une danseuse de *tamure*, la gaieté de la fête, l'attitude noble d'une mamma en *pareu* orné de dentelle : autant de sujets que le passionné d'images sera tenté d'immortaliser (p. 53).

Carte d'identité

Situation : au milieu du Pacifique Sud ; (Tahiti : 17° 40' de latitude S, 149° 40' de longitude O) ; 121 îles principales réparties sur un territoire occupant une superficie terrestre de 3 521 km², soit celle de l'Europe (Russie non comprise).

Distance : 15 700 km de Paris par la route la plus courte, 24 000 km par la « route des Indes ».

Population : 225 000 hab. env. en 1997. Taux d'accroissement annuel : 2,3 %. 47 % de la population a moins de 20 ans. 70 % des habitants vivent à Tahiti même.

Île principale : Tahiti. **Capitale administrative :** Papeete.

Archipels : Société (îles Sous-le-Vent, îles du Vent), Marquises, Tuamotu, Australes, îles Gambier.

Religions : protestants (51 %), catholiques (34 %), mormons (3 %), sanitos (3 %), adventistes (2 %).

Langues : tahitien et français. Bonne pratique de l'anglais dans les milieux touristiques.

Régime : Territoire d'Outre-mer de la République française, doté depuis le 6 septembre 1984 d'un statut d'autonomie interne qui confère aux institutions locales des pouvoirs étendus. Le statut a été révisé par l'Assemblée nationale en juillet 1990.

Pouvoir législatif : Assemblée territoriale élue au suffrage universel. Président du gouvernement local choisi par l'assemblée, auquel sont adjoints un vice-président et des ministres.

Représentant de la France : Haut commissaire nommé par le gouvernement français.

Représentation de la Polynésie en métropole : deux députés, un sénateur, un conseiller économique et social, et une délégation de la Polynésie à Paris.

Monnaie : le franc Pacifique. (1 CFP = 0,055 F ou 1 F = 18,18 CFP ; la parité est fixe entre le FF et le CFP).

Économie : tourisme ; ressources de la mer avec, en tête des exportations, les perles noires ; aquaculture et agriculture ; industrie encore limitée.

PARTIR

■ QUAND PARTIR ?

Tahiti et la Polynésie française jouissent d'un climat tropical océanique, à la fois chaud et très humide. Cependant, la température moyenne est relativement constante au cours de l'année, oscillant de 24 à 27 °C.

Il est préférable d'éviter la **saison chaude**, de **novembre à mars**. Un taux d'humidité proche de 100 % rend la chaleur difficilement supportable, surtout à Papeete. En bord de mer et dans les îles, les alizés créent une ventilation très agréable. **Décembre et janvier** sont à proscrire en raison des pluies chaudes qui s'abattent parfois sans discontinuer pendant plusieurs semaines.

La **saison sèche** débute en **avril**. Soleil et chaleur, le jour, alternent avec des nuits fraîches grâce au *hupe* (vent de montagne). **Mai-juin** et **sept.-oct.** sont les mois idéaux pour un séjour en Polynésie. Les alizés peuvent souffler plus ou moins fort toute l'année (atteignant parfois 60 km/h), de N-E à S-O pendant la saison chaude, et de S-E à N-O pendant la saison fraîche. Le *maraamu*, désignation polynésienne de ces vents, s'accompagne d'averses passagères, entraînant parfois des périodes de mauvais temps.

Attention, il existe des **différences climatiques** assez considérables entre les archipels, les îles d'un archipel et parfois à l'intérieur d'une même île. On enregistre ainsi à Tahiti 3 000 mm de précipitations sur la côte N, 1 800 mm sur la côte ouest et 4 000 mm en altitude. Plusieurs paramètres déterminent ces variations : relief, vents dominants. De plus, les îles polynésiennes s'étirent sur vingt degrés de latitude : au N, les îles Marquises ont un climat de type équatorial alors qu'au S, les Australes jouissent d'un climat beaucoup plus frais.

Les pluies les plus faibles tombent dans la moitié N de l'archipel des Tuamotu et aux Marquises.

■ COMMENT PARTIR ?

Par avion

Certains vous diront que le voyage aérien est une rude épreuve : environ 20 heures de vol avec une escale technique à Los Angeles ; d'autres apprécient ces heures de détente comme une parenthèse dans le quotidien. Tous les long-courriers proposent en effet des distractions et des occupations qui s'enchaînent et ne vous laissent pas longtemps vous ennuyer : musique en continu, films long métrage en projection vidéo et repas, boissons à volonté, shopping *duty free* à volonté. Dans les intervalles de la programmation, vous pourrez suivre sur une mappemonde la trajectoire et la progression de l'avion, ainsi que son altitude et sa vitesse : vous participez ainsi en direct à la navigation aérienne.

Des différences sensibles de prestations durant le vol existent selon les compagnies aériennes et la classe que vous avez choisies.

Vols Paris-Papeete via Los Angeles.   **AIR FRANCE** ////

Air France assure 3 vols par semaine au départ de l'aéroport Charles-de-Gaulle, Aérogare 2C, avec une escale de 1 à 2h à Los Angeles. Les tarifs varient selon la période de l'année. La haute saison se situe surtout à la période des fêtes de fin d'année et en juillet et août. Les réservations doivent toujours être effectuées au moins 1 ou 2 mois à l'avance, parfois nettement plus pour un voyage en haute saison.

Bon à savoir : on peut acheter un vol régulier Air France par l'intermédiaire de **Jet Tours/Jumbo charters** à un tarif très avantageux. Dans la majorité des cas, le vol est inclus dans le forfait vacances vendu par le voyagiste. Sur ces vols longs courriers, il existe trois classes : 1re classe, classe Club, classe Économique. *Stop over* possible à Los Angeles (vous pouvez faire escale et rester quelque temps sur place avant de poursuivre votre voyage). Pour toute information sur ces vols, composer le 3615 CHARTERS sur Minitel.

Air France rens. et réservations : par Minitel, 3615 ou 3616 code AF. **Aix-en-Provence :** 2, rue Aude, 13000, rés. ☎ 04.91.39.39.39. **Ajaccio :** 3, bd du Roi-Jérôme, 20000, rés. ☎ 04.95.29.45.45. **Avignon :** 7, rue Joseph-Vernet, 84000, rés. ☎ 04.91.39.39.39. **Besançon :** 15, rue Proudhon, 25000 ☎ 03.81.81.30.31. **Bordeaux :** 29, rue Esprit-des-Lois, 33000 ☎ 05.56.00.03.00. ; Aéroport de Mérignac 33700 ☎ 05.56.34.32.32. Rés. ☎ 05.56.00.40.40. **Clermont-Ferrand :** 69, bd François-Mitterand, 63000 ☎ 04.72.56.22.22. **Grenoble :** 4, pl. Victor-Hugo, 38000 ☎ 04.76.87.63.41. **Lille :** 8-10, rue Jean-Roisin, 59040 ☎ 08.02.80.28.02. **Lyon :** 10, quai Jules-Courmont, 69002 ☎ 04.72.56.22.22. **Marseille :** 14, La Canebière, 13001 ☎ 04.91.39.39.39. **Nantes :** immeuble Neptune, pl. Neptune, 44000 ☎ 08.02.80.28.02. **Paris et banlieue**, rens. par tél. t.l.j. de 8h à 21h ☎ 01.44.08.22.22. **Strasbourg :** 15, rue des Francs-Bourgeois, 67000 ☎ 03.88.21.86.00/10. **Tours :** 8-10 pl. de la Victoire, 37000 ☎ 02.47.37.54.54.

AOM French Airlines (Air Outre-Mer) propose 2 vols hebdomadaires les lun. et ven. au départ de l'aéroport d'Orly Sud, avec une escale à Los Angeles. Trois classes : Opale, Espace et Touriste. Il existe des tarifs « Spécial Espace » et « Spécial Azur » dont le prix varie du simple à plus du double en fonction de l'époque (périodes verte, jaune, orange et rouge pour la plus chère). *Stop over* possible à Los Angeles. Rens. par Minitel 3615 AOM. **Paris :** 66, av. des Champs-Élysées, 75008 ☎ 01.53.77.13.10. Agence Nation, 16, cours de Vincennes, 75012 ☎ 01.44.67.87.37. Réservation centrale ☎ 01.49.79.12.34, minitel 3615 code AOM.

Air New Zealand, c/0 Air Promotion Groupe, 66 av. des Champs-Élysées, 75008 Paris ☎ 01.53.77.13.30. Liaisons Londres-Los Angeles-Papeete. Préacheminement sur Londres avec British Airways.

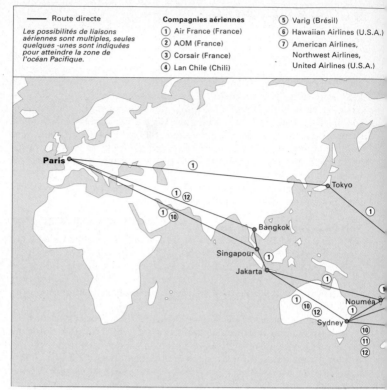

——— Route directe

Les possibilités de liaisons aériennes sont multiples, seules quelques-unes sont indiquées pour atteindre la zone de l'océan Pacifique.

Compagnies aériennes
1. Air France (France)
2. AOM (France)
3. Corsair (France)
4. Lan Chile (Chili)
5. Varig (Brésil)
6. Hawaiian Airlines (U.S.A.)
7. American Airlines, Northwest Airlines, United Airlines (U.S.A.)

Liaisons aériennes

Vols charters et vols spéciaux. Nouvelles Frontières, 87, bd de Grenelle, 75015 Paris ☎ 08.03.33.33.33. Vols charters Paris-Papeete à partir de 4 990 F A/R à certaines dates. Prix les plus compétitifs du marché. Vol inter-îles : Papeete-Moorea ; Papeete-Rangiroa (archipel des Tuamotu) ; Papeete-Nuku-Hiva (archipel des Marquises).

Jet Tours (Air France), 38, av. de l'Opéra, 75002 Paris ☎ 01.47.42.06.92. Minitel 3615 CHARTER. Vols réguliers sur Air France.

Autres vols vers Papeete. Tahiti est maintenant très bien desservie par de nombreuses compagnies étrangères dont certaines ne sont pas représentées en France. Elles offrent une multitude de combinaisons de voyages « à la carte » dans lesquelles Tahiti et les îles polynésiennes peuvent être une escale parmi d'autres. Il convient, si vous choisissez cette option, de contacter votre agent de voyages qui étudiera pour vous la meilleure solution et pourra éventuellement vous orienter vers un tour opérateur spécialisé dans les voyages « tour du monde ». **Lan Chile,** BP 1350 Papeete-Tahiti ☎ 00 (689) 42.64.55, fax 00 (689) 42.18.87, a une ligne directe Santiago du Chili-Papeete avec escale et *stop-over* possible à l'île de Pâques. Pas de représentation en France. **Hawaiian Airlines,** BP 20702, Papeete ☎ 00 (689) 42.15.00, fax 00 (689) 45.14.51. Papeete est desservie au départ de Honolulu. Pas de représentation en France. **Polynesian Airlines,** Tahiti ☎ 00 (689) 42.22.22, fax 00 (689) 41.05.22. Pas de représentation en France. Agence Air France, BP 4468, Papeete. **Air Calédonie International** (pas de représentation en France), BP 4585, Papeete ☎ 00 (689) 85.09.04, fax 00 (689) 85.09.05, exploite la ligne Papeete-Nouméa, des développements possibles vers Auckland et Sydney.

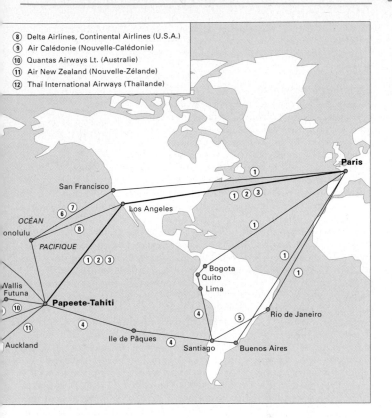

8 Delta Airlines, Continental Airlines (U.S.A.)
9 Air Calédonie (Nouvelle-Calédonie)
10 Quantas Airways Lt. (Australie)
11 Air New Zealand (Nouvelle-Zélande)
12 Thaï International Airways (Thaïlande)

Flâneries planétaires. Paris-Papeete par la « route des Indes » : le fantasme de Phileas Fogg à la portée des passionnés de voyage en moins de 70 jours ! Au départ de Paris, on s'envole pour Singapour (extension possible à Hong Kong). De Singapour ou Hong Kong, on peut aller à Jakarta (extension possible à Bali). Au départ de Jakarta, on peut prendre un vol pour Nouméa ou Sydney. Nouméa-Tahiti se fait par vol direct ou avec un détour par Auckland. On peut encore aller directement à Auckland au départ de Sydney. La « route des Indes » est à déconseiller en vol direct en raison de la durée interminable du voyage et des multiples escales. Mais si vous avez tout votre temps (prévoir 5 semaines au minimum) et le loisir d'effectuer de nombreux *stop over*, c'est une merveille. **Paris-Papeete *via* l'Afrique** : avec les lignes régulières, vous effectuez une escale à La Réunion. Ne manquez pas, à cette occasion, de visiter l'île Maurice, toute proche. Le voyage se poursuit obligatoirement avec Qantas entre Saint-Denis et Sydney, avant de rejoindre Papeete. **Paris-Papeete *via* Tokyo** : la compagnie Air France assure des lignes directes Paris-Tokyo aussi bien que Tokyo-Papeete. Pour ce dernier parcours, 2 vols hebdomadaires. **Paris-Papeete *via* l'Amérique du Sud** : 2 routes différentes par Air France. De Paris à Santiago, avec des escales à Bogota, Quito et Lima (une extension vers les îles Galapagos est possible depuis Quito) ; de Paris à Santiago *via* Buenos Aires. La deuxième partie du voyage s'effectue obligatoirement avec la compagnie chilienne Lan Chile et avec une escale à l'île de Pâques. Prévoir une halte d'au moins 3 jours ou mieux d'une semaine pour avoir le temps de visiter les Galapagos, l'île de Pâques et Tahiti. Le seul obstacle possible est le portefeuille ! **Paris-Papeete *via* Honolulu** : c'est aussi possible, mais vous serez obligé d'acheter votre billet d'avion Honolulu-

Papeete aux États-Unis. Dans ce cas, vous prendrez un vol direct Paris-Los Angeles aller-retour et poursuivrez vers Honolulu.

Pour tous renseignements, adressez-vous aux agences citées plus bas.

En voyage organisé

Si l'organisation de votre voyage dépend d'un tour opérateur, c'est lui qui conçoit le programme, négocie les prix et les différents prestataires de services. La vente directe est effectuée par une agence de voyages. La réussite de votre voyage dépend des choix effectués par le tour opérateur. Il faut donc accorder la plus grande attention à la spécificité de chacun d'eux.

Les voyagistes spécialisés à Paris et en province. Les spécialistes de la Polynésie française offrent toujours des formules intéressantes ou originales à destination de Tahiti et de la Polynésie, ou encore des îles du Pacifique Sud. **ITS (Intercontinent Tour Service)**, 103, rue de la Boétie, 75008 ☎ 01.42.25.92.90, fax 01.42.56.25.82. Voyages à la carte et circuits d'île en île ; vaste choix d'hôtels, des forfaits de base intéressants et des promotions « hors saison ». **Le Quotidien Voyages**, 103, av. Charles-de-Gaulle, 92200 Neuilly ☎ 01.41.92.08.30. L'un des tours opérateurs très compétents pour la Polynésie, avec un vaste choix de formules privilégiant les voyages « sur mesure » à des tarifs raisonnables. Spécialiste des croisières Aranui, Archipels, Danae, Wind Song. **Tourinter**, 30, rue Ferrandière, 69226 Lyon ☎ 04.72.56.44.44. et 6, rue des Immeubles Industriels, 75011 ☎ 01.40.09.00.10, fax 01.40.09.00.18. Formules intéressantes de voyages à bâtir vous-même. Le programme « îles à la carte » propose les meilleurs hôtels et des établissements de classe moyenne ainsi que les principales croisières. **Exotismes**, 23, rue Granoux, 13004 Marseille ☎ 04.91.24.25.00. Séjours à la carte avec au choix 10 combinés d'îles. **MVM (Maine Voyages Montparnasse)**, 70, rue Pernety, 75014 Paris ☎ 01.4.47.78.17. Vols et réservations d'hôtels à Papeete, Moorea, Huahiné, Bora-Bora, Raiatea et Tuamotu. Combiné d'îles sur plusieurs nuits. Voyages de noces. **Iles du Monde**, 7, rue Cochin, 75005 Paris ☎ 01.43.26.68.68. Choix de 5 hôtels à Tahiti. Trois croisières au départ des îles. **JLT Voyages** (Jeunesse Loisirs Tourisme), 17, av. Stephen Pichon, 75013 Paris ☎ 01.45.83.19.60. Séjours, croisières et combinés d'îles.

Les généralistes. Les principaux généralistes accordent une part importante de leur activité à la Polynésie et peuvent proposer des promotions hors saison. **Club Méditerranée**, 11, rue de Cambrai, 75019 Paris ☎ 01.55.25.26.26., rens. par Minitel 36.15 code CLUB MED. Plusieurs agences à Paris. Tahiti a longtemps été l'une des destinations de prestige de cet organisme. **Jet Tours**, 19, av. de Tourville, 75007 ☎ 01.47.05.01.95, rens. par Minitel 3615 code JET TOURS. Plusieurs agences à Paris dont 38, av. de l'Opéra, 75002 ☎ 01.47.42.06.92, fax 01.49.24.94.47. Jet Tours organise des voyages à un prix forfaitaire variant sensiblement selon la classe des hôtels choisis. Les possibilités offertes par cet organisme du groupe Air France sont multiples. La Polynésie figure dans la brochure *Asie-Pacifique*. **Kuoni**, 40, rue de Saint-Pétersbourg, 75008 ☎ 01.42.82.04.02, 33, bd Malesherbes 75008 ☎ 01.53.43.50.10. Les voyages proposés, de qualité, sont à caractère traditionnel et à des prix intéressants, compte tenu du choix des hôtels (parmi les meilleurs de la Polynésie). Voir la brochure *Les Sables*. **Nouvelles Frontières**, 87, bd de Grenelle 75015 ☎ 08.03.33.33.33., rens. par Minitel 3615 code NF. Le grand spécialiste du « voyage pour tous » propose des vols et des voyages à forfait à des prix très attrayants en n'excluant aucune catégorie d'établissements : hôtels de luxe, croisières, établissements moyenne gamme. **Novatours**, 9, rue de Lille, 06400 Cannes ☎ 04.93.06.70.40. Réduction de 30 % pour les jeunes mariés. **Privilèges Voyages**, 38, av. Marceau, 75008 Paris

☎ 01.47.20.04.76. Voyages haut de gamme avec service personnalisé. **Starter,** 9 av. du Maréchal Foch, 68100 Mulhouse ☎ 03.89.36.26.26. Voyages à la carte. Combiné inter-îles. Départs de province.
Les spécialistes de la voile et/ou de la plongée. Archipels Croisières, 36, rue Dombasle, 75015 ☎ 01.48.28.38.31. Trois croisières sur le catamaran *Archipels 57 :* les îles Sous-le-Vent, les Tuamotu et les Marquises. **Aquarev/ Rev'Vacances,** 52, bd de Sébastopol, 75003 ☎ 01.48.87.55.78, rens. par Minitel 3615 code REV VACANCES. Des plongées et des croisières-plongée dans les meilleurs sites de Polynésie. **Blue Lagoon Voyages International,** 9, rue de Maubeuge, 75009 ☎ 01.42.82.95.40. L'accent est mis sur les séjours-découverte et la plongée sous-marine. **Stardust,** 20 bis, av. Mac-Mahon, 75017 ☎ 01.40.68.68.65. Location de voiliers avec ou sans équipage, croisières. **Force 4-Moorings,** 64, rue Jean-Jacques Rousseau, 75001 ☎ 01.53.00.30.30. Location de voiliers avec ou sans équipage. **Odyssée/Ultramarina,** 4, place Dumoustier, 44000 Nantes ☎ 02.40.89.34.44, fax 02.40.89.74.89. Numéro vert à Paris ☎ 08.00.04.06.63. Location de voiliers avec ou sans équipage. Toute la voile en Polynésie ainsi que la plongée sous-marine. **Voiles Voyages,** 6, rue Jean-Goujon, 75008 ☎ 01.45.61.03.09. Location de voiliers avec ou sans équipage.

Voyages « tour du monde »

La Polynésie française, située aux antipodes, est une destination rêvée pour les tours du monde. La diversité des liaisons aériennes autorise les combinaisons les plus fantastiques. L'intérêt est d'effectuer des *stop over* d'une durée convenable dans chaque pays. **Nouveau Monde,** 8, rue Mabillon, 75006 Paris ☎ 01.53.73.78.80, est spécialisé dans cette catégorie de voyages. Voici quelques suggestions au départ de Paris :
Sur la route de la soie. Paris, Londres, Tachkent, Bangkok, Sydney, Auckland, Nandi (Fiji), **Papeete,** Los Angeles, Paris.
Sur les traces du Kon Tiki. Paris, Buenos Aires, Santiago, Île de Pâques, **Papeete,** Auckland, Sydney, Denpasar, Singapour, Bangkok, Paris.
Tour du Pacifique. Paris, New York, Lima, Santiago, Île de Pâques, **Papeete,** Honolulu, Los Angeles, New York, Paris.
La France des Tropiques. Paris, Cayenne, Fort de France, Pointe à Pitre, Saint-Martin, Miami, Nouvelle-Orléans, Los Angeles, **Papeete,** Wallis, Nouméa, Sydney, Singapour, Île Maurice, Paris.

▌ FORMALITÉS

Passeport et visa

Tous les passagers arrivant à Tahiti doivent être munis d'un **passeport** en cours de validité. En outre, les voyageurs – à l'exception des fonctionnaires sous contrat de séjour dont le retour est assuré par l'État – doivent présenter leur billet de retour ou de continuation vers une autre destination.
Pour les voyageurs de **nationalité française** et les ressortissants des pays de l'**Union européenne** et de la plupart des pays d'Europe, le **visa** n'est pas nécessaire dans la mesure où la durée du séjour n'excède pas trois mois. Informations : Tahiti Tourisme 28, bd Saint-Germain, 75005 Paris ☎ 01.46.34.29.91, fax 01.43.25.41.65 ou par Minitel 3615 code TAHITI.
Pour les **autres ressortissants,** un passeport en cours de validité et un visa consulaire sont indispensables. Les visas sont accordés pour une durée de 3 mois. Pour les passagers en provenance des **Fidji** et des **Samoa,** tous les bagages doivent être soumis à un traitement sanitaire de fumigations qui dure 2 heures. Cette mesure est destinée à la protection de la flore de l'île, tout particulièrement des cocotiers.

Il n'est plus obligatoire de présenter le certificat international de vaccination, sauf si votre voyage comporte des escales assez longues et si vous venez d'une zone infectée et reconnue comme telle par l'OMS.

Permis

Permis de conduire. Le permis international n'est pas exigé, le permis simple (à trois volets) suffit. Pour louer une voiture, il faut avoir au moins 21 ans et présenter un permis de conduire en cours de validité de plus d'un an.

Permis bateaux. Il est le même qu'en France et n'est demandé que pour piloter une embarcation d'une puissance supérieure à 10 chevaux. Pour les voiliers, aucun permis n'est réclamé mais les loueurs, avant de vous confier une embarcation, s'assurent de vos compétences. Pour ceux qui le souhaiteraient, on peut passer le permis bateau à Tahiti. Se renseigner sur place auprès du Service des affaires maritimes à Papeete (Motu Uta).

Permis de plongée. Il est à emporter **obligatoirement** si vous souhaitez pratiquer ce sport dans le cadre d'un club, d'une croisière-plongée. On peut aussi passer le permis plongée à Tahiti. Rens. sur place auprès des clubs, des écoles de plongée et des grands hôtels.

Permis de travail. Il est tout à fait impossible de partir à Tahiti à l'aventure en espérant trouver sur place du travail, ou même un « job » qui vous permettrait de vivre au soleil pendant quelque temps. La situation de l'emploi est en effet dramatique, surtout chez les jeunes, et la priorité pour une embauche, même temporaire, est toujours accordée à des Tahitiens.

Douane

La Polynésie française est un territoire d'outre-mer (TOM) dont le régime fiscal diffère de celui de la métropole. Les marchandises sont taxées de droits de douane et de droits d'entrée spécifiques au territoire. Pour des séjours de durée limitée, les affaires personnelles sont autorisées en franchise. Pour les objets de valeur, munissez-vous de factures. Les voyageurs qui séjourneront à Tahiti plusieurs années (fonctionnaires) sont autorisés à faire entrer des affaires personnelles achetées au moins 6 mois avant la date du voyage (les factures sont exigées).

Outre vos effets personnels, sont admis en franchise 200 cigarettes ou 100 cigarillos ou 50 cigares ou 250 g de tabac et 2 litres d'alcool par personne.

Les photographes amateurs peuvent emporter 2 appareils photo, leurs objectifs et accessoires, et 10 films ; le surplus pourra être acheté sur place. Pour le cinéma ou la vidéo, une caméra est autorisée ainsi que 10 films ou cassettes. Les postes de radio, magnétophones portatifs ainsi que le matériel de camping sont admis en franchise.

La Polynésie française est un milieu insulaire dont la température élevée et surtout l'humidité favorisent le développement très rapide des espèces animales et végétales qui y sont ; il est donc rigoureusement interdit d'importer des plantes ou des animaux sans autorisation spéciale du gouvernement.

■ SANTÉ

Votre séjour à Tahiti ne posera pas de problème de santé particulier. Le cortège de parasites afférents à la majorité des pays tropicaux n'existe pas : pas de paludisme à Tahiti. En ce qui concerne les **animaux**, il n'y a pas de serpent, et les petits requins de lagon que l'on rencontre parfois aux Tuamotu et aux abords des îles Sous-le-Vent sont sans danger pour les baigneurs. Les chas-

Dans une cocoteraie de l'atoll de Rangiroa, un *fare* traditionnel.

seurs sous-marins doivent toujours prendre la précaution élémentaire de surveiller ce qui les entoure. En pleine eau, ne jamais garder les prises mais les déposer dans un récipient hors de l'eau.

Vous pouvez prévoir une **pharmacie de voyage** très simple avec quelques médicaments de première nécessité, surtout pour les îles autres que Tahiti. N'oubliez pas d'emporter des désinfectants pour les petites blessures ou égratignures : alcool, teinture d'iode et quelques pansements d'urgence car, même légères, les blessures occasionnées par le corail peuvent s'avérer dangereuses (voir p. 71).

Une panoplie complète des **crèmes solaires** est indispensable. À Tahiti, le soleil brûle si vous n'y prenez garde (rien à voir avec la Méditerranée) et, curieusement, vous bronzez plus lentement. Les spécialistes expliquent ce phénomène par une relative carence du milieu en iode. Prévoyez des **antimoustiques** à appliquer sur la peau, mais vous trouverez aussi sur place l'un des plus efficaces : l'Off. Les *nonos*, moucherons piqueurs, sont particulièrement agressifs (voir p. 72).

Les **affections les plus courantes** sont des diarrhées bénignes occasionnées par les crudités et les aliments peu cuits ou parfois l'eau, surtout à la saison des pluies. L'eau du robinet est potable, mais on peut aussi boire l'excellente Eau Royale produite localement.

Nous ne possédons pas de statistiques récentes concernant les MST (maladies sexuellement transmissibles), notamment le sida, sur le territoire polynésien. L'Institut territorial de la statistique précise qu'il n'y a pas de croissance exponentielle de la maladie ; le nombre de séropositifs serait de l'ordre de 20 *nouveaux cas par année*. En l'absence de chiffres précis, la prudence reste de rigueur…

▌MONNAIE

Le franc Pacifique. La monnaie utilisée est le franc Pacifique (CFP). Sa parité est fixe par rapport au franc français : 1 CFP vaut 0,055 FF ; vous avez donc 18,18 CFP pour 1 FF. Les francs français peuvent être convertis en francs Pacifique et réciproquement sans limitation de montant. Il est donc préférable de venir à Tahiti avec des francs français plutôt que d'emporter des dollars.

Les banques ne prennent pas de commission pour le **change** des billets (francs français uniquement), alors que le change des traveller's chèques libellés en francs est un service payant. Si vous n'emportez pas de grosses sommes, vous avez donc tout intérêt à emporter des espèces. Pas de commission non plus pour l'opération inverse, lorsque le change des francs Pacifique s'effectue en francs français, au moment du retour.

Pour les **petites îles** faiblement peuplées (petits atolls des Tuamotu par exemple), il est préférable d'arriver sur place avec une somme raisonnable en espèces. En revanche, toutes les grandes îles ont des succursales bancaires.

Les cartes de paiement. L'usage des cartes de paiement s'est fortement développé à Tahiti même et dans les îles qui connaissent un essor touristique important, comme Moorea ou Bora Bora. Ces cartes sont acceptées par tous les grands hôtels, les organismes de location de voitures, les agences de voyages locales pour le règlement des tours, les grands magasins, les supermarchés, les grands restaurants.

Les principales cartes bancaires acceptées sont American Express (AE), Diner's Card (DC), Eurocard/Mastercard (MC), mais la plus répandue et la plus employée est la carte VISA.

Votre budget. Les dépenses que vous aurez à engager sont très différentes selon que vous optez pour un forfait en pension complète, en demi-pension ou pour un voyage libre. Dans ce dernier cas, prévoyez large car vous aurez à faire face à de nombreuses dépenses, la vie étant très chère en Polynésie.

Un « **vol sec** » acheté chez un voyagiste spécialisé ou auprès d'un organisme de charters peut vous coûter, suivant les dates et les promotions, entre 5 500 FF et 8 000 FF en dehors de la haute saison. Les tarifs en vigueur étant très fluctuants, nous ne pouvons que donner des ordres de grandeur.

Il est également difficile de donner des prix indicatifs pour les **hôtels** tant les disparités sont grandes entre les établissements de même classe, et d'une île à l'autre. Ainsi, Bora Bora est nettement plus chère que Moorea, Huahine ou Raiatea (en hôtels de bon confort). Sachez aussi que les prix varient fortement selon le type d'habitation : les bungalows sur pilotis ou les *fare* en bordure de plage avec vue directe sur le lagon sont très recherchés et chers, alors que les habitations avec vue sur jardin sont à des prix inférieurs.

Pour un même hôtel, les prix varient du simple au double, parfois plus. Vous aurez toujours intérêt à réserver vos chambres d'hôtel auprès de votre agent de voyages en France. Les prix négociés par les tours opérateurs sont nettement inférieurs aux prix officiels annoncés sur place. Vous pourrez toujours essayer de négocier vous-même, si la période de séjour correspond à un faible remplissage hôtelier, mais cela est risqué.

Dans le cadre d'un voyage « à la carte » pour les meilleurs hôtels de Tahiti (▲▲▲▲) il faudra débourser en chambre double env. 1 000 FF par personne avec petit déjeuner pour un bungalow sur pilotis, 600 FF par personne en chambre luxe et 500 FF en chambre standard. À Bora Bora, pour un hôtel équivalent, comptez respectivement 1 600 à 1 800 FF, puis 1 300 FF et 1 100 FF. Les prix des hôtels ▲▲▲ sont de 1 300 FF pour un bungalow sur pilotis, de 800 à 1 000 FF pour un bungalow plage et de 700 FF pour un *fare* en jardin. Une chambre en hôtel ▲▲ coûte entre 300 et 600 FF, en hôtels ▲ entre 200 et 300 FF.

Un **repas** complet dans le restaurant gastronomique d'un établissement de luxe s'échelonne entre 250 et 350 FF par personne. Pour une bonne table de prix moyen, comptez entre 150 et 200 FF. Un repas très correct mais sans recherche particulière varie entre 80 et 150 FF.

Les **locations de voitures** valent entre 250 et 350 FF par jour.

■ QUE FAUT-IL EMPORTER ?

Vêtements. La garde-robe féminine comportera des vêtements légers. Pour la journée, robes en cotonnade, tee-shirts, jupes. Vous pouvez opter pour des maillots de bain « mini », le comportement sur la plage étant assez libéral. Il n'y a pas de contraintes à Tahiti, toutefois on ne se promène pas dans les rues de Papeete en maillot de bain, cela ne fait pas partie des habitudes. Ne surchargez pas vos valises, pas d'imperméable ni de parapluie. S'il pleut un jour, prenez votre douche comme les Tahitiens. La pluie est tiède, elle prend l'allure d'une fête, il faut en profiter ! Prévoyez pour les soirées un assortiment de robes légères et non une tenue élégante car il n'y a pas d'impératifs vestimentaires. Un pull-over ou un châle de laine seront précieux pour supporter les soirées d'été, parfois fraîches, ou l'air conditionné. Pour les hommes, pantalons légers et chemises à manches courtes (polos, tee-shirts, etc.). Ni tenue de ville ni cravate pour les soirées organisées par les hôtels.

Articles de sport. Masque, tuba et, si vous avez de la place, une paire de palmes ; il serait en effet regrettable de partir pour les plus beaux lagons du monde sans l'équipement de première nécessité permettant un minimum de découverte des massifs coralliens, de leur faune et de leur flore. Prévoyez aussi une paire de chaussures en plastique pour marcher dans l'eau, ou, mieux, des boots en caoutchouc à semelle renforcée parfois utilisées par les plongeurs sous-marins. Cela vous sera très précieux, voire indispensable, pour mettre les pieds sur des fonds coralliens, sur le récif ou même sur ces

VOYAGE À LA CARTE

En voyage, la carte de paiement, c'est la liberté ! Véritable sésame, elle vous permet de régler l'essentiel de vos dépenses et de disposer en permanence d'argent liquide, tout en vous garantissant une totale sécurité. Pour en profiter pleinement, voici un petit mode d'emploi qui vous en rappelle tous les avantages.

Une carte de paiement, c'est :

• **Un moyen facile de retirer de l'argent liquide.** Chaque semaine, vous avez droit à la contre-valeur en liquide d'une certaine somme que vous pouvez retirer :

– dans les guichets des banques affichant le logo de votre carte : sur simple présentation de votre carte et d'une pièce d'identité, le guichetier vous remettra vos espèces et le double du reçu que vous aurez signé;

– dans un distributeur automatique de billets (*automatic teller machine* en américain, *cash dispenser* ou *cash point* en anglais) affichant le logo de votre carte, il vous suffira d'introduire la carte dans l'appareil, de taper votre code confidentiel et de suivre les instructions données par la machine dans la langue locale et en anglais.

• **Un mode de paiement pratique.** Pour régler une facture d'hôtel, la location d'une voiture, une note de restaurant, des achats importants, la démarche est la même qu'en France : chez tout commerçant affilié au réseau de votre carte, vous présentez la carte, le caissier établit une facture dont il vous donne le double après vous l'avoir fait signer.

• **Une carte de téléphone.** Les cabines publiques acceptant les cartes de crédit se répandent dans les aéroports internationaux et les lieux très touristiques.

• **Une assistance médicale à l'étranger.** Tout détenteur d'une carte bancaire internationale bénéficie du rapatriement médical, de la prise en charge des premiers soins, de la présence d'un proche en cas d'hospitalisation, du retour en cas de décès d'un membre de la famille, de la transmission de messages urgents, d'une avance éventuelle de fonds.

• **Une assurance décès-invalidité.** En réglant avec votre carte vos billets d'avion, de bateau, de train ou de location de voiture, vous ou vos ayant-droits bénéficiez d'une garantie dont le montant varie selon le réseau auquel vous êtes affilié et le type de carte que vous possédez.

Bon à savoir

Commission et taux de change. Toute transaction à l'étranger (achats, retraits, règlements de facture) avec une carte de paiement est soumise à une commission variable suivant le mode de transaction et le pays où l'on se trouve. Le débit des factures est effectué sur votre compte selon les délais habituels pratiqués par votre banque. Dans les pays développés (Europe occidentale, Etats-Unis, Japon, Australie, etc.), le taux de change appliqué, avantageux, est proche de celui des traveller's. Ailleurs (Amérique du Sud, Afrique, Europe de l'Est), c'est un taux imposé par les autorités du pays aux organismes émetteurs de cartes de paiement qui risque d'être parfois peu avantageux par rapport à la réalité du cours de la monnaie dans le pays. Renseignez-vous auprès de votre banque avant votre départ.

En cas de perte. Avisez immédiatement le centre d'opposition le plus proche (les banques ou les commerçants vous en communiqueront les coordonnées) en ayant soin de préciser le numéro de votre carte (surtout pas votre code confidentiel), sa date d'expiration et l'agence bancaire émettrice.

Dans tous les cas, confirmez la perte à votre banque par lettre recommandée avec accusé de réception.

Selon le type de carte dont vous êtes détenteur, vous pourrez éventuellement vous faire délivrer dans les 48 heures une carte provisoire de remplacement.

Quelques conseils

• **Pensez à noter le numéro de votre carte** (n'inscrivez jamais votre code confidentiel) afin de pouvoir le communiquer aux services compétents en cas de perte ou de vol.

• **Vérifiez la date d'expiration de votre carte** afin d'être sûr de pouvoir vous en servir pendant toute la durée de votre voyage. Eventuellement, demandez un renouvellement anticipé, en tenant compte du délai d'obtention d'une carte (15 jours).

• Demandez à votre banque de vous communiquer **les numéros d'urgence** dans les pays où vous vous rendez.

• **Protégez la bande magnétique de votre carte** en évitant tout contact avec d'autres cartes ou des objets métalliques. Si elle se trouvait endommagée, toute transaction deviendrait impossible.

• **Après chaque paiement**, vérifiez que c'est bien votre carte qui vous a été rendue, et n'oubliez pas de récupérer votre facturette.

Visa pour l'évasion

Parmi les cartes internationales de paiement, les voyageurs français ont plutôt opté pour la Carte Bleue Visa ou Visa Premier.
Quelques téléphones utiles à leur intention :
• **En cas de perte ou de vol :** ☎ (33.1) 42.77.11.90
• **Assistance médicale :**
Carte Bleue VISA ☎ (33.1) 41.14.12.21;
Carte VISA PREMIER ☎ (33.1) 48.78.48.00.
• **Pour plus d'informations sur les distributeurs de billets à l'étranger :**
minitel 3616 code CB VISA

plages faites de débris de coraux amoncelés par les flots, si fréquentes dans les atolls et les îles hautes.

Cartes. La carte routière de Tahiti de l'**Institut géographique national** (IGN) au 1/100 000 est la plus complète. On y trouve les indications routières traditionnelles, les reliefs, les cours d'eau, mais aussi la plupart des sites touristiques importants. S'y ajoutent une carte de Moorea au 1/100 000 et une de l'archipel de la Société au 1/300 000. L'IGN édite aussi des cartes à courbes de niveau au 1/40 000 couvrant toutes les îles de l'archipel de la Société (en vente 107, rue La Boétie, 75008 Paris ☎ 01.42.56.06.68). Il existe aussi des cartes marines éditées par le **Service hydrographique de la marine** (établissement principal : route du Bergot, 29283 Brest Cedex).

▊ADRESSES UTILES

Office de Tourisme. Tahiti Tourisme (Maison de Tahiti), 28, bd Saint-Germain, 75005 ☎ 01.46.34.29.91, fax 01.43.25.41.65. Minitel 3615 code TA-HITI. *Ouv. du lun. au ven. de 10h à 18 h.* La Maison de Tahiti est l'expression de la volonté du gouvernement de la Polynésie française d'assurer la promotion du territoire dans tous les domaines possibles, surtout celui du tourisme. Lien entre le territoire et le grand public, elle favorise ou organise des expositions et des manifestations afin de promouvoir la culture, l'art et l'artisanat polynésiens et, en général, l'image de la Polynésie française sur le territoire métropolitain. **Tahiti Tourisme Europe** Schulberg 6-10, D61348 Bad Homburg, Allemagne ☎(49) 61.72.21.021, fax (49) 61.72.25.570. **GIE Tahiti Tourisme**, Fare Manihini, bd Pomaré, BP 65, Papeete, Tahiti, Polynésie française, ☎(689) 50.57.00, fax (689) 43.66.19. **OTAC**, BP 1709, Papeete, Tahiti, ☎(689) 42.88.50.

Librairies spécialisées. A.B.C. du Voyage - Astrolabe Rive Gauche, 14, rue Serpente, 75006 ☎ 01.46.33.80.06. Des cartes, des plans, des guides et un catalogue très complet. **Itinéraires**, 60, rue Saint-Honoré, 75001 ☎ 01.42.36.12.63, fax 01.42.33.92.00. Minitel 3615 code VOYAGEUR. Un important catalogue informatisé répertorie tous les ouvrages disponibles sur telle ou telle destination (vous pouvez aussi l'obtenir par correspondance). *Ouv. t.l.j. en sem. de 10h à 19h.* L'Astrolabe, 46, rue de Provence, 75009 ☎ 01.42.85.42.95. Toujours de bon conseil, cette librairie propose de nombreuses cartes, certaines spécialement destinées aux randonneurs. *Ouv. du lun. au sam. de 10h à 19h.* **Librairie des cinq continents**, 20, rue Jacques-Cœur, 34000 Montpellier ☎ 04.67.66.46.70, fax 04.67.66.46.73. Cette librairie des voyages possède près de 5000 références de livres. **Librairie des Éditions Maritimes d'Outre-Mer** (EMOM), 17, rue Jacob, 75006 ☎ 01.46.33.47.48, fax 01.43.29.96.77. Ouvrages les plus divers concernant la voile, la navigation et la Polynésie. **Librairie du Pacifique**, 32, rue Monsieur-le-Prince, 75006 ☎ 01.43.26.29.33. Ouvrages sur Tahiti et la Polynésie et des articles typiquement polynésiens : pareu, monoï, etc. **Ulysse**, 26, rue Saint-Louis-en-l'Île, 75004 ☎ 01.43.25.17.35, fax 01.43.29.52.10. *Ouv. du mar. au sam. de 14h à 20h.* Une des plus anciennes librairies de voyage ; un grand choix de guides anciens et de documents inédits.

En Suisse : Librairie du Voyageur Artou, 8, rue de Rive, 1204 Genève ☎(22) 818.02.40. **Travel Bookshop**, Rindermarkte 20, 8000 Zurich ☎(1) 252.38.83.

En Belgique : La Route de Jade, rue de Stassart 116, 1050 Bruxelles ☎(02) 512.96.54. Très vaste choix de guides, de cartes et de plans. **Peuples et Continents**, rue Ravenstein 11, 1000 Bruxelles ☎(02) 511.27.75. Le spécialiste bruxellois des beaux livres sur le voyage.

Musée. Avant de partir à Tahiti, faites une visite à la galerie des Impressionnistes du musée d'Orsay. Vous pourrez y admirer à loisir quelques splendides tableaux de Paul Gauguin ainsi que les anciennes boiseries sculptées de la Maison du Jouir originaires de l'île de Hiva Oa (archipel des Marquises). **Musée d'Orsay**, 1, rue Bellechasse, 75007 ☎ 01.45. 49.11.11.

POUR TÉLÉPHONER EN POLYNÉSIE FRANÇAISE

Depuis la France, composez le 00, puis l'indicatif 689, et ensuite le numéro à 6 chiffres de l'abonné.
Depuis la Belgique, composez le 00 suivi de l'indicatif 689, ensuite le numéro de votre correspondant.
Depuis le Canada, composez le 011, l'indicatif 689 et le numéro de votre correspondant.
Depuis la Suisse, composez le 00, l'indicatif 689 et le numéro de votre correspondant.
L'indicatif **689** est valable pour toute la Polynésie française.

VIVRE AU QUOTIDIEN

◾ ARRIVÉE

Quand vous arrivez à Papeete, l'air est chaud, épais, pesant. Vous pénétrez dans la coquette bâtisse de style local de l'aéroport de Tahiti-Faaa et déjà, la Polynésie s'emploie à vous charmer : un orchestre tahitien vous fait partager sa bonne humeur, ses chants et sa joie de vivre. Deux ravissantes danseuses vêtues de leur *more* ondulent en savantes *aparima* (p. 48), et une hôtesse vous fait présent d'une délicate fleur de *tiare*, emblème de Tahiti, dont le parfum suave et capiteux est le meilleur souhait de bienvenue.

Une fois les **formalités de police** effectuées (on vous demandera d'indiquer le motif de votre voyage, votre lieu de résidence en Polynésie et de présenter votre billet de retour), vous récupérez vos bagages et passez la **douane**, simple formalité pour les touristes.

C'est alors un bain de foule qui vous attend. La tradition **d'accueil** se perpétue et s'étend à tous les habitants du territoire, tahitiens ou non. À l'arrivée, on « couronne » de fleurs ceux qu'on attend. On se presse, on s'embrasse, on verse une larme…

Utilisée quotidiennement, la vannerie est un art traditionnel qui compte parmi les plus anciens de Polynésie.

Les correspondants de votre organisme de voyages se chargent de l'accueil, comme le font aussi certains grands hôtels ou organisateurs de croisières.

Les bureaux des **compagnies aériennes** étant ouverts, n'oubliez pas de reconfirmer votre retour à l'arrivée ou au moins deux ou trois jours avant votre départ. Cette formalité est indispensable. Vous trouverez également dans l'aéroport les **bureaux de change** des banques Westpac et Socredo, des **agences de location de voitures** (Avis, Hertz, Budget, Pacificar, Daniel, Rent a Car), des succursales de l'**office du tourisme** et des **agences de voyages** les plus importantes, et enfin un bureau de poste.

Ici, vous ne serez pas assailli par des chauffeurs de taxis envahissants. Pour regagner un hôtel proche de l'aéroport, on vous demandera un prix forfaitaire de l'ordre de 1 000 à 1 500 CFP. Le tarif varie en fonction de l'éloignement de l'hôtel, demandez toujours le prix avant la course car les taxis sont assez chers.

▌BAIGNADE

Dans le lagon, l'eau, d'une clarté exceptionnelle, a une **température** idéale, quelle que soit la période de l'année. Pendant l'hiver austral (juil.- août) : 25 °C en moyenne ; pendant l'été austral (janv.-fév.) : 27 °C en moyenne.

La douceur du climat polynésien, le bien-être que l'on ressent dès la nuit tombée grâce au *hupe*, la brise de montagne, fraîche et vivifiante, sont autant d'incitations au **bain de minuit**. Malheureusement, la pratique n'a pas lieu à Tahiti, et les risques d'agressions nocturnes sont réels sur les plages. À éviter absolument.

Quant aux **requins**, s'ils fréquentent les eaux polynésiennes, ils ne présentent aucune menace pour les baignades en lagon. Si vous vous trouvez dans une île poissonneuse comme Bora Bora ou aux Tuamotu, ne vous privez surtout pas, en suivant les conseils qui vous sont donnés, de les admirer en pleine eau et en liberté, avec masque et tuba.

▌CHANGE

Un **bureau de change** est ouvert dans le hall de l'aéroport Tahiti-Faaa. Vous ne devriez rencontrer en Polynésie aucun problème de change. Le système bancaire est en effet très développé, et des succursales sont ouvertes dans les principales îles polynésiennes ainsi que dans les districts de l'île. À Papeete, un centre de chèques postaux pratique toutes les opérations faites en métropole. L'utilisation des cartes bancaires tend à se généraliser, il existe des guichets automatiques ouverts 24h/24.

Les **banques** ne peuvent prendre aucune commission sur le change des billets, quel que soit le sens de la conversion. Toutes les devises étrangères sont acceptées. Une commission étant perçue sur le change de devises en francs Pacifique, vous avez intérêt à voyager avec des francs français en espèces, les traveller's chèques libellés en francs français étant également soumis à une taxe. Les transferts de fonds entre la France et la Polynésie française sont libres, mais payants.

Il y a en Polynésie des **billets** de 500, 1 000, 5 000 et 10 000 CFP. Ce sont de vraies œuvres d'art. Vous admirerez au recto du billet de 1 000 CFP, imprimé dans des tons variant du brun au rouge corail, un portrait de vahiné, collier de fleurs et fleurs de tiare à l'oreille droite et un *fare* polynésien perdu dans une cocoteraie, plus vrai que nature. Au recto du billet de 500 CFP, exécuté dans des tons bleus et ocre, figurent un portrait de pêcheur marquisien, la baie de Ua Pou et une pirogue à voile, tandis que la bordure met en valeur les splendides poissons tropicaux et les habitants des récifs coralliens. Il existe des **pièces** de 1, 2, 5, 10, 20, 100 CFP. Rappelez-vous que 1 000 CFP équivalent à 55 FF.

■ CROISIÈRES ♥

Il n'est plus possible d'aller à Tahiti par bateau, mais, une fois à Papeete, la découverte de la Polynésie en croisière, et à plus forte raison à la voile, apporte les sensations les plus intenses et une nouvelle dimension à votre voyage. Tahiti et ses îles sont faites pour être découvertes de la mer ; les lagons sont de vrais lacs intérieurs avec, en plus, ce charme inégalé et ces couleurs uniques variant du bleu turquoise à l'émeraude.

Club Med, BP 575, Papeete, ☎ 56.15.00, fax 56.19.51. En France, agence Club Med Voyages, 11 rue de Cambrai, 75019 Paris ☎ 01.55.25.26.26, Minitel 3615 CLUB MED. Le Club vous invite à bord du plus grand paquebot à voiles du monde, le *Club Med 2*, un cinq-mâts de 187 m qui bénéficie d'une capacité d'accueil de 400 passagers logés dans des cabines luxueuses de 18 m². Le bateau bénéficie d'équipements très complets dont deux piscines d'eau de mer. À bord, tout est conçu pour joindre l'intérêt d'une croisière-découverte aux joies d'une croisière de détente : service personnalisé et stylé, haute gastronomie, soirées à thème, spectacles avec des groupes de danse locaux, mais aussi un casino. Tout y est ! Circuit très complet au départ de Papeete avec des escales à Moorea, Huahine, Raiatea et Tahaa, Bora Bora pour Rangiroa, avant le retour à Papeete. Vous pouvez embarquer à Papeete ou à Bora Bora, ce qui permet de moduler la durée de la croisière entre 3 et 7 jours.

Windstar Sail Cruises est représenté à Papeete par l'agence **Tahiti Nui Travel**, Centre Vaima, BP 718, Papeete ☎42.68.03, fax 42.74.35.

Archipels Croisières, BP 1160 Papetoai, Moorea, ☎56.36.39, fax 56.35.87 ; en France : 36, rue Dombasle, 75015 Paris ☎ 01.48.28.38.31, et chez les tours opérateurs spécialisés comme Ultramarina, Le Quotidien-Voyage, Tourinter, Nouvelles Frontières. La **flotte « Archipels »** se compose de cinq catamarans de croisière *Archipels 57 Fountaine Pajot* de 17,50 m qui comprennent chacun 4 cabines doubles très confortables avec salle de bain attenante. Au maximum 8 personnes peuvent embarquer à bord de ces catamarans, qui sont spacieux et stables en navigation. Les espaces communs et les cabines peuvent être climatisés. L'équipage de bord se compose d'un skipper et d'une hôtesse cuisinière. Les **« Croisières Polynésiennes »** Archipels comprennent trois circuits-découverte : **les îles Sous-le-Vent**, avec escales et visites à Bora Bora, Raiatea, Tahaa et Huahine, en 7 jours, au départ de Bora Bora ou Huahine. **Les Tuamotu :** 7 jours à Rangiroa et Tikehau. **Les Marquises :** 8 journées de visite à Nuku Hiva, Ua Pou, Hiva Oa, Tahuata et Ua Huka. La navigation n'exige pas d'aptitudes physiques particulières mais une bonne santé s'impose. Habilement exclusivement sportif, pratique et léger, et surtout, maillots de bain. « Archipels Plongées » propose, avec les mêmes unités, des croisières-plongée aux îles Sous-le-Vent (7 jours, 6 nuits) et aux Tuamotu (11 jours, 10 nuits), avec un moniteur de plongée à bord.

La Compagnie polynésienne de transports maritimes : Aranui II, BP 220, Papeete ☎42.62.40, fax 43.48.89 est diffusée en France par les tours opérateurs spécialisés comme **Le Quotidien Voyages, Tourinter, ITS,** etc. Moyen inédit de navigation pour une découverte des Marquises, l'*Aranui II*, cargo mixte de 105 m, assure aux passagers tout le confort nécessaire à une navigation plutôt longue. Les impératifs de transport de marchandises pour l'approvisionnement des insulaires peuvent parfois modifier le parcours. Les 40 cabines climatisées se répartissent en 4 catégories : A Luxe, A, B et Pont D. Au départ de Papeete, le voyage aux Tuamotu puis aux Marquises dure 16 jours, en pension complète. **Itinéraire :** Papeete, Tuamotu (Kaukura et Takapoto), Marquises (Ua-Pou, Nuku Hiva, Hiva Oa et Tahuata, Fatu-Hiva, Hiva Oa, Ua Huka et Nuku Hiva), Rangiroa, Papeete. On peut aussi rejoindre directement l'*Aranui II* par avion à Nuku Hiva ; la durée de la croisière aux Marquises est alors de 7 jours.

Mémoires d'outre-mer

« Bientôt, du sein de l'immensité s'élevèrent des îles inconnues. Des bosquets de palmiers, mêlés à de grands arbres, qu'on eût pris pour de hautes fougères, couvraient les côtes et descendaient jusqu'au bord de la mer en amphithéâtres : les cimes bleues des montagnes couronnaient majestueusement ces forêts. Ces îles, environnées d'un cercle de coraux, semblaient se balancer comme des vaisseaux à l'ancre dans un port, au milieu des eaux les plus tranquilles : l'ingénieuse Antiquité aurait cru que Vénus avait noué sa ceinture autour de ces nouvelles Cythères, pour les défendre des orages… »

F.R. Chateaubriand, *Génie du christianisme*, 1802.

Pendant deux semaines, on vit avec des Tahitiens, passagers ou membres d'équipage, qui, chaque soir, chantent et « grattent la guitare ». Une chance rare de s'intégrer à la population.

Croisières Danae, BP 251, Uturoa Raiatea ☎ (689) 66.12.50. Représentation chez les voyagistes spécialistes des croisières déjà cités. Deux types d'embarcations : le *Danae III* est un gros voilier de 22 m qui réalise un circuit hebdomadaire de 6 jours dans les îles Sous-le-Vent. ; le *Danae IV*, « Trawler » de 15 m, effectue des croisières à la carte.

Les prix ne sont donnés qu'à titre indicatif et peuvent varier ; ils sont donnés par personne et en pension complète : Croisières Archipels : de 8 000 à 10 000 FF en fonction de la destination ; croisières-plongée de 11 000 à 16 000 FF. *Wind Song* : env. 18 000 FF. *Aranui II* : de 8 000 à 21 000 FF suivant la cabine. *Danae III* 5 500 FF environ.

Location de voiliers avec ou sans skipper

C'est à la voile, sur de petites unités de 9 à 22 m de long, que l'on effectue le voyage inoubliable aux îles Sous-le-Vent. La voile, c'est surtout « l'aventure humaine », seul, en couple, ou en petit groupe d'amis. L'environnement polynésien se prête admirablement à la pratique des croisières en voilier.

Autre incitation au voyage en mer, le port de Papeete qui n'abrite pas que des voiliers de luxe, mais aussi de véritables coursiers de mer, qui ont parfois traversé plusieurs océans, barrés par des marins qui peuvent porter l'anneau d'or à l'oreille en toute légitimité. Ils viennent de Nouvelle-Zélande, d'Australie, des côtes américaines, et même d'Angleterre, de France ou de Scandinavie !

Pour la location, voir les adresses p. 42, 122 et 171.

Croisières avec skipper

Suivant l'importance du bateau, l'équipage peut compter 1 à 4 personnes : le skipper, l'hôtesse et un ou deux marins. Selon la coutume, vous choisissez avec le skipper un circuit compatible avec les impératifs de la navigation en fonction de la période de l'année, des vents dominants, de leur intensité. Vous n'avez aucune obligation de participer aux manœuvres. Une croisière de ce type est avant tout une expérience de vie en commun. Elle sera d'autant

Au mouillage, un voilier de croisière avec skipper dans les eaux du lagon de Tahaa.

plus réussie que vous affréterez le bateau dans sa totalité. Les itinéraires proposés n'abordent généralement que les îles Sous-le-Vent. Insistez pour aller jusqu'à Maupiti, qui est très belle, mais dont la « passe » est assez délicate à franchir. Les Tuamotu présentent de plus gros risques de navigation, mais c'est là, plus qu'ailleurs, que l'on aura l'impression de vivre, une aventure hors du commun.

Pour les renseignements, voir p. 170 et 119.

Location d'un voilier sans équipage

Pour ceux qui pratiquent la voile, l'idéal est de louer un voilier sans équipage, de Paris, pour une période déterminée. Aucun brevet n'est exigé, puisqu'il n'y a pas de qualification de voile. Toutefois, certains loueurs font remplir un questionnaire aux intéressés, afin de tester leurs capacités. En Polynésie, à moins d'être déjà très bon navigateur, vous devrez vous limiter à la découverte des îles Sous-le-Vent.

Les voiliers peuvent être loués chez les tours opérateurs spécialistes en France, ce qui est de très loin la meilleure solution ou directement en Polynésie. **GIE Mer et Loisir**, BP 3488, Papeete ☎ 43.97.99, fax 43.33.68. 20 bateaux de 11 à 22 m. **Stardust ATM**, BP 331, Uturoa, Raiatea ☎ 66.23.18, fax 66.23.19. 23 voiliers avec ou sans équipage, baie de Faaroa, Raiatea. **Syndicat des professionnels du tourisme nautique**, BP 590, Uturoa, Raiatea ☎ 66.35.93, fax 66.20.94. Flotte de 24 unités. **Tahiti Yacht Charter**, BP 608, Papeete ☎ 66.28.86, fax 66.28.85. 9 voiliers et 1 catamaran, Marina d'Apooiti à Raiatea. **Tahiti Yachting**, BP 363, Papeete ☎ 42.19.00. **The Moorings SARL**, BP 165, Uturoa, Raiatea ☎ 66.35.93, fax 66.20.94. 20 voiliers, Marina d'Apooiti à Raiatea.

▌CUISINE

Les restaurants de qualité sont nombreux à Tahiti. Vous aurez le choix entre la cuisine tahitienne, une cuisine française de très bon niveau, la cuisine chinoise, la cuisine vietnamienne et même la cuisine italienne. Un grand choix de bons vins pour arroser votre repas. Tahiti a du goût pour la bonne chère ! Le touriste ignore trop souvent qu'il peut tout trouver à Papeete. La viande, nettement moins chère qu'en métropole, est importée de Nouvelle-Zélande, d'Australie et, dans une faible proportion, des États-Unis. La production locale occupe par ailleurs une place croissante. Les supermarchés sont bien approvisionnés en fromages (chèvre, roquefort, camembert, munster, etc.) et en charcuterie fine, y compris confit d'oie, foie gras, comme en conserves de légumes et de plats cuisinés ; attention, toutefois, tout est plus cher qu'en métropole.

Quelques spécialités polynésiennes

Le poisson. Quand on pense à Tahiti et à la Polynésie, on associe généralement le mot de cuisine à des images de poissons et de crustacés. Mais on peut être surpris de ne pas trouver sous les tropiques la richesse et la diversité de la marée exposée, par exemple, sur les étals parisiens. Les poissons les plus fins sont certainement le *mahi-mahi* et l'espadon. Le thon et le thazard, la carangue ou le mérou sont aussi savoureux, la bonite est moins fine que le

---

Le « poisson cru » ♥

Spécialité numéro un, il est préparé avec du thon, de l'espadon, de la bonite ou, mieux encore, mais plus rarement, avec du *mahi-mahi*. Si les recettes diffèrent, le principe demeure le même : on coupe le poisson en dés et on le dépose dans un saladier, on verse sur le poisson le jus de deux ou trois citrons verts suivant la quantité de poisson. On laisse agir le citron 6 à 7 mn, puis on ajoute de la tomate finement coupée, de l'oignon, du concombre. On laisse agir le jus de citron vert 5 mn encore puis on élimine le jus en excès. On arrose de lait de coco et le plat est prêt à servir. Le poisson « cru » est « cuit » à point par l'acidité du jus du citron vert. Succulent !

Le *poe meia*
(Gelée d'amidon aux bananes)

Ingrédients, pour 8 à 10 personnes : 12 bananes Rio ou 24 petites bananes Rima-Rima (ou bien des papayes, ou du giramont, ou encore des ananas), du pia (amidon d'arrow-root), 1 feuille fraîche de bananier, du lait de coco. Écrasez les bananes à la main, puis pétrissez-les avec le *pia* de façon à obtenir une crème onctueuse. Empaquetez la préparation dans la feuille de bananier que vous avez préalablement arrosée de lait de coco. Placez le tout dans le four tahitien. Après cuisson, dépaquetez le *poe* et découpez-le en cubes que vous servirez dans du lait de coco frais, saupoudrés de cassonade.

thon, plus sèche lorsqu'elle est cuite, aussi la réserve-t-on généralement pour préparer le « poisson cru ».

Les **chevrettes**, ces crevettes d'eau douce provenant d'élevages polynésiens, sont plus fades que nos crevettes marines, c'est pourquoi elles sont accommodées avec des sauces relevées du type sauce américaine ou curry et donnent alors des mets très fins. Les Polynésiens adorent les chevrettes crues mais les non-initiés risquent d'être surpris. Évitez les têtes de chevrettes crues et le *mitihue*, lait de coco où ont macéré les têtes, on y trouve parfois des méningocoques qui peuvent provoquer la méningite tahitienne. Savourez, en revanche, les **brochettes** de *mahi-mahi* ou d'espadon. Si vous êtes chanceux, vous pourrez goûter au *varo*, un succulent crustacé allongé, ou à la **langouste** cuisinée à la vanille des îles. Aux fins gourmets, nous ne saurions trop conseiller la lecture de l'excellent ouvrage de Jean Galopin, *La Cuisine de Tahiti et ses îles*, éditions Arapoanui, Papeete.

Les fruits exotiques sont succulents. Leur saveur n'est en aucune manière comparable à celle des fruits de la métropole. Les **pamplemousses** sont très doux, sucrés et parfumés. Les petits **citrons verts**, *limes*, sont inégalables pour le goût qu'ils donnent aux cocktails. Les **papayes**, assez fades non accommodées, sont délicieuses cuites au four et arrosées de lait de coco, bananes, ananas, mangues greffées, avocats, melons.

Le tamaaraa ♥. C'est le grand repas tahitien auquel participent au moins 20 à 30 convives. Des restaurants ou des particuliers organisent des *tamaaraa*, principalement le dimanche, sur commande. Les mets, dont la préparation nécessite plusieurs heures, sont cuits au four tahitien (à photographier ou à filmer si vous en avez la possibilité). Ce four est creusé à même la terre. On dispose au fond du trou des branchages séchés puis de volumineux galets roulés. C'est alors qu'on allume le feu, de manière à porter les pierres à une température très élevée. Dès que la combustion du bois est achevée, le four est prêt à recevoir les mets à cuire. Ceux-ci ont été coupés, assaisonnés, préparés à l'avance. On les dépose dans le four sur des clayettes de bois vert. Les aliments sont couverts de feuilles de bananier vertes, de sacs de jute légèrement détrempés, puis de sable. Ils cuisent à l'étouffée pendant 3 à 4 heures grâce à la chaleur dégagée par les roches. On ôte la couverture du four pour découvrir le repas, savoureux, fondant, cuit à point. Vous dégusterez ainsi le cochon de lait, le poulet, le poisson, le *fafa* (feuilles de taro dont le goût est proche de celui des épinards), le *taro*, l'*uru* (fruit de l'arbre à pain), le *fei* (bananes rouges à cuire) et le *poe*. Parfois, la langouste est de la partie. On sert dans des pichets du lait de coco que chacun peut ajouter au plat selon son goût. Le tout est accompagné de poisson cru et de chevrettes.

Où faire un bon *tamaaraa* ? Chez l'habitant, bien sûr ! Cela se produit plus fréquemment dans les îles qu'à Tahiti même. Ne manquez pas l'occasion d'assister à l'un de ces repas. Les hôtels organisent eux aussi régulièrement des *tamaaraa*.

La cuisine internationale

La cuisine française. À Tahiti, bon nombre de restaurants sont capables de rivaliser avec des établissements métropolitains, aussi bien par la qualité de la cuisine que par le service. Les restaurants de Tahiti ont un atout maître : une viande fraîche, tendre et de saveur constante. On trouvera dans les restaurants des viandes grillées ou en sauce, excellentes. L'approvisionnement en poissons et en crustacés est nettement plus variable et les cartes restent limitées, si l'on exclut le thon, le *mahi-mahi* et la langouste. Des fruits de mer et des coquillages sont importés de Nouvelle-Zélande le mercredi et le vendredi. Là encore, vous ne serez pas déçu par les produits. Quant aux fromages et aux vins, l'éventail est aussi large qu'en métropole !

La cuisine chinoise. Les restaurants chinois sont très nombreux en Polynésie, du fait de l'ancienneté de l'implantation chinoise. Le savoir-faire des chefs, souvent originaires de Hong Kong, associé à la facilité des approvisionnements, directement de Hong Kong, ou par l'intermédiaire du quartier chinois de San Francisco, contribue à classer ces restaurants parmi les meilleurs au monde. Les plats à base de crustacés, de poissons et de coquillages sont délicieux. Bon nombre de recettes chinoises sont devenues des classiques de la cuisine polynésienne.

La cuisine italienne. La cuisine est honnête, on y va surtout pour l'ambiance, pour manger une pizza ou une grillade au feu de bois à base d'une excellente viande néo-zélandaise. C'est bon, sympathique, rapide mais sans prétention.

Les boissons

L'eau. C'est encore la meilleure des boissons sous les tropiques. Il est indispensable, compte tenu de la chaleur et des importantes pertes d'eau que subit l'organisme, de boire abondamment et fréquemment en dehors des repas. Les habitations ont l'eau courante. Dans les îles hautes – Tahiti, Moorea, Raiatea, Tahaa –, le manque d'eau est exceptionnel. Les carences sont plus fréquentes à Bora Bora, Maupiti, ainsi que dans les atolls. Les hôtels de bon standing sont équipés pour pallier cet inconvénient. Vous trouverez dans le commerce les eaux minérales métropolitaines et l'Eau Royale, eau de source de Tahiti, conditionnée en bouteilles plastique de 1,5 l. En période de fortes pluies, l'eau de conduite est chargée de fines particules d'argile colloïdale qui lui donnent une teinte ocre ou légèrement brunâtre plutôt déplaisante, mais sans danger, l'eau étant filtrée.

Le punch tahitien. À base de jus de fruits frais, il est excellent. Tous les rafraîchissements sont confectionnés avec les pamplemousses locaux et de petits citrons verts. Le jus d'ananas est également délicieux. Naturels et très parfumés, les fruits que l'on consomme à Tahiti proviennent généralement des plantations de Moorea.

La bière. On ne doit pas quitter Tahiti sans avoir goûté à la bière locale, Hinano. Produite par la brasserie de Tahiti, elle est légère, peu alcoolisée et fort désaltérante.

Les alcools. Tous les alcools sont en vente libre dans les hôtels, restaurants et supermarchés, tous les vins français également. Mais ils sont plus chers qu'ailleurs en raison des taxes sur les produits d'importation. On trouve aussi des eaux-de-vie distillées sur place, ou des liqueurs produites à Tahiti selon des recettes traditionnelles. La production locale, encore réduite, n'est pas dénuée d'intérêt. À essayer !

■ CULTES

Cinq cultes sont pratiqués à Tahiti : les protestants sont majoritaires, avec l'Église évangélique de Polynésie française ; vient ensuite la Mission catholique, puis l'Église de Jésus-Christ des Saints des derniers jours, la Mission adventiste du septième jour et l'Église Sanito. Les occasions offertes au touriste de mieux comprendre la vie des Polynésiens sont malheureusement rares et donc à ne pas manquer. Ainsi, les offices religieux du dimanche matin sont intéressants, tant par l'ambiance qui s'en dégage que par la beauté des chants. Les offices protestants accueillent des foules élégantes tout en blanc, les hommes en costume sombre. À la sortie des messes catholiques, les robes longues en *pareu* de teintes vives, rouge, bleu, rose, mauve, s'harmonisent à merveille avec le ton chaud des peaux et le traditionnel chapeau en vannerie. Ces offices du dimanche ont inspiré de nombreux peintres et les photographes, particulièrement au **temple Paofai**, en bord de mer, quai Pomaré, à Papeete.

■ EXCURSIONS

Tout en réservant votre voyage en métropole, il vous est possible une fois sur place de faire appel à une agence locale pour l'organisation de vos excursions. Vous y trouverez aussi, aux meilleurs prix, des places pour les spectacles, les grandes manifestations organisées à l'occasion des fêtes, les promotions que font parfois les hôteliers pour des séjours à Tahiti ou dans les îles, les croisières en goélette ou à la voile, etc. Selon les périodes de l'année, il y a parfois de bonnes affaires à saisir sur place. En période creuse, certains hôtels n'hésitent pas à négocier leurs services. Il peut en être de même pour certaines croisières. Il est donc intéressant d'opter pour un retour *open*.

Dans le cadre de voyages personnalisés, les tours opérateurs métropolitains utilisent les services d'agences de voyages locales pour les détails d'organisation et de suivi des activités. Sur place, celles-ci seront donc vos interlocuteurs privilégiés. Voici quelques adresses parmi les nombreuses agences de Papeete. **Tahiti Nui Travel**, Centre Vaima, BP 718 ☎42.68.03, fax 42.74.35. Très professionnelle, cette agence créée en 1961 est devenue l'une des plus importantes de Tahiti. Sa fondatrice, Mme Paulette Vienot, est l'un des pionniers du tourisme en Polynésie. **Manureva Tours**, Centre Aline, BP 1745 ☎42.72.58, fax 42.48.43. **Nouvelles Frontières**, rue Clapier, boulevard Pomare BP 116 ☎42.28.28, fax 42.29.09. **Pacific Travel**, rue Georges-Lagarde, BP 605 ☎42.93.85, fax 42.90.29. **Reve Tahitien Travel**, av. du Prince-Hinoi, BP 21308 ☎41.05.24, fax 41.05.26. **Tahiti Poroi**, Z.I. de Fare-Ute, BP 83 ☎42.00.70, fax 43.53.35. **Tahiti Tours**, rue Jeanne-d'Arc, BP 627 ☎42.78.70, fax 42.50.50. **Tahiti Voyages**, pl. Notre-Dame, BP 485 ☎42.57.63, fax 43.42.63. **Teremoana Tours**, rue du Dr. Cassiu, BP 475 ☎42.96.96, fax 42.28.33. **Voyagence Tahiti**, bd Pomaré, BP 274 ☎42.72.13, fax 43.21.84.

■ FÊTES ET JOURS FÉRIÉS

Les fêtes et les manifestations culturelles sont des lieux de rencontre privilégiés offerts aux visiteurs. Pour plus de renseignements sur les fêtes correspondant aux dates de votre séjour, vous pouvez contacter le **Tahiti Tourisme** (Maison de Tahiti) à Paris (p. 34) ou le **GIE Tahiti Tourisme** à Papeete (p. 34).

1er janvier : Jour de l'An. C'est à Tahiti une fête de famille, de réunions entre amis, de « bringue », de chants et de danses.

Février : Jour de l'An chinois. Manifestations au temple Kanti à Mamao. Chaque année est sous le signe d'un animal mythologique. Manifestations culturelles, banquets, etc. **Grand marathon international** organisé à Tahiti ou dans une autre île Sous-le-Vent. **Tournoi annuel de pêche au gros**, organisé par le Haura Club de Tahiti.

Mars : célébration de l'avènement de l'Évangile à Tahiti, introduit par les protestants missionnaires de Londres, arrivés dans la baie de Matavai le 5 mars 1797. Remise des **Oscars de la musique polynésienne** à l'OTAC.

Avril : Triathlon international qui se déroule chaque année dans une île Sous-le-Vent et **fête des sports traditionnels.**

Mai : le 8 : **anniversaire de la mort de Paul Gauguin.** 2e quinzaine : *Taupiti o Papeete*, **fête de la ville de Papeete. Journée de la perle noire.** Expositions, défilé de mode, ventes aux enchères, festivités, soirée de gala, etc.

Juin : Journée mondiale de l'environnement. Nombreuses manifestations dans la plupart des îles polynésiennes. **Élection de Miss Tahiti,** de Miss Heiva et de Miss Papeete. Ces soirées comptent parmi les plus prestigieuses. Compétition « open » de surf. Le 29 juin : **fête de l'Autonomie interne,** *Hivavaevae.*

Juin-juillet : de la dernière semaine de juin à l'avant-dernière semaine de juil. se déroulent les plus grandes festivités de l'année, le *Heiva I Tahiti.* Grandes manifestations culturelles, artistiques, spectacles avec les meilleurs groupes de danseurs, exhibitions de sports traditionnels, reconstitution historique au *marae* d'Arahurahu. « **Open** » **de golf** de Tahiti.

Le Heiva I Tahiti ♥

Les manifestations du Heiva I Tahiti (fêtes de juillet) sont de grandes fêtes populaires, ponctuées de nombreuses activités et de spectacles, organisées dans toute la Polynésie. Rien à voir avec les spectacles pour touristes que l'on trouve souvent un peu partout. Ici, les Tahitiens s'amusent pour de bon, avec spontanéité et une chaleur bon enfant. Le coup d'envoi a lieu au début de la dernière semaine de juin. Ce matin-là tout ce qui, à Tahiti, danse, court, roule ou navigue, défile interminablement devant les personnalités et la foule des grands jours. Tous les groupes de danse, les troupes scoutes et assimilées, toutes les associations sportives, toutes les Miss (Miss Tiurai, Miss Tahiti, sans oublier le *Tane Tahiti* c'est-à-dire l'homme de l'année) viennent parées de couronnes et de *mores* (vêtement des danseuses) flamboyants, qui avec sa pagaie, qui avec son arc, qui avec sa planche de surf, à vélo, à moto, voire en pirogue portée ! Des concours sportifs traditionnels se déroulent : lancer de javelot, course de porteurs de *fei* (bananes non sucrées, riches en protéines ; p. 43), courses de chevaux. Il y a aussi les concours de tressage de feuilles, sur la place Vaiete, où d'accortes personnes, assises en tailleur, rivalisent d'habileté. Les courses de pirogues dans la rade de Papeete sont particulièrement populaires. Durant plusieurs matinées de suite, qui peuvent durer jusqu'à 14 h, les équipes de tous les districts alignent leurs meilleurs rameurs devant des foules d'amateurs enthousiastes. Les dernières compétitions, les plus spectaculaires aussi, sont celles où s'affrontent les grandes pirogues doubles à 16 rameurs. Un spectacle à ne pas manquer… Puis, tous les soirs pendant une semaine, des groupes de chanteurs et de danseurs se produisent et concourent place Vaiete jusqu'à l'apothéose finale.

Mais *le juillet,* c'est surtout la fête foraine sur le front de mer. On s'y presse, on s'y écrase, on y mange, on y boit, on y joue (parfois de fortes sommes), on y fait la fête jour et nuit pendant 15 jours au moins. Si vous avez la chance d'être à Tahiti en juillet, ne manquez pas une manifestation, même si les places y sont parfois chères.

Les combats de coqs

Les combats de coqs relèvent d'une pratique ancienne à Tahiti. James Morrison, second maître à bord du *Bounty*, les décrivait dans son journal en 1792. De nos jours, ils battent leur plein à l'occasion des fêtes de juillet et se poursuivent jusqu'en décembre. Il y aurait chaque année, en Polynésie française, 4 000 coqs de combat. Les combats de coqs se déroulent dans une ambiance de fête et font l'objet d'une véritable passion, tant chez les Polynésiens que chez les Chinois. Ils sont assortis de paris. Les coqs sont entraînés, préparés pour le combat. Avant chaque combat, on affûte soigneusement les ergots avec un canif. On effectue l'ablation de la crête afin d'éviter les blessures qui provoquent des hémorragies et aveuglent l'animal. Le combat est négocié entre les propriétaires de deux coqs de poids, d'âge et de force comparables. Chacun tâte, soupèse le coq de son adversaire, étudie sa musculature. Dès que le combat a été conclu, les paris sont engagés, soit sur liste, soit verbalement. Les annonces sont acceptées en cours de combat, tant que l'issue est indécise.

Juillet : organisation de la célèbre *Marche sur le feu* où le surnaturel vient se confondre avec la réalité. **14 juillet :** fête nationale.

Août : Jeux du Pacifique Sud, organisés chaque année dans des archipels différents. Marathon des pirogues individuelles. Exposition des meilleurs costumes de danses traditionnelles au cours du *Heiva I Tahiti*.

Septembre : Compétition internationale de surf « **Taapuna Master** », dans la passe de Taapuna à Tahiti, connue des surfeurs du monde entier. Journées mondiales du tourisme organisées dans toutes les îles de Polynésie à vocation touristique en hommage aux visiteurs du monde entier.

Octobre : fête de Tahaa. L'une des îles polynésiennes où les traditions sont demeurées intactes. Tous les arts traditionnels, danses, sports, *pêche aux cailloux* célèbre dans le monde entier ; marche sur le feu, exposition. 9 oct. : anniversaire de la mort de Jacques Brel.

Novembre : le 1er novembre : célébration de la **Toussaint** qui revêt un caractère particulier en Polynésie. En hommage aux morts, les cimetières sont illuminés aux bougies alors que s'élèvent les chants religieux, les *himene*. Fête des fruits. Manifestations gastronomiques.

Décembre : fête du *tiare*. Des fleurs de *tiare* sont offertes aux passants dans les lieux publics qui présentent eux-mêmes des décorations exécutées avec la fleur emblème de la Polynésie. Dîner dansant dans un hôtel de la ville également ment décoré.

La Toussaint ou turamara'a. Si vous êtes à Tahiti à la Toussaint et le 2 novembre, occupez votre soirée à la visite des églises et des cimetières. Le culte des morts revêt en Polynésie un caractère exceptionnel. Croyant ou non, nul ne peut rester insensible à cette foule qui, dès la sortie des offices, se presse dans les cimetières incroyablement décorés. Les petites tombes blanches croulent sous les fleurs. Certaines sont de véritables chefs-d'œuvre de décoration. Toutes sont illuminées par une multitude de bougies. Les enfants passent, repassent, recueillent la cire fondue et la modèlent en boules… Le cimetière est auréolé d'un halo lumineux doré dont le caractère irréel est accentué par la fumée des bougies. Un office a lieu sur place, au milieu de la foule recueillie. Paradoxalement, la mort ne semble ni triste ni effrayante. De cette ambiance se dégage une impression de sérénité et de respect des disparus.

▋ HÉBERGEMENT

Tahiti et ses îles disposent d'une capacité d'accueil très supérieure aux besoins actuels. Grâce aux incitations fiscales à l'investissement dans les DOM-

L'ART DE LA DANSE

Ancrée dans la nuit des temps, la danse conserve comme jadis son rôle social. Au même titre que la parole ou l'écriture, elle constitue un mode de communication dont la signification profonde n'est accessible qu'aux seuls participants et initiés.

Dans le *tamure*, danse populaire, le costume se compose de feuilles de palme et de moitiés de noix de coco polies. Chaque geste a une signification bien précise, parfois érotique.

L'orchestre accompagnant les ballets est surtout composé d'hommes. Les instruments les plus joués sont les percussions, mais aussi le *hukulele*, guitare originaire d'Hawaii.

Jadis, tous les grands événements étaient marqués par des danses qui unissaient les participants et les emportaient dans un élan d'intense émotion, d'allégresse ou de stigmatisation des forces de cohésion qui dynamisaient le groupe : fêtes, cérémonies propitiatoires, réunions familiales ou collectives, engagement aux luttes de clans, préparation de la grande pêche aux cailloux… La danse était un mode d'expression ouvert à tous, la virilité des *tane* et la sensualité des *vahine* transparaissant dans cet art majeur.

Une symbolique complexe

Dans la danse, les gestes et les attitudes des danseurs obéissent à une symbolique complexe, véritable langage du corps où la position des mains et celle des bras, mais aussi l'expression du visage et l'attitude du corps tout entier jouent un rôle important. Ainsi, les mains allongées et superposées alternativement à la hauteur du buste signifient « amour » *(here)*. Les bras alternativement écartés et rapprochés, puis croisés devant le buste veulent dire « bienvenue » *(maeva)*. Les bras élevés puis abaissés avec grâce de chaque côté du corps expriment la beauté *(nehenehe)*, alors que *faaroo*, écouter, s'exprime par une ou deux mains portées aux côtés d'une oreille. Chaque danse raconte une histoire qui puise son origine dans les actes et les sentiments de la vie quotidienne, du couple, dans les événements historiques, mais aussi dans la mythologie et dans les épisodes de bravoure fameux des dieux.

Otea et tamure

Le *tamure*, danse la plus populaire pour les visiteurs, est exécuté par des couples : le *tane* (homme) bat des cuisses à un rythme saccadé, alors que la *vahine* roule des hanches au rythme endiablé des percussions du *toere*. Mais la danse la plus prisée des Polynésiens est l'*otea*, exécutée par de nombreux figurants vêtus de leurs plus beaux *more*. C'est la danse la plus noble et la plus expressive. L'*aparima* est toute de grâce et de séduction : gestes et mime des scènes de la vie courante sont exécutés par les *vahine* habillées de splendides robes de pareu et de dentelles. Il existe aussi de nombreuses autres danses, telle le *patautau* rythmée par des battements des mains et dont la connotation érotique ne manque pas de charme. Le *paoa*, dansé par les hommes, est inspiré de scènes de pêche et de chasse.

oupe de danse typique, pour
e fête locale à Tahaa.

début de la fête est marqué
r un puissant appel au son
pu (conque).

Au son de l'orchestre : toere et himene

Les airs rythmés appellent dans les orchestres
un large éventail d'instruments à percussions.
Le plus connu est le *toere*, tambour en bois muni
d'une longue fente longitudinale, mais on trouve
aussi dans tout orchestre de danse le *pahu*, grand
tambour au son grave, le *faatete*, tambour
à contretemps, le *tihara* en bambou fendu,
ou encore les *huè* (calebasses), les *opaa*, demi-noix
de coco frappées l'une contre l'autre, le *ofe tupai*,
segment de bambou frappé verticalement sur le
sol (basse)… Les mélodies des Tropiques
s'expriment par le *hukulele*, guitare hawaïenne
adaptée par les Tahitiens, la *tita*, guitare sèche
classique le *vivo*, et une flûte en bambou.
Les *himene* ont une place de choix dans le folklore.
Les groupes vocaux qui les exécutent sont
composés de *vahine* de tous âges, dont les toilettes
se composent de belles robes en *pareu*,
de magnifiques couronnes et colliers de fleurs
de tiare ou de frangipanier.

Parures végétales

Les vêtements traditionnels ne sont exécutés
qu'à partir d'éléments végétaux et de coquillages.
Les habits des danseurs d'antan étaient faits
de *tapa*, tissus élaborés avec des écorces battues,
puis séchées au soleil et décorées de motifs artistiques
et d'ornements naturels, en particulier
des coquillages bruts, polis ou sculptés.

On retrouve dans certaines parures actuelles
la plupart des motifs décoratifs traditionnels
mais le *pareu* a remplacé le *tapa* comme tissu
d'habillement. Le *more* des danseuses est composé
d'une ravissante jupe longue formée de fibres
végétales qui ondulent en vagues souples
au gré des mouvements de hanches de la *vahine*,
dont les seins se cachent dans deux demi-noix
de coco polies.

TOM, nombreux sont ceux qui ont anticipé, en misant sur une forte crois-sance du tourisme en Polynésie. Il en résulte une infrastructure hôtelière aussi développée que diversifiée.

Hôtels de luxe. Concurrence aidant, certains mettent l'accent sur la qualité de l'accueil, des animations, sur l'environnement en bordure de lagon, les *fare* ou les bungalows sur pilotis décorés avec raffinement, avec un savant mariage de tradition et de modernité. Pour le séjour dans les hôtels de luxe, la réservation est toujours effectuée au moment de l'achat du voyage, dans le cadre d'un forfait..

Hôtels de bon confort. Ils offrent une solution intéressante aux petits bud-gets. On y découvre souvent un mode de vie plus simple, « à la polyné-sienne », tout de charme et de spontanéité. Il est préférable de réserver au moment de l'achat du voyage, mais on peut parfois aussi écrire directement à l'hôtelier et lui demander ses conditions. Certains préfèrent ce contact direct avec le client. Il est possible d'obtenir des conditions très avantageuses si la durée du séjour est supérieure à 15 jours.

Logement chez l'habitant. C'est une manière de découvrir la Polynésie en étant intégré pour quelques jours dans une famille tahitienne. Certains hôtes sont des professionnels confirmés, sachant parfaitement recevoir. Dans ce cas, le logement chez l'habitant rejoint la petite hôtellerie. Le contraire existe aussi et certains logeurs sont inexpérimentés. Il faut être parfaitement conscient que cette formule ne présente pas les mêmes garanties que l'hôtellerie. Des habitants, attirés par la perspective de gains, n'hésite-ront pas à vous héberger dans une cabane en planches jouxtant la basse-cour de la mai-son, dans des conditions d'hygiène rudimen-taire. Les adresses sont également susceptibles de changements plus fréquents. Nous nous efforçons de don-ner des informations aussi précises que possible, mais tenons à vous informer que des déconvenues ne sont pas à exclure. Ne vous étonnez pas si un cour-rier reste sans réponse : les Polynésiens ont le culte de la liberté ; peut-être la lettre aura-t-elle déplu, ou bien l'hôte potentiel n'était pas disponible à la pé-riode souhaitée. Un guide complet et régulièrement mis à jour est disponible au GIE Tahiti Tourisme de Papeete, et à Tahiti Tourisme à Paris.

■ HEURE LOCALE

Il y a 11 heures de décalage entre Papeete et Paris en hiver, 12 heures en été. Lorsqu'il est midi à Paris, il est donc 1h à Papeete en hiver, et minuit en été. Les effets de ce décalage se font sentir dès l'arrivée. Évitez la sieste les pre-miers jours, elle a pour seul effet de retarder votre adaptation, et s'assortit d'insomnies et de tiraillements d'estomac à 2h !

■ HORAIRES

Aéroport de Faaa : *ouv. du lun. au ven. de 5h à 9h et de 18h30 à 22h30.*
Banques : *ouv. du lun. au ven. de 7h45 à 15h30 sans interruption. Certaines banques ouvrent le sam. de 7h45 à 11h30.* Les jours et horaires d'ouverture des succursales variant, il est préférable de s'assurer de l'horaire avant de se déplacer.
Marché public de Papeete : *ouv. t.l.j.* Les commerçants arrivent vers 2h du matin et le marché est déjà animé à 5h. À ne pas manquer le dim. matin. Après-midi à partir de 15h30.
Poste : bureau central de Papeete, *ouv. du lun. au ven. de 7h à 15h* pour l'en-semble des opérations. Pour l'envoi de télégrammes et opérations particu-lières : *du lun. au ven. de 15h à 18h et les sam. et dim. de 8h à 10h.*

■ INFORMATIONS TOURISTIQUES

Le gouvernement de la Polynésie française fait de l'expansion du tourisme à Tahiti et surtout dans les îles sa priorité. L'accueil des touristes, les structures d'hébergement et les activités qui leur sont proposées se sont récemment améliorés. Les sites archéologiques ont été remarquablement restaurés et mis en valeur (Tahiti, Marquises...). Les opérateurs locaux rivalisent d'initiatives pour étonner et charmer leurs hôtes avec le concours des populations locales. Des comités du tourisme ont été mis en place dans toutes les îles vouées à cette activité. La coordination des actions se fait sous l'égide des instances dirigeantes et du GIE Tahiti Tourisme ou du GIE Tahiti Animation pour l'organisation des multiples festivités. Le GIE Tahiti Tourisme assure également la promotion de la Polynésie française dans le monde entier. Les différents **GIE Perles de Tahiti, Mer et loisirs**, etc. ont chacun des attributions précises qui favorisent l'expansion de Tahiti et de ses îles. **GIE Tahiti Tourisme**, Fare Manihini, bd Pomaré, BP 65, Papeete, Tahiti ☎50.57.00, fax 43.66.19. **Tahiti Tourisme Europe**, Haingasse 22, D61348, Bad Homburg, Allemagne ☎(49) 61.72.21.021, fax (49) 61.72.25.570. **Tahiti Tourisme France**, 28, bd Saint-Germain, 75005 Paris ☎01.46.34.50.59, fax 01.43.25.41.65, Minitel 3615 code TAHITI.

■ LANGUE

Les langues officielles sont le français et le tahitien. La très grande majorité des habitants de la Polynésie française est bilingue. En toutes circonstances, vous pourrez vous exprimer en français. Dans les milieux touristiques, l'anglais est aussi très pratiqué.

Le tahitien fait partie des langues polynésiennes parlées à l'intérieur du triangle formé par Hawaii, l'île de Pâques et la Nouvelle-Zélande. Le tahitien peut paraître intelligible rapidement par tous les autres Polynésiens (ce qui n'est pas le cas du marquisien, de l'hawaiien, du pascuan ou du maori).

Par ailleurs, alors qu'à Hawaii et en Nouvelle-Zélande la culture maori se meurt, réduite à l'état de survivance folklorique, la relative faiblesse de l'im-

---

Fiu

Théoriquement, le mot se traduit par « fatigué ». *Ua fiu vau :* « Je suis fatigué. » *Fiu roa* marque une plus forte intensité. En fait, le mot, employé également en français, recouvre plus un état d'esprit qu'une sensation physique. Vous êtes *fiu* de quelque chose (ou de quelqu'un) lorsque cela (ou il) vous ennuie souverainement. Si on vous déclare que c'est *fiu* de faire ceci ou cela, il faut comprendre que l'action projetée déclenche chez le sujet un ennui profond et un sentiment de rejet pouvant aller jusqu'à la nausée. Enfin, un *fiu* ! plus exclamatif et énergique est une invitation très nette à ne pas insister.

Quelquefois, le *fiu* peut devenir un état général, voisin du spleen, une langueur qui se traduit par un dégoût de tout travail ou action violente et dont le seul remède semble être la bière...

Bref, c'est un mot que vous entendrez certainement très souvent. À vous d'en apprécier le degré d'intensité. C'est *fiu* de redescendre chez le Chinois acheter des allumettes. Tant pis, *aita pea pea*, on s'en passera ! Les jours de *fiu*, telle serveuse de restaurant s'installe au bar et n'en bouge plus. Tel travailleur *fiu* se met en congé illimité. De toute façon, le *fiu* est un sentiment respectable et respecté. N'insistez pas devant l'obstacle d'un *fiu* même léger. En échange, vous pourrez en user... mais sans en abuser.

migration a permis au tahitien de rester la langue maternelle et d'échange de la majorité de la population polynésienne.

Le tahitien est agréable à l'audition, il se chante très bien, mais un *Popaa* (Européen) fraîchement débarqué aura bien du mal à y retrouver son latin, d'autant plus que cela risque d'être parfois… du chinois !

Le tahitien se distingue par une profusion de voyelles : *Faaa* et *Punaauia* sont les deux premiers noms propres que vous rencontrerez à Papeete (de grâce, dites *Papéété* et non *Papèt'* comme le font trop d'Européens et même quelques Tahitiens !). En revanche, les consonnes ne sont que huit (*f, h, m, n, p, r, t, v*), auxquelles il conviendrait d'ajouter la « glottale », acrobatique pour un gosier profane, et qui correspond souvent à un *k* disparu. Le *r* se roule, les voyelles se nasalisent beaucoup et l'accent traîne. Comme bien souvent, la langue parlée élide de nombreuses voyelles ou particules. Ainsi *E aha te huru ?* (« comment ça va ? ») devient *'aha t'huru*, le *h* fortement aspiré évoluant même parfois en *ch*. Enfin, même après de longues heures d'étude, la différence entre *'au* (mâcher), *'àu* (nager), *àu* (bon), *à'u* (chasser) et *au* (moi) risque de ne pas être évidente à l'audition… Question d'accent dira-t-on !

Le tahitien évolue toujours. Certains disent qu'il s'abâtardit. En fait, seule une langue morte est définitivement fixée, et pour cause ! Une langue parlée peut et doit faire des emprunts en les traitant selon sa propre phonétique. Dans ce domaine, le tahitien ne craint personne ! Il n'y a qu'à voir ce que sont devenus les nombreux termes – surtout d'origine anglaise – empruntés depuis deux siècles. Ainsi *painapo* vient de *pineapple* (ananas) ; *mati* (allumette) de *match* ; *poti* de *boat* (bateau) ; *himene* (chant) de *hymn* ; *tiurai* (juillet) de *july* ; *tenuare* (janvier) de *january*, etc. Même les noms propres subissent un traitement très particulier : l'Angleterre se dit *Te Fenua* (le pays) *Peretane* (de Britain) ; la Belgique, *Peretita* ; l'Amérique, *Marite*. Dans les noms de lieu apparaît souvent *pape* ou *vai* (eau-rivière) : Papeari, Papeete, Papeava, Papenoo, Vaitepiha, Vaiare, etc.

L'avenir de la langue tahitienne est moins sombre que celui de ses cousines maori. Une Académie tahitienne s'est créée, qui s'est donné pour but la défense et l'illustration de la langue et la promotion d'une littérature moderne. L'introduction systématique du tahitien dans l'enseignement est en cours, et l'on espère que les Polynésiens sauront préserver et développer leur langue, seule garantie d'une culture authentique qui peut rayonner sur une partie du Pacifique, dans le cadre d'un bilinguisme franco-tahitien heureusement équilibré.

Voici à titre d'exemple, quelques mots ou expressions d'usage très courant dont certains ont même fini par entrer dans le parler *popaa* quotidien :

Vahiné : femme, épouse, madame (après un nom propre).

Tamarii : enfant (ce mot entre souvent dans la composition des noms d'équipes sportives ou de groupes musicaux).

Fetii : parent (au sens large).

Aita : non, il n'y a pas.

Niu : coco.

Niau : feuille de cocotier, d'où *fare niau* : maison traditionnelle.

Fare : maison.

Tiare : fleur (*tiare anani* : fleur d'oranger).

Tane : homme, mari, monsieur.

Peue : natte (pour s'asseoir ou dormir).

Iaorana : bonjour (*iaorana oe* : bonjour à toi ; *ia ora na outou* : bonjour à vous tous).

Nana : au revoir.

Haere mai : viens !

Maitai : bon, bien.

Roa : tout à fait, complètement, très.

Fiu : fatigué, ennuyeux.

Maà : nourriture, repas.

■ MÉDIAS

La presse locale

La presse est disponible dans de nombreux points de vente à Papeete et dans les supermarchés, les centres commerciaux des districts de Tahiti, ainsi que dans les îles. Deux quotidiens se partagent l'information locale tout en donnant des nouvelles internationales : *La Dépêche de Tahiti* et *Les Nouvelles de Tahiti*, qui possèdent également un service de petites annonces. Un hebdomadaire, *Tahiti-Rama*, donne les programmes de télévision et les nouvelles locales de la semaine. Plusieurs hebdomadaires, parfois en anglais, sont distribués gratuitement dans les hôtels ; ils donnent des informations touristiques et des adresses susceptibles d'intéresser les visiteurs : distractions, tours organisés, promotions, shopping, restaurants, etc. *Tahiti Magazine* est une revue trimestrielle en couleur, où vous trouverez des informations pratiques, des articles de fond et les nouvelles marquantes de la vie de Tahiti. *Tahiti Pacifique* est un mensuel d'information. Indispensable, Le *Trouvtou*, des Éd. Déclic, BP 20558, Papeete ☎43.23.23, fax 43.56.66. À signaler enfin une splendide publication de luxe, abondamment illustrée et semestrielle : *Vivre magazine*, Tahiti et Polynésie bilingue, français et anglais.

La radio

RFO diffuse les programmes de France Inter à Tahiti et dans les îles. Des informations et émissions locales sont également proposées quotidiennement. Des radios locales émettent régulièrement : **Radio 1** (antenne d'Europe 1) et **Kiss FM**. D'autres stations ont une vocation plus locale : **Radio Tahiti, Radio Maohi, Sun Radio FM**… La plupart d'entre elles proposent des émissions en français et en tahitien ; les informations locales sont le plus souvent en tahitien.

La télévision

Deux chaînes, **RFO** et **RFO/F2**, proposent une sélection des meilleurs programmes de France Télévision. S'ajoutent à ces émissions des productions locales : reportages sur la vie économique, culturelle, sportive. Des informations en tahitien et en français ainsi que le journal national sont diffusés chaque jour. Les îles, longtemps défavorisées en matière de télévision, sont en cours d'équipement ; les îles Marquises, notamment, bénéficient d'investissements considérables dans ce domaine.

■ PHOTO

La Polynésie est le paradis des photographes. La lumière sublime l'éclat des teintes. À votre retour en métropole, tout vous semblera pastel. Le contact avec la nature est étroit et immédiat à Tahiti. Les fêtes de juillet sont, à elles seules, une mine de sujets de reportage.

Les Polynésiens se laissent volontiers photographier, si vous savez rester courtois. Bien des scènes ne manquent pas d'humour en raison de la spontanéité des Tahitiens. Vous photographierez à loisir les vahinés dans les groupes folkloriques. Pendant le mois de juillet, ne manquez pas le **Camera Show** au cours duquel se produisent, spécialement pour les photographes et les cinéastes, tous les groupes de danse. Les fleurs exotiques réjouiront les amateurs de macrophotographie. Quant aux fonds sous-marins, ils sont à la hauteur de leur réputation, surtout dans les atolls des Tuamotu, et vous offriront des vues exceptionnelles.

Pour un séjour de courte durée, votre matériel ne souffrira pas de l'humidité. Évitez cependant de le laisser dans une voiture surchauffée. Les films lents, couleur, conviennent parfaitement à la brillance des tons polynésiens. En diapositives, préférez les films lents. Évitez les surexpositions et munissez-vous d'un filtre UV. Les pellicules sont un peu plus chères qu'en métropole.

■ POLITESSE ET USAGES

Le **tutoiement** était traditionnellement de mise en Polynésie et s'applique toujours dans les îles. Toutefois à Tahiti, le *vous* tend à se généraliser. Les Polynésiens accordent en fait une importance toute relative à cette question. Le tout est d'être à l'aise et de ne pas se forcer. Ne soyez, en aucun cas, choqué par le tutoiement des Polynésiens. Au besoin, attendez que votre interlocuteur fasse son choix et adoptez-le. On tutoie les enfants.

■ POSTE ET TÉLÉPHONE

Poste. Il faut compter trois jours à une semaine pour l'acheminement du courrier par voie aérienne de Tahiti en métropole et inversement. Les tarifs postaux sont souvent légèrement plus élevés que ceux des autres pays. Pour la France, il existe un **tarif unique** pour les lettres et les cartes postales, identique au tarif métropolitain des lettres. Les aérogrammes sont admis pour tous les pays à un tarif unique. La plupart des résidents locaux ont une boîte postale dont le chiffre correspond à leur situation géographique.

Téléphone. Indicatif de la Polynésie française : 689. Pour appeler depuis la France, composez le 19, puis l'indicatif 689, et ensuite le numéro à 6 chiffres de l'abonné. Le territoire étant relié au réseau automatique international, les liaisons téléphoniques sont assurées en continu. De gros efforts sont faits afin d'améliorer les télécommunications des îles, notamment les plus éloignées : Marquises, Tuamotu, Australes. Le réseau POLYSAT permet déjà les communications par satellite en automatique, entre Tahiti et les autres îles qui sont équipées d'un relais, et par l'intermédiaire de Tahiti, avec le reste du monde.

Pour **téléphoner de Tahiti en France**, composez d'abord le 19, puis le 33 suivi du numéro de votre correspondant. Pour appeler **en Belgique**, faites le 19 puis le 32, **au Canada** le 19, ensuite le 1 et **en Suisse** le 19 et le 41.

Des **cabines téléphoniques** à cartes sont installées un peu partout, à Papeete, dans les districts et dans les îles déjà équipées d'un réseau automatique.

Télécartes. Elles sont en vente dans les bureaux de poste et utilisables dans la plupart des îles polynésiennes. Elles sont très pratiques pour les appels longue distance. On retrouve dans leur décoration tout le soin et l'art qui transforment les objets usuels en pièces de collection. Les motifs marquisiens sont particulièrement réussis. Prix : **30 unités :** 1 000 CFP, **60 unités :** 2 000 CFP **150 unités :** 5 000 CFP.

Pour appeler depuis la Polynésie	
6 chiffres	appel automatique à l'intérieur de Tahiti ou de la Polynésie.
10	opérateur pour le réseau radioélectrique privé des îles autres que Tahiti : îles, bateaux, etc.
0	préfixe pour la **Nouvelle-Calédonie** ; composer ensuite le numéro à 6 chiffres de votre correspondant.
33	préfixe pour téléphoner en métropole ; attendre la tonalité, former les 8 chiffres du numéro, éventuellement précédés du 1 pour la région parisienne.
00	préfixe pour les **abonnés automatiques des autres pays** ; attendre la tonalité puis composer l'indicatif du pays et le numéro de votre correspondant.
19	opérateur pour les **abonnés non automatiques** des autres pays.
11	service de l'annuaire électronique
12	**renseignements** (tarifs téléphoniques, télégraphiques, abonnés).
13	dérangements
14	renseignements commerciaux
	Pour expédier un **télégramme** téléphoné : 3655. Pour joindre un **bateau** : composer le 3698 ; un opérateur donnera suite à votre appel.

POURBOIRE

La pratique du pourboire n'a officiellement pas cours à Tahiti. Toutefois, certains touristes, les Américains en particulier, en donnent et ceux-ci sont acceptés. Les attentions que vous prodigueront les personnels d'accueil ne sont en aucun cas intéressées, faites comme bon vous semble. Des services personnalisés peuvent être récompensés, ce qui semble bien naturel. Dans les hôtels et les restaurants, les prix indiqués sont nets. Le gouvernement prélève une taxe de 7 % sur l'hébergement dans les hôtels. Cette taxe est incluse dans le montant de la facture à régler.

RANDONNÉES PÉDESTRES

Le goût contemporain pour la marche et le jogging allié à celui de la découverte de la nature sauvage explique le succès des randonnées. Mais prudence, il est préférable de partir avec un guide confirmé. Les pluies sont fréquentes et très violentes à l'intérieur des îles et peuvent provoquer éboulements et inondations.

Voici quelques randonnées très prisées à Tahiti : **mont Marau**, 1 493 m, départ de Faaa, route de Saint-Hilaire ; **lac Vahiria**, départ de Mataiea PK 47,4 ; **vallée de Mahina**, départ PK 10,2 **vallée de Titioro**, départ de Paea PK 21,9 ; **plateau des Orangers**, départ du pont de la Punaruu à Punaauia ; **Aorai**, 2 066 m, départ de la route Fare Rau Ape ; la traversée classique de **Mataiea** à **Papenoo** ; la traversée de la presqu'île de **Tautira** à **Teahupoo** ; **falaises du Pari**, départ de Tautira ; **Orohena**, 2 241 m, départ de Super-Mahina.

De même, avec l'intérêt croissant pour les activités de montagne, l'alpinisme a la faveur des adeptes. Pour de plus amples informations sur les excursions programmées suivant les saisons, renseignez-vous auprès du **GIE Tahiti Tourisme** (p. 34) qui vous communiquera les adresses des nombreuses associations spécialisées dans les activités pédestres.

SANTÉ

L'infrastructure médicale est très développée à Tahiti.

Hôpitaux. Mamao, av. Georges-Clemenceau ☎42.62.62. **Jean Prince**, à Pirae ☎41.94.00. **Taravao** ☎57.13.33. **Vaiami** ☎42.93.70. **Afareaitu**, à Moorea ☎56.23.23.

Cliniques. Cardella, rue Anne-Marie-Javouhey, Papeete, ☎42.80.10. **Lintilhac**, rue E.-Martin, Papeete, ☎42.62.22. **Paofai**, angle du bd Pomaré et de la rue du Lieutenant-Varney, Papeete ☎43.02.02.

Les îles disposent, suivant leur superficie, d'un hôpital, d'une infirmerie ou d'un dispensaire. On trouve sur place la plupart des médicaments usuels et de nombreux médecins, pharmacies, laboratoires d'analyses sont établis en Polynésie. Tous les grands hôtels ont des médecins attitrés qui peuvent consulter les malades dans leur chambre. Dans les cas graves, le rapatriement sur un centre médical spécialisé de Papeete est organisé très rapidement par voie aérienne.

SÉCURITÉ

L'évolution démographique de la Polynésie française se fait surtout sentir à Tahiti et à Papeete. Le fort taux de chômage chez les jeunes, le déracinement des insulaires qui émigrent vers Tahiti, les conditions difficiles de logement, les tentations de la société de consommation ont entraîné un fort accroissement de la petite délinquance. D'autre part, la liberté traditionnelle des mœurs fait que certains Polynésiens ne considèrent pas le viol comme un délit. Alors, mieux vaut être prudent, prendre certaines précautions, ne pas fréquenter les plages la nuit, éviter de prendre des bains de minuit et de s'aventurer tard le soir dans certains quartiers du centre de Papeete ou même des districts. Les agressions sont souvent liées à l'imprudence des victimes. Ces risques sont moindres dans la plupart des îles, mais la prudence est toujours de mise, la nuit surtout, à l'écart des hôtels.

■ SHOPPING

L'artisanat

Objets en bois sculpté. Inspirés de l'art polynésien ou de l'art guerrier, ils sont en vente dans tous les *curios*. Les **statuettes** sont des copies plus ou moins fidèles de *tiki* ou de guerriers. Les statuettes marquisiennes sont les plus fines. Leur prix est fonction de la facture, de la qualité de la sculpture et de la taille. Parmi les objets intéressants, d'origine marquisienne, des cannes, des haches, des poignards ou des lances admirablement sculptés. Vous pouvez encore trouver de véritables œuvres d'art.

Objets en nacre. Les artistes polynésiens sculptent les coquillages producteurs de nacre, huîtres perlières et troca. Vous trouverez toutes sortes de petits objets décoratifs en nacre sculptée – bijoux, pendentifs, colliers – à des prix abordables. Les bracelets en nacre sont exécutés à partir d'une spire large de la coquille de troca.

Autres objets d'art. Quelques galeries exposent et vendent des antiquités et des objets d'art originaires de Nouvelle-Guinée. Ce sont des statuettes, des **masques**, des **boucliers** en bois sculpté et peint. À voir et, pourquoi pas, à acheter ! On y trouve des pièces de collection. Plusieurs magasins de la ville sont spécialisés dans l'art chinois. Vous n'achèterez peut-être pas de meuble, mais sûrement un petit bijou, un bracelet, une étoffe brodée ou un coffret à bijoux.

Vannerie. Art ancien à Tahiti, la vannerie s'est perpétuée jusqu'à nos jours. Les *vahinés* tressent des **nattes**, des **paniers**, etc. avec des feuilles de cocotier ou de pandanus. Vous serez séduit par les splendides chapeaux tahitiens, dont les vahinés raffolent pour « s'habiller » le dimanche.

Colliers de coquillages. La tradition à Tahiti est de « couronner » les amis qui partent. On les embrasse et on leur passe autour du cou un collier de coquillages. Ces colliers typiquement polynésiens sont confectionnés à partir de coquilles variées : porcelaines, petits « escargots », bivalves, etc. On y adjoint souvent des graines de plantes locales. Ces colliers sont extrêmement variés en raison de leur forme et de leur composition.

Les coquillages de collection

Un important marché de coquillages de collection, des plus communs aux plus rares se tient à Papeete. La cote officielle est appliquée à Tahiti, où les prix sont souvent avantageux. Les **porcelaines** sont prisées en raison de leur valeur. La « tigrée », grosse porcelaine mouchetée, reste abordable.

Plutôt que de limiter votre choix à une espèce, adressez-vous à un spécialiste qui vous proposera, à des prix raisonnables, des assortiments de coquilles représentant l'ensemble de la faune malacologique polynésienne. Les **cônes**, par exemple, sont très beaux et certains terebras, mitres ou olives ne manquent pas d'intérêt.

Les cosmétiques

La réputation des Tahitiennes n'est plus à faire. Elles enduisent fréquemment leur chevelure de *monoï* fabriqué avec de l'huile de coco dans laquelle ont macéré des fleurs de *tiare*. Le résultat est une huile solaire agréablement parfumée, aux vertus bronzantes éprouvées. Des flacons sont en vente dans les supermarchés et les parfumeries. Le *monoï* est le précurseur d'une gamme de cosmétiques à base de *tiare*, de coco, de jasmin ou, moins original, de santal fabriqués à Tahiti. On trouve également des eaux de toilette, des shampooings et des savons.

Les disques

Musique et danses tahitiennes sont des éléments essentiels du folklore local. Plusieurs studios d'enregistrement sont installés à Papeete et offrent des productions de qualité. Achetez un ou deux disques de *tamure* et un de *gabilou*. Il y a également un large choix de cassettes.

Les perles noires et les bijoux ♥

Il serait fort dommage de quitter Tahiti et la Polynésie sans rapporter une **perle noire** ou un bijou réalisé par l'un des joailliers de la place. Il est d'ailleurs faux qu'une perle noire ou un petit bijou où se mélangent l'or et la perle noire soient forcément chers. Il en existe pour toutes les bourses. Avant de vous décider, prenez l'avis des spécialistes et admirez au préalable de nombreuses perles de provenances diverses, comparez les prix. Les grandes réalisations de joaillerie sont chères, mais présentent un bon rapport qualité-prix. Les joailliers locaux sont souvent producteurs de perles ou associés à des producteurs et réservent à leurs propres créations le meilleur des récoltes.

La perle noire est l'orgueil de la Polynésie. Les joailliers ou les négociants locaux imposent pour les produits vendus sur place une qualité nettement supérieure à celle que l'on trouve à l'étranger. Vous avez donc toutes les chances de faire une bonne affaire à Tahiti. Si vous ne disposez que d'un budget réduit, privilégiez la couleur et le lustre de la perle, tout en recherchant une « peau » avec quelques imperfections (concentrées sur une faible portion de la surface), afin de faire chuter le prix (p. 104). Pour être montée en bijou, toute perle doit être percée, les éventuels défauts disparaissent ainsi sous la monture. Tahiti et Moorea proposent un grand choix. La plupart des hôtels vendent des perles ; l'opportunité d'un achat est soumise aux approvisionnements. On trouve aussi quelques beaux spécimens à Manihi.

Les vêtements

Les pareu. Ce sont ces rectangles de tissu imprimé, ornés de motifs locaux du plus bel effet décoratif. Il existe des centaines de façons de porter un *pareu* et pourtant le principe est très simple : la femme s'entoure du *pareu* et le noue, avec de multiples variations portant sur le drapé et la confection des nœuds. Les *pareu* traditionnels, ceux que portent les Tahitiennes, sont en cotonnade assez épaisse et résistante. Les premiers motifs, et les plus célèbres, sont la fleur ou le pied d'hibiscus blancs sur fond rouge, le fruit et le feuillage de *l'uru* (le fruit de l'arbre à pain) en blanc sur fond monochrome rouge, vert, bleu, rose ou mauve. En vogue également, des motifs marquisiens inspirés des *tapa* traditionnels. Pour les touristes, on confectionne des *pareu* en cotonnade très légère, aérée, parfois arachnéenne. Bon nombre de modèles sont teints à la main, ou décorés au pochoir pour les motifs simples.

Vous trouverez aussi de véritables créations. Des *pareu* sont vendus dans

toutes les îles, les plus beaux, dans les grands hôtels et surtout dans les magasins spécialisés du centre de Papeete.

Robes. Les robes longues en *pareu* et agrémentées de dentelles et de volants sont les tenues de soirée des Tahitiennes. Sur place, des couturières confectionnent des robes sur mesure avec le tissu choisi par la cliente. Dans un style différent, très moderne, il existe des robes longues en cotonnade légère, peintes à la main. Amples, faciles à porter, elles sont très joliment décorées.

Pour les hommes. Autrefois, on trouvait partout de très belles chemises tahitiennes à motifs sobres et discrets, le plus souvent d'inspiration marquisienne. Imprimées sur tergal ou nylon clair, blanc, beige, cognac ou bleu pâle, certaines d'entre elles étaient de véritables œuvres d'art. Aujourd'hui, elles sont rares, le marché ayant été envahi par des chemises d'inspiration hawaïenne.

Ventes par correspondance. Made in Tahiti est un organisme de vente par correspondance en direct de Tahiti. Cette firme édite une revue-catalogue publiée chaque année, et disponible dans les kiosques en France au prix de 18 F. Vous y trouverez un vaste choix d'articles locaux : mode, robes, pareu, produits de beauté, monoï, petits bijoux, articles en nacre, maillots de bain, chaussures de plage, cassettes vidéo, disques, etc. Règlement par carte de paiement, chèque bancaire ou postal. Demande d'informations et commandes : **Made in Tahiti**, BP 1673, Papeete, Tahiti, Polynésie française.

▌TRANSPORTS

Les taxis. Peu nombreux à Tahiti, mais indispensables lorsqu'on est chargé, ils sont assez onéreux. Avant de prendre un taxi, on peut téléphoner au **GIE Tahiti Tourisme** ☎42.96.26 pour connaître le prix de la course. Les taxis sont de plus en plus équipés de taximètres.

Les trucks. Le mode de transport le plus populaire n'est en rien folklorique. Tous ceux qui n'ont pas de voiture l'utilisent. Les *trucks* sont des autobus dont la carrosserie en bois est peinte de couleurs vives. Vous passez allégre-

ment les cahots au rythme de la musique tahitienne ! Leur tarif, très abordable, dépend de la distance. Les *trucks* sont tous rassemblés autour du marché et dans les rues parallèles : ne prendre que ceux garés en tête de file. Vous pouvez aussi les arrêter aux emplacements prévus à cet effet le long de la route de la ceinture. Avant de monter, bien lire les destinations. Depuis le marché, on peut aller partout à Tahiti. Les localités desservies par chaque *truck* sont inscrites sur ses flancs. Ils sont très nombreux à sillonner la route de ceinture. La course est payable à l'arrivée. Attention, les horaires de retour sont à vérifier, car très aléatoires après 16h.

La location de voitures. Tahiti est une petite île. Il est tout de même agréable d'en faire le tour ou de visiter les sites intéressants en voiture. Au cours d'un séjour, une bonne formule consiste à louer une voiture au moins 3 journées : une pour le tour de l'île, une pour la visite de la presqu'île, une pour Papeete et ses environs. Avant de vous engager, contactez plusieurs loueurs afin de connaître leurs tarifs. On note des différences assez importantes en fonction de l'état de la voiture et des organismes de location. Pour louer une voiture, il faut avoir au moins 21 ans et présenter un permis de conduire en cours de validité de plus d'un an. Le permis international n'est pas exigé. Sachez que les places de parking sont rares et que le port de la ceinture de sécurité est obligatoire ; les *mutoi* (policiers) verbalisent à Tahiti comme partout.

Les cars. Des excursions en car sont organisées au départ des hôtels. La solution la plus pratique est de réserver au bureau de voyages de l'hôtel. Des informations touristiques saisonnières sont aussi proposées au bureau du **GIE Tahiti Tourisme**, Fare Manihini ☎42.96.26.

Les scooters et motos. Bien que ces moyens de transport soient répandus à Tahiti, nous les déconseillons aux touristes peu familiarisés avec les habitudes locales de conduite. Les voitures résistent mieux aux chocs ! En revanche, dans les îles où la circulation est extrêmement réduite, optez pour ce mode de transport.

Tahiti vue d'avion. Si vous vous échappez vers les îles, vous verrez d'avion leurs magnifiques panoramas. Le spectacle mérite que l'on s'y attarde, sans autre but que celui d'admirer cette nature d'exception. **Air Moorea**, ☎86.41.41, se charge de vols réguliers Tahiti-Moorea ; c'est aussi une compagnie d'avions-taxis pour toutes les îles. On peut également contacter les aéro-clubs dont le siège est à l'aéroport de Faaa, à côté de l'aire d'embarquement pour Moorea (Aéro-club de Tahiti ou Cercle aéronautique).

Tahiti en hélicoptère. Seul un hélicoptère vous fera découvrir l'intérieur de l'île de Tahiti : le Diadème ; les cascades de Faarumai, le lac Vahiria, le plateau des Orangers et la côte sauvage de la presqu'île de Taiarapu. Le survol de Moorea, du lagon et de son récif frangeant couronné d'écume blanche est désormais possible, en toute sécurité, avec des hélicoptères offrant une très grande visibilité grâce à de larges baies vitrées et des fenêtres coulissantes amovibles pour les prises de vues.

Les tarifs couramment pratiqués sont de l'ordre de 13 000 CFP par personne pour un survol du centre de l'île de Tahiti, et de 16 000 CFP pour le tour complet de l'île. **Héli-Pacific**, BP 6109, Papeete ☎85.68.00, fax 85.68.08. **Héli-Inter Polynésie**, BP 424, Papeete ☎81.99.00, fax 81.99.99.

Les liaisons inter-îles

Il existe plusieurs formules pour se rendre de Tahiti vers les autres îles de la Polynésie française. Nous indiquons ici les principales dessertes, par avion, en goélette ou en ferry-boat, mais vous trouverez tous les détails d'accès dans le chapitre « Dans les îles » (p. 144). Attention, les trajets par avion sont fréquemment complets, ils doivent être réservés de Paris au moment de l'achat de votre voyage.

Par avion

Les billets circulaires « Tahiti Air Pass », proposés par **Air Tahiti** à des prix très avantageux, permettent des séjours combinés dans plusieurs îles sans avoir à repasser par Papeete. **Air Tahiti**, BP 314, Papeete ☎86.40.00, fax 86.40.69, rés. ☎86.42.42.

Les îles Sous-le-Vent. Papeete-Moorea-Papeete : nombreux vols quotidiens (toutes les 30 mn). Papeete-Tetiaroa-Papeete : 1 vol quotidien. Entre **Tahiti** et **Huahine, Raiatea, Bora Bora** : plusieurs vols quotidiens. Entre **Tahiti** et **Maupiti** : vol les mar., ven. et dim. Entre **Moorea** et **Bora Bora** : 1 à 2 vols par jour. Entre **Moorea** et **Huahine** : 1 vol par jour, pour le retour, **Huahine-Moorea**, 3 vols par semaine.

Tuamotu Nord. Entre **Papeete** et **Rangiroa** : 1 à plusieurs vols quotidiens. Lun. et mer. A/R dans la journée. Entre **Papeete** et **Manihi** : 5 vols/sem. Entre **Rangiroa** et **Manihi** : 3 vols/sem. De **Bora Bora** vers **Rangiroa** : 3 vols/sem. De **Bora Bora** vers **Manihi** : 2 vols/sem. De **Rangiroa** vers **Bora Bora** : 1 vol/sem. **Rangiroa-Tikehau** : 3 vols/sem. **Rangiroa-Mataiva** : 2 vols/sem. **Rangiroa-Takapoto, Takaroa** : 3 vols/sem. **Rangiroa-Kaukura** : 2 vols/sem.

Les Marquises. Papeete-Nuku Hiva : 4 vols/sem. Rangiroa-Nuku Hiva : 1 vol/sem. **Rangiroa-Napuka-Hiva Oa** : 2 vols/sem. **Ua Pou-Nuku Hiva** : 1 vol/sem. **Hiva Oa-Nuku Hiva** : 3 vols/sem. **Nuku Hiva-Hiva Oa** : 2 vols sem.

Ces informations sont indicatives, les vols étant souvent modifiés en fonction de la fréquentation.

Tuamotu Est-Gambier. Papeete-Hao : 1 vol hebdomadaire. **Papeete-Anaa** : 1 vol/sem., 3 sem./4. **Papeete-Makemo/Mangareva** (Gambier) : 1 vol/sem., 2 sem./4 (on peut séjourner à **Mangareva** 1 nuit, 1 sem. ou 3 sem.).

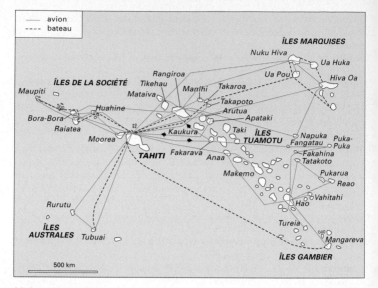

Liaisons inter-îles

Les Australes. Papeete-Rurutu/Tubuai : 3 à 4 vols/sem. Tous les vols sont non fumeur ; 10 kg de bagages autorisés ou 20 kg autorisés sur présentation de votre titre de transport international. Les trajets **Papeete-Moorea** se font sur **Air Moorea**, BP 6019, Papeete ☎86.41.41, fax 86.42.99. Air Moorea organise également des vols à la demande, un tour de Moorea en 30 mn et des vols à Tetiaroa. Contacter Cynthia au ☎82.63.02.

Par bateau

L'approvisionnement des îles nécessite un important trafic de bateaux de marchandises qui assurent une desserte régulière de Papeete vers les archipels. Les cargos, bateaux mixtes, goélettes effectuant le transport du coprah sont des moyens très avantageux mais souvent longs pour naviguer d'île en île.

Il est possible de combiner un périple en goélette avec un hébergement chez l'habitant. Les **goélettes,** pour les archipels lointains, n'ont pas d'horaires fixes : des décalages de quelques heures, voire de quelques jours sont fréquents. Ne soyez pas trop exigeant si vous empruntez ce mode de transport, car c'est la façon la plus économique mais aussi la plus insolite de voyager.

Des **ferry-boats** rallient les îles les plus importantes. La flotte polynésienne s'est enrichie d'unités modernes et confortables pour des traversées effectuées dans les meilleures conditions.

Voici, à titre indicatif, quelques liaisons maritimes, données sous réserve de changements possibles :

Papeete-Moorea-Papeete : *Tamarii Moorea ferry*, BP 118, Moorea ☎43.76.50, fax 42.10.49. *Tamahine Moorea*, **catamaran**, BP 3917, Papeete, Tahiti ☎43.76.50, fax 42.10.49. *Aremiti*, BP 9254, Papeete, Tahiti ☎42.88.88, fax 42.06.15.

Papeete-îles Sous-le-Vent-Papeete desserte rapide : bateau récent de grand confort, le *Ono Ono*, BP 16, Papeete, Tahiti ☎45.35.35, fax 43.03.45.

Papeete-îles Sous-le-Vent-Papeete : *Raromatai Ferry*, BP 50712, Pirae, Tahiti ☎43.19.88, fax 43.19.99. *Vaieanu*, BP 9062, Motu Uta, Tahiti ☎41.25.35, fax 41.24.34. *Taporo VI*, BP 368, Papeete, Tahiti ☎42.63.93, fax 42.06.17. *Temehani II*, BP 9015, Papeete, Tahiti ☎ et fax 42.98.83.

Raiatea-Maupiti : *Meherio*, BP 85, Papeete, Tahiti ☎42.44.92.

Papeete-Australes-Papeete : *Saem Tuhaa Pae II*, BP 1890, Papeete, Tahiti ☎42.93.67, fax 42.06.09.
Papeete-Marquises-Papeete : *Aranui II*, BP 220, Papeete, Tahiti ☎42.62.40, fax 43.48.89. *Taporo V*, BP 368, Papeete, Tahiti ☎42.63.93, fax 42.06.17. *Tamarii* Tuamotu ☎42.95.07.
Papeete-Tuamotu-Papeete : *Dory*, BP 9274, Papeete, Tahiti ☎ et fax 42.88.88. *Manava II*, BP 1816, Motu Uta, Papeete, Tahiti ☎43.83.84, fax 42.25.53. *Saint-Xavier-Marie-Stella*, BP 11366, Mahina, Tahiti ☎42.23.58. Certains bateaux disposent de cabines, parfois climatisées, et d'autres imposent un couchage sur le pont. Avant de tenter un départ, bien se renseigner sur les conditions du voyage.

Le système kilométrique

Les repères sont indiqués en points kilométriques (PK), c'est-à-dire en distance les séparant de Papeete. La route est jalonnée, côté montagne, de bornes plus ou moins visibles. Nous distinguerons les PK côte ouest en les faisant précéder de la lettre O alors que la lettre E indiquera les PK de la côte est.

Distances en km de Tahiti (Papeete) aux îles principales

Moorea	20	Hiva Oa	1 400
Huahine	170	Ua Huka	1 350
Raiatea	220	Nuku Hiva	1 400
Bora Bora	260	Tikehau	310
Maupiti	320	Apataki	400
Tubuai	670	Anaa	440
Rurutu	570	Makemo	640
Rangiroa	350	Hao	920
Manihi	520	Gambier	1 630
Takapoto	620	Tetiaroa	40

■ URGENCES

Gendarmeries : Papeete ☎46.73.73. **Arue** ☎48.00.41. **Faaa** ☎42.62.02. **Paea** ☎53.21.02. **Punaauia** ☎58.46.56. **Taravao** ☎57.11.11. **Tiarei** ☎52.14.44.
Objets trouvés : gendarmerie ou commissariat de police ☎42.01.07.
Police secours : ☎17.
Pompiers : ☎18.
SOS Médecins : ☎42.34.56.

■ VOLTAGE

À Papeete, une usine en front de mer produit pour toute l'île un courant alternatif de 220 volts (60 périodes au lieu de 50 en métropole). L'appareillage électrique métropolitain est utilisable sur courant alternatif 60 périodes. Dans les districts ou dans les autres îles, l'électricité est produite par des groupes électrogènes plus ou moins puissants.

LA NATURE
SOUS LES TROPIQUES

*Peut-on parler de Tahiti et de la Polynésie
sans user de clichés ? Dès le XVIIIᵉ siècle, marins
et artistes décrivent une terre de sable blanc
et de cocotiers, habitée par des dieux sauvages
et joyeux à qui la nature a tout donné comme
en hommage à leur beauté, non seulement tous
les poissons multicolores de la grande mer
qui les entoure, mais encore les fleurs
les plus belles, les parfums les plus subtils,
les fruits les plus suaves.*

Les îles hautes sont des volcans, de nos jours éteints. Si Tahiti,
Moorea, Huahine, Raiatea, Tahaa, Bora Bora et Maupiti ne ressemblent pas au Fuji-Yama ou au Kilimandjaro, c'est que les édifices
volcaniques originels ont subi de profondes modifications.
Les îles montagneuses, en Polynésie, sont des volcans dont le cône,
très étalé, est composé d'une roche noirâtre, le basalte, qui constitue
aussi le fond de tous les océans du globe. Dans la masse du volcan,
certains basaltes, plus durs, ont mieux résisté à l'érosion ; leur emplacement est marqué par des reliefs accusés : pics, dômes, masses rocheuses parfois taillées à vif.

Des plages de sable noir

Le basalte, sous l'action de l'eau de pluie qui s'infiltre dans le sol ou ruisselle (action favorisée par la température tropicale), est altéré, et certains des minéraux qui le composent sont dissous. Les cristaux restants, désagrégés, sont entraînés par les eaux dans la mer puis rejetés par les vagues et les courants marins sur le littoral, où ils s'accumulent. Ainsi se forment les plages de sable noir très fin.

Les récifs coralliens

Il s'agit plutôt de récifs de madrépores, car ils ne sont pas formés de coraux véritables, le nom de « corail » étant réservé aux polypiers de la famille du corail rouge, plus compacts et plus durs que ceux des madrépores qui forment les récifs. Les madrépores appartiennent au groupe zoologique des cœlentérés, qui comprend aussi les anémones de mer et les méduses. Les polypes sont de très petite taille. Ils ont un organisme en forme de sac cylindrique, percé à sa partie supérieure d'un orifice servant à la fois de bouche et d'anus, et entouré d'une couronne de tentacules très mobiles. Les polypes sont extrêmement nombreux et soudés entre eux pour former une colonie qui sécrète un support de nature calcaire appelé « polypier ».

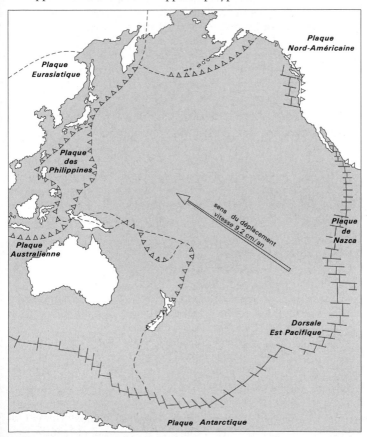

Déplacement des plaques océaniques

Les madrépores, pour se développer, ont des exigences très strictes : température de l'eau élevée, faible profondeur, agitation moyenne pour un apport nutritif suffisant. Un récif frangeant se forme d'abord au voisinage du littoral. Il est constitué par des madrépores vivant à quelques mètres de profondeur et de polypiers soudés formant une roche calcaire parfois assez dure. Seule la partie superficielle des récifs est vivante ; la masse rocheuse profonde est inerte. *E hari te fau. E toro te faaro. E no te taata :* le palmier croîtra, le corail s'étendra, mais l'homme périra, dit un vieux dicton polynésien.

Du récif frangeant au récif-barrière : la formation des lagons

Sous l'effet d'un phénomène de subsidence, les îles s'enfoncent de moins d'un centimètre par an. Ce phénomène, négligeable à l'échelle de nos références temporelles humaines, ne l'est plus à l'échelle des temps géologiques, qui se chiffrent en milliers, voire en millions d'années. La masse volcanique étant progressivement noyée, la mer gagne petit à petit sur les terres. Ainsi, les récifs, jadis situés au voisinage du littoral, se retrouvent bientôt à quelques centaines de mètres de ce dernier et forment les récifs-barrières. Un espace marin clos, protégé par le récif-barrière, se retrouve alors isolé de l'océan : il forme un lagon. Les seules communications entre lagon et océan s'effectuent par des interruptions du récif-barrière appelées « passes ».

Si le basalte du volcan est inerte, les madrépores, eux, vivent entre quelques centimètres et quelques mètres de fond, s'accroissent continuellement par leur surface et meurent continuellement par leur base ; il ne reste alors de l'ancien madrépore que son squelette calcaire, le polypier. Des dépôts de calcaire cimentent les polypiers pour former une roche calcaire compacte à l'origine de l'anneau corallien.

Du récif-barrière aux plages de sable blanc

Avec le ressac, la roche calcaire, formée par les squelettes de madrépores soudés, se fragmente en blocs, débris aux contours anguleux, vifs, rugueux, parfois tranchants. Les flots, les courants marins, en général très forts dans les lagons, ramènent ces débris sur le littoral où ils s'accumulent. Ainsi se forment des plages de sable blanc, souvent très grossier lorsque les matériaux n'ont pas subi un transport suffisamment important pour être usés.

La formation des atolls

Plus on avance dans le temps, plus les volcans constituant les îles hautes ont tendance à s'enfoncer, pour finalement disparaître totalement sous les flots. Seul le récif-barrière, vivant, défie le temps et demeure intact, car cet enfoncement est compensé en permanence par la croissance superficielle et continue des madrépores.

Dans l'atoll, il ne subsiste plus en surface que l'ancien récif-barrière, considérablement étoffé, formant un anneau constitué de roche calcaire (polypiers de madrépores soudés) et de débris superficiels rejetés par les courants et les vagues, surtout par mer forte. Au cours des

Les reliefs accidentés et les failles animant les fonds sous-marins du Pacifique sont les témoins actuels du déplacement de la plaque océanique.

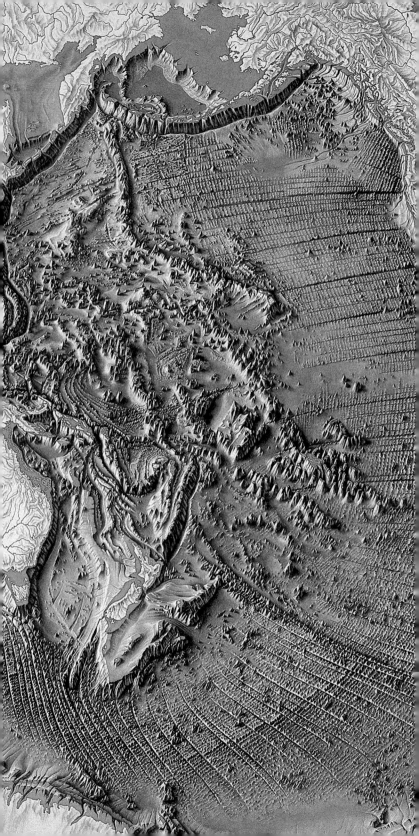

tempêtes, on assiste parfois à un important remaniement du petit monde des atolls. Dans la majorité des cas, les plages, très grossières, sont formées de roche corallienne brute associée à des débris de polypiers, des coquillages, des carapaces et piquants d'oursins fragmentés… La « terre » de l'atoll est blanche et formée de matériaux plus fins mais de même nature : c'est la « soupe » de corail. La terre végétale est rare, quasi inexistante.

Cependant, le volcan existe ; son édifice est le support de l'anneau corallien qui compose l'atoll. Lorsqu'on effectue un forage dans le calcaire construit, on trouve toujours, à plusieurs centaines de mètres de profondeur, la roche volcanique, très dure. C'est précisément dans cette roche qu'étaient creusés les puits qui permettaient les expérimentations nucléaires dans l'atoll de Mururoa. La roche corallienne, beaucoup plus tendre, ne résisterait jamais à la puissance de la déflagration.

L'origine des volcans

De nos jours, les zones d'activité volcanique sont concentrées au niveau des chaînes de montagnes sous-marines, appelées « dorsales » (voir la carte des fonds marins, p. 65). C'est là que naît le fond de l'océan, en expansion permanente grâce à un apport continu de matière interne. Ce surplus de matière repousse les « plaques » océaniques latéralement, créant, au niveau des archipels polynésiens, un déplacement du fond de l'océan vers l'ouest (dans la direction de l'arc insulaire japonais).

Indépendamment des dorsales, dont l'activité est presque permanente, il existe des foyers d'activité volcanique sporadique et localisée, situés en profondeur, que l'on nomme en géologie des « points chauds ». Plusieurs de ces points chauds sont à l'origine de la formation des volcans qui constituent les archipels polynésiens et se trouvent à l'est de ces derniers : E de Mehetia pour les îles Sous-le-Vent ; point Mac Donald pour les Australes ; E de Timoe pour les Tuamotu-Gambier ; S-E de Fatu-Hiva pour les Marquises.

Depuis chaque point chaud, en raison du déplacement du fond océanique, se crée, de proche en proche, un alignement de volcans. En conséquence, les édifices volcaniques les plus récents, dans l'archipel polynésien, se trouvent au S-E, alors que les plus anciens sont au N-O.

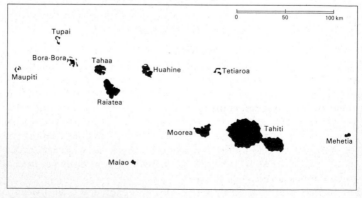

Formations volcaniques

L'apothéose de la végétation

Le premier contact avec Tahiti est celui de la végétation, dense, resplendissante, éclatante de vie et de santé ; des fleurs aussi, des fleurs partout. Sur les îles hautes, toutes les conditions sont réunies pour que les essences végétales prolifèrent. Les fonds de vallées et le littoral sont couverts d'humus volcanique riche en éléments minéraux et organiques ; il forme un support très fertile, parfois interrompu par de petites étendues latéritiques fortement enrichies en oxyde de fer et, en conséquence, peu propices à la végétation ; mais c'est là l'exception. L'atmosphère chaude, humide en permanence, produit un effet de serre naturel, responsable d'une croissance accélérée de la végétation. Même sur les routes de ceinture, la flore insulaire enchante par sa diversité et ses couleurs.

Schématiquement, on peut considérer qu'il y a trois strates. La première est celle des grands arbres, avec le cocotier bien sûr mais aussi l'arbre à pain, le *filao* ou bois de fer, le bananier, le kapokier, le banyan, l'ylang-ylang, le *mape*, châtaignier du Pacifique, sans oublier le flamboyant et le tulipier du Gabon. Le pin des Caraïbes, utilisé à des fins de reboisement, commence à devenir familier dans certaines îles. Puis vient la plus belle des strates, celle des arbustes. Quelle débauche de couleurs et de matière végétale ! Il y a là l'emblème de Tahiti : le *tiare*, petite étoile blanche de six à huit pétales au parfum enivrant, les hibiscus, les frangipaniers, les bougainvillées, les gardénias, les monettes jaunes... Comme si les fleurs ne suffisaient pas à colorer le bord des routes et les haies, voici que les feuilles prennent, elles aussi, des tons insoupçonnés : celles des crotons, des cordylines, des pervenches de Madagascar et des faux caféiers. La strate des herbacées est assez décevante, mais qu'importe ! L'enchantement se poursuit avec les fruits tout aussi variés, tout aussi surprenants. On vous les proposera sur le bord des routes, ou, en petits tas bien construits sur les marchés citadins.

La flore des atolls, dominée par le cocotier, est beaucoup plus pauvre, car elle croît dans des conditions difficiles : sol calcaire, caillouteux et très peu fertile, manque d'eau, vent parfois fort... Des arbustes, introduits par l'homme, parviennent à pousser, choyés par les autochtones : c'est le cas des *tiare*, frangipaniers, citronniers, jasmins que l'on trouve parfois en abondance dans les jardins entretenus des maisons ou des hôtels. Les sols rocailleux incultes sont recouverts par endroits d'une brousse basse appelée *miki-miki*.

Le cocotier, « arbre providence »

Pour les Européens, le cocotier est le symbole du dépaysement, du sable blanc dans la solitude des Tropiques, des eaux tièdes et protectrices. Le cocotier, *niu* ou *haari*, est très certainement originaire d'Asie où il est connu depuis plusieurs millénaires. Bien qu'une noix de coco puisse parcourir des centaines de kilomètres en flottant sur l'océan, elle n'aurait pu être transportée de cette manière depuis les côtes asiatiques, une immersion trop prolongée dans l'eau salée lui faisant perdre son pouvoir germinatif. Les noix ont donc été introduites par des navigateurs.

Le cocotier (*Coco nuccifera*) est très voisin du palmier à huile africain, mais son tronc, *stipe*, est plus élancé : il peut atteindre 18 à 30 mètres

En l'honneur du tiare

Parmi les fleurs odorantes, la plus célèbre est le *tiare*, qui appartient à la famille des rubiacées *(Gardenia tahitensis)*. C'est aussi un arbuste couvert d'une masse de feuilles vert foncé et luisantes, qui atteint facilement 1 à 2 m. Les fleurs qu'il porte se composent d'un calice court, vert, d'une corolle formée de six à huit pétales soudés à leur base pour former un tube, étalés en lobes allongés à la partie supérieure, donnant à la fleur sa forme étoilée caractéristique. Le *tiare* est l'emblème de Tahiti, son odeur est très délicate. On se met un *tiare* à l'oreille droite si son cœur est pris, à gauche si son cœur est encore à prendre, subtil langage des fleurs…

On peut conserver pendant plusieurs jours des fleurs de *tiare* en boutons, humides, serrées les unes contre les autres et enveloppées dans des feuilles. Un beau cadeau à faire à vos proches, à votre retour.

En faisant macérer des fleurs de *tiare* dans de l'huile de coco, on obtient le *monoï*.

Il existe une autre variété de rubiacées, le *tiare apetahi*, très rare puisqu'il ne se trouve que sur le mont Taipioi à Raiatea. Tous les essais d'acclimatation de *tiare apetahi* dans d'autres îles se sont avérés infructueux.

de haut, il est longtemps couvert par la base des anciennes feuilles disparues. Les célèbres feuilles ou palmes, peu nombreuses et luisantes, sont constituées d'un axe rigide, le rachis, qui supporte le limbe, formé de lanières très découpées, les *niau*.

Des rameaux floraux se détachent de l'extrémité du *stipe*. Les fleurs femelles, à la base, sont peu nombreuses ; les fleurs mâles, disposées en épi, se trouvent à leur suite. Le vent est le principal agent de fécondation.

La noix de coco est constituée d'une enveloppe lisse et brillante recouvrant une chair fibreuse que les Tahitiens ôtent pour manger la noix. On découvre ensuite le fruit, de couleur brune, résistante, que l'on casse d'un coup de machette. À l'intérieur, se trouve un liquide parfumé et légèrement sucré, l'eau de coco. L'intérieur de la noix est tapissé d'une matière blanche, plus épaisse chez les noix de coco âgées, formée de matières nutritives et riches en graisses végétales (palmitine) ; c'est l'albumen qui forme le coprah. Le cocotier a longtemps été la principale source de richesse de la Polynésie grâce à la vente et à l'exportation du coprah, que l'on utilise dans les industries alimentaires pour la production d'huiles, de margarines, en pâtisserie, etc. Mais les cours mondiaux du coprah ayant fortement baissé, d'autres ressources ont pris le relais.

L'huile de coco est toujours utilisée dans la fabrication du monoï. L'intérieur de la noix fraîche, râpé, pressé, fournit le lait de coco, utilisé dans la cuisine tahitienne pour aromatiser le poisson cru, la papaye cuite au four, les desserts comme le *poe*. Le cœur du cocotier, très tendre, est mangé en salade. Les palmes, elles aussi, se prêtent à de multiples utilisations. Séchées, elles permettent la fabrication de toits en formant un revêtement imperméable (toits en *niau*) ; tressées, on en fait des nattes appelées *peue*, des paniers, des chapeaux… Les troncs de cocotiers, enfin, peuvent être sculptés.

Très utilisée pour la confection de couronnes et de colliers, très odorante aussi, le *tipanie* ou frangipanier est originaire d'Amérique, et a été introduit à Tahiti au XIXe s. Il appartient à la famille des apocynacées, et produit de grandes fleurs à cinq pétales, plus larges que ceux du *tiare*. Les fleurs, groupées à l'extrémité des rameaux, sont blanches nuancées de jaune ou de rose et embaument l'air.

L'*uru*, l'arbre à pain

L'*uru* (Artocarpus) est un arbre magnifique aux larges feuilles vert foncé, brillantes, très découpées. Plus communément dénommé « arbre à pain », il a motivé l'expédition du *Bounty* (voir p. 88). Son fruit, appelé *maiore* par les Tahitiens, est arrondi, de couleur vert jaunâtre et ressemble à un gros pamplemousse dont la surface serait hérissée d'une multitude de petites bosses. Sa pulpe est compacte, très riche en amidon. L'*uru* est un féculent plutôt « lourd » pour les non-

---

Noix de coco ou tête d'anguille ?

Plusieurs légendes polynésiennes expliquent l'origine de la noix de coco, dont celle-ci : « Il était une fois une très belle princesse, fille du Soleil et de la Lune, nommée Hina. Elle était si belle que des éclairs de lumière émanaient de son corps diaphane. Elle fut promise en mariage au roi du lac Vahiria qui n'était autre qu'une énorme et repoussante anguille. Hina s'enfuit et se mit sous la protection du grand Maui, qui arrêta et régla le Soleil. De la falaise de Vairao, ils aperçurent l'anguille qui venait chercher Hina. Maui jeta son hameçon et s'écria : "De mon fief, aucun roi ne peut s'échapper, il deviendra nourriture pour mes dieux." L'anguille avala l'appât et l'hameçon, fut capturée et décapitée. Maui l'enveloppa dans un morceau de tapa et la donna à Hina, lui recommandant de ne poser le paquet à terre qu'arrivée chez elle : "La tête de l'anguille renferme de grands trésors pour vous." Hina oublia le paquet sur le sol. Le tapa se détacha et la tête de l'anguille, fixée sur le sol, se couvrit de jeunes pousses pour devenir le premier cocotier. »

Selon cette même légende, on retrouve sur la noix de coco les marques de la tête d'anguille : deux dépressions symétriques correspondent à l'emplacement des yeux, une dépression médiane, à la bouche. Lorsque la noix tombe de l'arbre, les yeux servent à guider sa chute ! Les noix de coco auraient aussi pour origine des crânes humains qui auraient germé dans un cimetière, produisant les trois premiers cocotiers.

Parfums floraux

L'ylang-ylang est un grand arbre produisant des fleurs vert jaune, d'un parfum très fort et caractéristique. Ses fleurs, à six pétales allongés, sont aussi recherchées pour la fabrication des colliers et couronnes.

À côté de ces « vedettes », d'autres plantes ne manquent pas d'intérêt : l'oranger, le citronnier, le jasmin, le laurier-rose, etc.

---

initiés. Il est servi cuit et très simplement accommodé, accompagnant des bananes rouges *(fei)* amylacées et non sucrées, du taro, des patates douces… Les irréductibles peuvent même manger des frites d'*uru* !

Le petit peuple des cieux

Le merle des Moluques *(Acridotheres tristis)* a tout envahi. C'est une variété d'étourneau originaire de l'Inde, haut sur pattes, au plumage noir, au bec jaune vif, à l'œil souligné de jaune, et dont le tempérament est querelleur ; il a toutes les audaces, y compris celle de venir partager votre déjeuner en plein air, dès que vous avez le dos tourné !

Parmi les autres oiseaux que l'on rencontre assez couramment, citons l'hirondelle, le coucou, la colombe, la tourterelle, la perruche et quelques rapaces dont l'épervier, introduit pour sa contribution à la destruction des rats.

Les passereaux comptent à Tahiti de nombreuses espèces, dont les minuscules *vini*, qui font penser à des oiseaux-mouches et sont en réalité de petits passereaux très bien acclimatés. Les oiseaux de mer sont recherchés par les pêcheurs qui les utilisent comme guides ; on en trouve des blancs et des noirs : pétrels, sternes, échasses, aigrettes, de petits pélicans appelés phaétons, des palmipèdes…

Les animaux sympathiques… et les autres

Tous les animaux domestiques ont été introduits en Polynésie : chiens, chats, poules, coqs (la tradition des combats de coqs est toujours d'actualité, voir p. 47), lapins, porcs (on élève une race très prisée de petits porcs noirs). Les aboiements, miaulements, chants de coqs animent les nuits tropicales !

Il n'y a pas de serpents, ni à Tahiti, ni dans les îles. En Polynésie, on ne trouve que quelques lézards. Le plus répandu, de mœurs nocturnes, est le gecko ou margouillat. Il est insectivore et totalement inoffensif, d'une exceptionnelle agilité dans toutes les positions grâce aux minuscules griffes et ventouses situées sous ses doigts.

Les insectes, en particulier les arachnides, sont nombreux : on trouve des mouches et des moustiques en abondance, des abeilles, des guêpes, des fourmis, des coléoptères, des libellules et des sauterelles. Les blattes tropicales sont volumineuses et répugnantes. La nuit, leur vol lourd et bruyant les mène parfois à l'intérieur des habitations. Elles sont désagréables, mais totalement inoffensives et font le régal des chats. On peut également rencontrer quelques araignées et une variété de petit scorpion inoffensif.

Le crabe des cocotiers *(Birgus latro)* peut atteindre 40 cm de long. Muni de puissantes pinces, il grimpe aux arbres et se nourrit de noix de coco. Cette espèce comestible, disparue de Tahiti, se trouve encore dans les autres îles Sous-le-Vent et aux Tuamotu.

Les *tupa* sont de gros crabes terrestres qui vivent sur les plages, sur les terrains sablonneux où ils creusent des galeries. Ils se nourrissent de feuilles d'arbres. Ils sont totalement inoffensifs et vous les verrez en grand nombre courir sur les routes, dans les îles, le soir ou après la pluie.

Au royaume des coquillages

Le milieu marin polynésien doit son originalité à la présence d'un récif-barrière corallien, le lagon, qui isole un espace aquatique protégé des vagues du large. Une partie très importante de la vie marine s'organise autour du récif corallien. Signalons que ce terme est impropre, les récifs étant toujours formés de madrépores et non de coraux véritables (voir p. 63).

Les lagons – et surtout les récifs – abritent une incroyable diversité de coquillages. On ne compte pas moins de 100 000 espèces différentes en Polynésie ! Les plus volumineux sont les bénitiers ou tridacnes, caractérisés par leur manteau aux couleurs aussi vives que variées. Parmi les autres bivalves, on trouve des moules géantes, des palourdes, des tellines. Les gastéropodes sont très divers, c'est dans ce groupe que l'on trouve la plupart des coquillages de collection. Le troca est un volumineux escargot à l'épaisse coquille de nacre, recherché pour son exploitation. Les porcelaines appartiennent au genre des cyprès et sont souvent splendides. La *tigris* est commune et décorative ; l'*aurantium* plus rare et magnifique. Vous verrez en Polynésie quantité d'autres coquillages comme les mitres, les olives, les harpes, les murex, les cérithes, les térèbres, les cônes.

La vie des coquillages est inféodée à celle du récif corallien ; c'est donc sur le récif et sur ses tombants, côté lagon ou côté extérieur, qu'il faut aller chercher les précieux mollusques, quand la mer est calme. La marche sur le récif corallien présente toujours des dangers (voir plus bas) ; munissez-vous de chaussures, ou mieux de bottes en caoutchouc. Les eaux sont très claires et vous pourrez déjà, avec cette méthode simple, effectuer de belles récoltes. Dans tous les cas, évitez la moindre atteinte au récif. Le temps des ignorants qui cassaient celui-ci à la barre à mine est heureusement révolu ! Les plongées à partir du récif, côté intérieur ou, à plus forte raison, du côté extérieur, sont dangereuses et réservées aux plongeurs entraînés.

Les coquillages et la plupart des mollusques ayant des mœurs nocturnes, c'est en plongeant de nuit que l'on effectue les plus belles prises. C'est également de nuit que les chasseurs d'images feront leurs plus belles moissons de photos ou de films. Les mollusques vivants offrent des sujets fascinants, coquillages, mais aussi limaces de mer, d'une incroyable diversité de formes et richesse de couleurs.

Coraux : attention danger !

Les polypiers de madrépores ont des arêtes tranchantes comme du verre. Le polypier est le squelette calcaire ; lorsque le madrépore est vivant, il est recouvert par l'animal, c'est-à-dire par une multitude de polypes coloniaux communiquant entre eux par des siphons. Les polypes ont, à la partie supérieure de leur corps cylindrique, une couronne de tentacules qui leur permettent de se nourrir.

Si vous vous blessez avec du corail, même s'il ne s'agit que d'une blessure superficielle, il faut immédiatement désinfecter la plaie avec

Moustiques et *nono*

Les moustiques apprécient particulièrement les « peaux tendres » fraîchement débarquées sur le territoire ! Tahiti n'est pas infestée, mais les moustiques arrivent en quantité très variable suivant la période de l'année. Ils sont la plupart du temps peu nombreux, sauf sur certains *motu*, dans les îles, où il est préférable de ne pas aller, car la chair à piquer est rare ! Pour éviter tout désagrément au cours des premiers jours, munissez-vous de produits destinés à les éloigner, en atomiseur ou à vaporiser sur la peau. Dans les habitations, tortillons chinois ou plaquettes insecticides font l'affaire. Un moustique, l'*Aedes*, est le vecteur de la filariose, mais cette infection parasitaire n'affecte que les autochtones.

Les *nono* sont de minuscules moucherons de la famille des simulies, et ils piquent ! Or, vous ne les verrez pas, ne les entendrez pas, ne sentirez pas leur piqûre ; leurs effets apparaissent au bout de deux ou trois jours. Avec les espèces qui pullulent aux Marquises ou sur certains atolls des Tuamotu, il vous en cuira pendant un mois ! Dire que les *nono* sont un fléau serait exagéré, mais dans les endroits infestés, c'est pourtant le cas. Difficile de lutter car ces minuscules bestioles pondent sur les plages. Les raids ont lieu à la tombée de la nuit. Si les vents sont favorables et les chassent, tout se passe bien. Sinon, vaporisez-vous d'*Off*, particulièrement sur les chevilles et les poignets.

Le seul animal terrestre qui pique avec un certain degré de gravité est la scolopendre ou « cent pieds ». C'est une sorte de mille-pattes que l'on trouve aussi dans les régions méditerranéennes. En Polynésie, elle peut atteindre une vingtaine de cm. La morsure en est venimeuse et très douloureuse ; elle provoque une enflure des membres atteints, mais n'est pas dangereuse. La scolopendre aimant les jardins, mieux vaut ne pas marcher pieds nus.

de l'alcool ou, à défaut, le jus d'un citron vert. Sinon, les cellules de madrépores trouvent dans nos tissus, aussi extraordinaire que cela puisse paraître, un milieu favorable à leur prolifération. En effet, comme tous les cœlentérés, les polypes ont un important pouvoir de régénération. La blessure ne guérit pas, l'infection par les cellules coralliennes se propage dans les tissus. Aux jambes, par exemple, on cite des cas d'atteintes jusqu'à l'os en l'espace d'un mois !

Le grand peuple des eaux
Les poissons de lagon.

Leur vie est indissociable de celle du récif. Vous découvrirez dans le lagon, autour des pâtés de coraux, l'extraordinaire ballet multicolore des poissons exotiques, ceux-là même qui font l'adoration des aquariophiles. Moins éclatants mais plus gros, recherchés par les chasseurs sous-marins, les poissons-perroquets *(paati)* doivent leur nom à leur couleur verte et à leurs robustes dents et mâchoires brouteuses de corail ; vous verrez également des rougets *(iihi)*, des mérous, etc. Les poissons-chirurgiens *(maito)* ont la particularité d'avoir un glaive rétractile de chaque côté de la queue.

Poissons empoisonnés et ciguatera.

On pense que les Tahitiens passent leur vie à manger du poisson. Comment croire que, dans certains endroits – certains atolls même –, aucun poisson du lagon ne peut être mangé, car tous sont toxiques pour l'homme ? Les poissons du lagon se nourrissent de plancton,

Le mariage de la vanille

La vanille *(Vanilia tahitensis)* est une orchidée originaire d'Amérique centrale. Les Aztèques l'utilisaient pour parfumer leur chocolat ; elle fut introduite ensuite au Mexique, en Asie, aux Philippines, et en Polynésie en 1848 par l'amiral F. Hamelin. On trouve des plantations à Moorea, Tahaa, Raiatea, Tahiti (dans les districts), et surtout à Huahine qui produit des plants à l'arôme réputé. Dans les années 50, la Polynésie était le 2e producteur mondial de vanille, derrière Madagascar. Depuis, la production n'a cessé de régresser, pour s'effondrer en 1970. L'abondance de parasites, l'arrivée du CEP et le *fiu* expliquent la désaffection des Polynésiens pour cette culture. Un plan de relance a été tenté sans grand succès. Après révision, des interventions localisées contribuent à aider les exploitants. Pour l'ensemble du territoire, les exportations de vanille ont atteint 47 millions de CFP.

Plante grimpante aux feuilles épaisses, allongées et charnues, le vanillier s'enroule autour d'un support, arbre ou tuteur (on utilise souvent l'acacia). Des racines adventives se développent sur la tige et fixent la plante sur son support. La vanille prospère dans les vallées, les lieux humides abrités du vent, sous ensoleillement modéré. Les fleurs sont petites, blanches, on y retrouve l'étrangeté des orchidées. Les corolles ne s'ouvrent que le matin, entre 6h et 11h ; c'est alors que l'on pratique le « mariage » de la vanille, la pollinisation. L'étamine, unique, possède une anthère à deux sacs qui renferment une masse de grains de pollen agglomérés, la « pollinie ». Le pollen est séparé du stigmate sur lequel il doit germer par une languette, le *rostellum*. Le « mariage » consiste à prélever la pollinie avec une petite baguette de bois, puis à la déposer sur le stigmate de la fleur pour permettre aux grains de pollen de germer et de féconder les ovules. C'est alors que le fruit, la gousse de vanille, se développe pour atteindre en quelques mois 15 à 20 cm ; 7 à 8 mois après le « mariage », la gousse devient vert pâle, puis vire au jaune et enfin au marron à son extrémité ; c'est le signal de la cueillette. On met les gousses à l'obscurité pendant 5 jours, où elles deviennent uniformément brunes. On les dépose sur un séchoir pendant 3 à 4 semaines avec 7h environ de soleil par jour ; les gousses perdent les 3/4 de leur poids et peuvent alors être commercialisées. En continuant à se dessécher, la gousse se flétrit et devient excellente. C'est au cours du séchage que l'arôme se développe.

Une plantation moyenne compte 500 à 1 000 pieds. Un ouvrier peut s'occuper de 500 pieds et il peut y avoir 7 à 8 fleurs sur chaque plant. Une gousse vaut environ 6 F à Tahiti.

Affaire de poisons

On trouve parfois, dans les sites non fréquentés par les baigneurs, des poissons-pierres. Il s'agit d'une espèce de rascasse *(Synancia verrucosa)* qui s'enfouit, ne laissant dépasser que ses épines dorsales, venimeuses. La piqûre du poisson-pierre est extrêmement douloureuse et dangereuse. Consulter un médecin dans les plus brefs délais.

Ne vous amusez pas non plus à toucher la très belle rascasse rouge à nageoires en forme de panache *(Pterois volitans)*. Elle est également très venimeuse.

Enfin, certains coquillages sont venimeux et mortels. Les accidents sont rares et toujours dus à l'ignorance. Ces coquillages appartiennent à la famille des cônes. Il faut bien préciser qu'on ne marche pas accidentellement sur un cône, on ne le trouve qu'en le cherchant ! Les cônes possèdent un appareil venimeux qui comporte une trompe mobile, capable de lancer des dents-harpons empoisonnées. On ne court strictement aucun danger à ramasser un tel coquillage, à condition de le saisir par la partie élargie de la coquille, de ne pas le garder sur soi et de le mettre dans un bocal. La plupart des accidents arrivent à des ramasseurs inexpérimentés qui gardent, pendant la récolte, leurs mollusques dans leur maillot de bain !

abondant dans les récifs. Lorsque le corail est détruit à la suite de bouleversements naturels (cyclones, action des prédateurs, dont le plus dangereux est une énorme étoile de mer, la *taramea*) ou à cause de l'action destructrice de l'homme (travaux sous-marins, installations portuaires, pollution), des algues toxiques du groupe des péridiniens prolifèrent sur les polypiers. Mangées par les poissons, les toxines s'accumulent dans leur chair ; il en est de même ensuite chez l'homme, qui peut être atteint de ciguatera : elle se traduit par de violentes réactions allergiques provoquant des éruptions cutanées et des œdèmes.

Les poissons de pleine mer.

Ils sont très nombreux et se déplacent par bancs, que les pêcheurs repèrent grâce à l'évolution des oiseaux de mer. À la différence des poissons de lagon, ceux de pleine mer ne sont jamais empoisonnés. Les plus abondants sont les bonites, petits thons que l'on pêche avec des embarcations de construction locale, en bois, équipées de puissants moteurs diesel : les bonitiers sont réputés pour leurs remarquables qualités marines. Les bonites sont la base de l'alimentation en poisson des Polynésiens. On les utilise pour le « poisson cru » (voir p. 42). On pêche aussi le gros à la traîne : thon, espadon, tazar et le coryphène ou *mahi-mahi* (prononcer mai-mai). C'est un poisson au corps fuselé, au front proéminent, bombé, réputé pour la finesse de sa chair que l'on déguste en brochettes.

Et les requins ?

Côtoyer à distance respectable un requin dans le lagon d'un atoll des Tuamotu ou à proximité du récif-barrière de certaines îles hautes, comme Bora Bora ou Maupiti, n'a rien d'exceptionnel. De telles éventualités au cours des classiques baignades de jour, à proximité du rivage sont peu probables dans les lagons des îles hautes. Il n'y a rien à craindre des requins et on peut goûter les joies de la mer en toute sécurité si l'on respecte les règles élémentaires de prudence, c'est-à-dire si l'on ne s'aventure pas trop près des récifs-barrières et surtout vers les tombants extérieurs et dans les passes.

Les requins, à Tahiti et dans les îles, sont de somptueuses bêtes, que l'on peut admirer pour leur plastique et leur élégance inégalées, éventuellement photographier et qu'il faut aussi respecter. Les seuls accidents qui aient pu survenir dans le passé ont été entraînés par des imprudences, notamment à l'occasion de chasses sous-marines où les plongeurs avaient conservé des poissons blessés attachés par un anneau. Précautions à prendre pour les plongées de nuit, réservées aux spécialistes, qui plongent en groupe et sont parfaitement entraînés à ces techniques.

Les plongées sous-marines à Rangiroa – qui comptent, de l'avis des experts, parmi les plus extraordinaires du monde pour l'observation des « grosses pièces » – sont effectuées en deux sites de l'atoll : l'un pour les raies manta, l'autre, la passe, pour les requins géants (voir p. 193). Les plongeurs, sans transition, passent de notre monde à celui des squales de 4 à 6 m et cela en toute sécurité, dans la mesure où ils sont encadrés par des professionnels.

L'AQUARIUM DU PARADIS

Si les îles polynésiennes passent pour les plus belles du monde, elles le doivent à la stature imposante des masses volcaniques, entourées d'un récif-barrière délimitant un lagon. Les eaux limpides ont, sous l'exceptionnelle luminosité des mers du Sud, des teintes variant du vert au turquoise ou à l'outremer dans les zones les plus profondes. Les lagons sont des aquariums géants, un paradis pour les amoureux de la mer et de la vie sous-marine…

Les récifs-barrière sont les architectes de la vie sous-marine qui s'organise autour des madrépores, à l'intérieur du lagon, sur les tombants extérieurs et dans les passes, particulièrement riches en faune marine d'une extraordinaire variété.

Le secret du corail

La magie créatrice des polypes coralliens (ces corps allongés terminés par une bouche entourée de tentacules qui forme la partie vivante du corail) assure à elle seule la survie de ces forteresses sous-marines à fleur d'eau et la pérennité de splendides « fonds » qu'anime le ballet des poissons exotiques. « L'animal » corail est formé de nombreuses et minuscules actinies (petites anémones de mer) dont chacune possède des tentacules courts (6 ou un multiple de 6) et réunies entre elles pour former une colonie. Chaque colonie sécrète un support calcaire qui lui sert de socle, parfois ramifié, souvent couvert de nombreuses cupules ressemblant à de minuscules cratères. On distingue une grande diversité de madrépores d'après l'architecture de ce squelette calcaire : *Porites, Acropora, Pocillopora, Flavia*, etc. Extrait de l'eau, puis exposé au soleil, le squelette du madrépore devient rapidement d'un blanc immaculé. Fragile, friable, il se brise facilement ou se réduit même en miettes sous l'effet d'un choc. C'est ainsi que les madrépores sont à l'origine de la formation des belles plages de sable « corallien » !

Moins durs que les véritables coraux (le corail rouge des profondeurs), les madrépores du récif du lagon de Manihi constituent un abri idéal pour les bénitiers et les poissons chatoyants.

Les requins de lagon possèdent un aileron noir ou blanc. Peu farouches, ils sont facilement observables à proximité du récif-barrière de Bora Bora.

Forteresses sous-marines

On peut comparer le récif-barrière à une muraille formée d'un amoncellement de polypiers de madrépores (colonies de polypes), soudés par un ciment calcaire pour former une roche compacte. Les madrépores de la partie supérieure du récif forment un platier battu par les grandes vagues déferlantes de l'océan. Ils sont vivants, tout comme les madrépores couvrant la surface des tombants extérieurs et ceux que

amas de corail forme
e véritables rochers.
es pâtés coralliens du lagon
e Manihi, appelés
patates de corail »,
ermettent l'installation de
rmes perlières.

n pleine eau, aux Tuamotu,
ncontre avec un gros
poisson-Napoléon.

l'on trouve à l'intérieur du lagon. Cette barrière naturelle calcaire, d'origine biologique, met les habitants du lagon à l'abri des grands prédateurs océaniques, ce qui fait des grands lagons des atolls des Tuamotu, par exemple, les espaces marins les plus poissonneux qui soient s'ils ont été conservés dans leur état originel.

Au cœur du lagon

Le lagon est d'une telle richesse en poissons multicolores qui viennent vous manger dans la main qu'il suffit à enchanter les amateurs d'exotisme. Mais l'intérêt véritable des récifs est d'attirer, sur les tombants extérieurs et dans les passes, de « grosses pièces » que l'on ne peut admirer sans quelques frissons tant certaines sont énormes. L'art de la plongée est de se laisser dériver à quelques mètres au-dessus du fond, entraîné par le violent courant des passes. « C'est féerique de foncer ainsi au milieu d'une incroyable quantité de poissons. Comme un paysage derrière la vitre d'un train, tout défile à grande vitesse devant le masque. Des bancs de barracudas, un couple de raies manta, des carangues noires immenses, un troupeau de raies léopard… Tout ce joli monde se tient plus ou moins immobile face au courant dans l'attente d'une bonne affaire qui passerait à portée de la bouche », relate A.D. de Segonzac dans *Géo*. Dans une autre passe, ce sont les grands requins gris qui s'offrent en spectacle… Leur silhouette fuselée se faufile sans bruit et avec une démoniaque élégance. N'étaient le cadre dépaysant et cette curieuse sensation d'apesanteur que l'on éprouve en plongée, on se croirait à quelque défilé de mode sous le regard mi-amusé, mi-dédaigneux des participants. Mais que craindre de ce monde merveilleux qui vous ignore quand vous ne l'effrayez point ?

ENTRE MYTHE ET RELIGION : UNE HISTOIRE DU SACRÉ

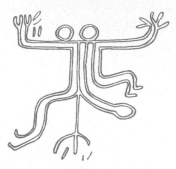

Mystère du peuplement animal et végétal de ces îles nées des entrailles de l'océan ; mystère du peuplement humain de si petits territoires éparpillés sur un espace de 2,5 millions de km² d'océan. L'histoire de la Polynésie commence avec celle de navigateurs maoris qui ont bravé tous les dangers, guidés par les étoiles, dominant les éléments, forts de leur intuition, de leurs pratiques ancestrales et surtout de leur foi !

La Polynésie française n'est qu'une partie d'un ensemble beaucoup plus vaste qui forme dans le Pacifique un triangle dont les sommets seraient Hawaii, la Nouvelle-Zélande et l'île de Pâques. Les Polynésiens se sont établis sur les innombrables îles de cette zone. Leur identité se manifeste d'abord par leur langue, qui varie peu d'un archipel à l'autre, fait remarquable quand on sait qu'en Mélanésie, par exemple, une infinité de langues rend toute communication impossible entre les populations insulaires. Mythologie et religion unissent également les Polynésiens (voir p. 84).

Mystérieuses pérégrinations

Personne ne conteste l'existence d'une identité polynésienne, qui se manifeste ainsi sur des milliers de kilomètres de distance. Certains ont même été, pour l'expliquer, jusqu'à inventer un continent mythique disparu au cours d'un mystérieux cataclysme. Quelques rudiments de géologie suffisent cependant pour reléguer ces théories au rang d'affabulations. La plupart des historiens et des archéologues optent aujourd'hui pour une série de vagues migratoires venues de l'ouest, sans doute des côtes d'Asie du Sud-Est, et qui, par l'Indonésie et la Micronésie, se sont peu à peu répandues sur la majeure partie du Pacifique. Les civilisations qui en sont issues, tout en gardant des traits communs dus à leur origine, se sont petit à petit différenciées de l'ouest vers l'est.

La datation de ces migrations est encore discutable. Les premiers établissements polynésiens apparaissent aux Samoa vers 1500 av. J.-C., puis les Marquises et la Société constituant, semble-t-il, des centres de diffusion, les migrations se poursuivent jusqu'aux XIIe ou XIIIe s. de notre ère. Ainsi, pendant deux à trois millénaires, les populations polynésiennes migrent d'île en île avant de se stabiliser.

Les raisons de ces migrations paraissent simples : d'une part la surpopulation entraîne périodiquement un véritable essaimage, comme le confirment de nombreuses légendes. D'autre part, les guerres provoquent le départ des vaincus vers de nouvelles terres. Il peut y avoir eu des voyages aventureux mais – une fois encore, légendes et généalogies familiales sont précieuses – le départ du groupe est souvent précédé d'un voyage de reconnaissance. Quant aux liaisons avec le continent américain, elles sont indéniables, mais les preuves sont insuffisantes pour distinguer de véritables migrations dans un sens ou dans l'autre. L'expérience du *Kon Tiki* ne prouve finalement rien, car une expédition sportive et aventureuse ne peut être comparée au voyage de toute une tribu avec armes et bagages. En effet, les grandes pirogues polynésiennes transportaient non seulement des dizaines de personnes, femmes et enfants compris, mais aussi des plantes (comme le cocotier) et des animaux, chiens, porcs, poules, en nombre suffisant pour pouvoir être acclimatés dans le nouveau domaine de la tribu. Enfin, leurs multiples périples ont permis aux Polynésiens de passer maîtres dans l'art de la navigation, sachant utiliser au mieux les ciels diurnes et nocturnes ainsi que les vents et les courants marins.

Une société hiérarchisée

Jadis, la société polynésienne était fortement structurée. À l'origine de cette organisation sociale, la famille, le clan, la tribu, qui, sous l'autorité de l'ancêtre ou du chef, s'installaient sur une île. Peu à peu les descendants de la branche aînée – les *matahiapo* – se distinguèrent du groupe. Ils évitèrent de se mélanger au reste du peuple par des mariages inconsidérés et finirent par former une véritable aristocratie, les *ari'i*, dont les interminables généalogies, récitées les jours de fête, attestaient l'illustre ascendance en remontant jusqu'au héros fondateur, souvent passé au rang de dieu. Chaque tribu avait son chef (homme ou femme), *ari'i* supérieur, dépositaire du *mana*, pouvoir spirituel, redoutable et sacré. Lorsque l'île était suffisamment grande et les tribus nombreuses, une famille finissait par l'emporter et par asseoir une autorité plus spirituelle que politique, qui se manifestait par le choix en son sein d'un chef suprême, l'*ari'i rahi*, que trop souvent les découvreurs européens avaient gratifié du titre de roi. Ainsi, à Tahiti, les chefs de Papara apparurent à l'arrivée des Européens comme les plus influents avant que les Pomaré (voir plus bas) n'usurpassent le pouvoir pour le transformer en une domination politique de l'île.

Le pouvoir de l'*ari'i* était considérable : tout ce qu'il touchait devenait inutilisable pour autrui. Le sol qu'il foulait devenait sa propriété. Sur son *marae* (voir plus bas) étaient déposés les insignes de sa puissance, l'idole d'Oro, dieu principal à Tahiti, et la grande ceinture de plumes rouges *(maro ura)* qu'il revêtait solennellement le jour de son investiture.

À l'autre extrémité de la société, le *manahune*, la plèbe, roturiers, pêcheurs, agriculteurs ou artisans, se distinguait des esclaves, *ofeofe*, des prisonniers de guerre, *vao*, et des futures victimes de sacrifices, *teuteu*. Sortis souvent des *manahune* (ou anciens *ari'i* abâtardis), les *iaotai* étaient des chefs de guerre. Quant aux *raatira*, appelés parfois improprement « bourgeois propriétaires », ils ont été distingués par les *ari'i*, qu'ils aidaient dans des tâches diverses.

Chaque tribu possédait son domaine. Ainsi, à Tahiti, l'île était jadis partagée en de nombreuses subdivisions ; les plus importantes se trouvaient sur les côtes ouest et sud : Atahuru (Punaauia), Teva-i-uta (ou Teva de l'intérieur) de Papara à Papeari, Teva-i-tai (ou Teva côté mer), dans la presqu'île de Taiarapu. Les familles dominantes d'*ari'i* étaient les Teva de Papara (dont Amo, que rencontra Wallis) et les Vehiatua de Taiarapu. Les guerres furent nombreuses et le « bon sauvage » cher à Rousseau et à Bougainville n'était qu'un mythe, à Tahiti comme ailleurs.

L'âge de la pierre et de la nacre

Homme de la mer, le Tahitien y puise l'essentiel de son alimentation. Son vocabulaire comprend des centaines de noms de poissons. L'agriculture, rudimentaire et peu développée, tient plus de la cueillette de l'*uru* et de la coco que d'une véritable culture. La viande est rare et le porc constitue la nourriture des jours de fête. Si, parfois, on mange aussi les chiens, l'anthropophagie semble n'avoir été qu'exceptionnelle dans les îles et inexistante à Tahiti. Le costume quotidien est simple : *maro* enroulé autour de la taille pour les hommes, *pareu* court pour les femmes. Le tissu utilisé est le *tapa*, écorce battue et affinée par les femmes.

Les habitations se concentrent, semble-t-il, le long des côtes. Les traces de présence humaine relevées dans le fond des vallées ne suffisent pas pour attester un peuplement constant. La case est en général rectangulaire ou ovale, accompagnée de nombreuses dépendances (cuisines, cases de réception, hangars à pirogue, etc.). Par manque de métal dans le sous-sol des îles, les Polynésiens se contentent d'instruments de bois, d'os ou de pierre polie et de coquillages. Ce peuple fait preuve d'une extrême ingéniosité et sait tirer parti de tout avec un art consommé. Il s'adapte à son milieu environnant, les îles volcaniques, avec une grande facilité. Sans métal, sans roue, sans animaux de trait, avec son outillage de pierre et de nacre, la civilisation matérielle polynésienne offre l'image d'une brillante culture néolithique maritime, exemplaire sur le plan ethnographique.

Le capitaine James Cook, l'un des découvreurs de la Polynésie, cartographia une grande partie du Pacifique au cours de ses voyages, entre 1768 et 1780.

La Nouvelle Cythère

Les premiers à aborder en Polynésie furent l'Espagnol Mendaña aux Marquises en 1595, puis le Portugais de Queiros, qui débarqua aux Tuamotu en 1606. C'est peut-être en se référant à ces deux passages que les prêtres du grand *marae* de Raiatea « prophétisent » l'arrivée d'hommes blancs montés sur de grandes pirogues hautes sur la mer. Toujours est-il que le 23 juin 1767, l'Anglais Wallis aborde à Tahiti et débarque à Matavai, qui devient par la suite le point de mouillage préféré des découvreurs. Ayant pris contact avec Amo, le chef de Papara, Wallis repart un mois plus tard. L'année suivante, c'est Bougainville qui, indifférent aux aspects contradictoires de la société qu'il découvre, baptise l'île « la Nouvelle Cythère ». Mais la meilleure relation de voyage est sans conteste celle de Cook qui visite l'île à trois reprises, en 1769, 1773 et 1777. Les derniers grands « découvreurs » sont les Espagnols qui débarquent à Tautira en 1772 puis en 1774. Ils y laissent deux prêtres qui tentent alors une première évangélisation, en vain. La mutinerie du Bounty (1788-91) marque la fin des premières relations avec les Européens. En fait, à part le matelot Churchill dénommé un moment Vehiatua IV, chef de Taiarapu, aucun des mutins ne s'installe sur l'île. Les derniers survivants achèveront leur aventure à Pitcairn.

Les *marae*, des lie

Les *marae*, « temples païens » des Polynésiens d'antan, étaient consacrés à la vénération de dieux parfois différents d'une île à l'autre et, dans une même île, d'une tribu à l'autre ou même d'un clan familial à l'autre. Il en résultait un écheveau inextricable de croyances qui fut à l'origine de nombreux désaccords et de rivalités tribales. Les prêtres entretenaient volontairement confusion et crainte dans l'esprit de leurs subordonnés, ce qui leur permettait d'asseoir leur pouvoir et d'exercer une domination réelle sur une masse inculte soumise à leur *mana*, le pouvoir surnaturel qui faisait de chaque prêtre un être particulièrement redouté. Ajoutait à la confusion des esprits le caractère obscur des rites dont les auxiliaires du prêtre ne connaissaient pas eux-mêmes la signification précise. Les phrases magiques du culte, proférées dans une langue archaïque mystérieuse, connue du seul prêtre, exprimaient son *mana*.

Différents types de *marae* se distinguent par leur situation et par leur importance. On y trouve d'anciens édifices à caractère social ou familial. Le *marae* étant un lieu de culte indispensable, il était logique que les familles ou les dignitaires disposent de leur propre édifice. La propriété du terrain se trouvait liée à l'appartenance à un *marae*, ce qui lui conférait un caractère sacré ; il en allait de même des pierres du temple. Un membre d'une famille partant pour émigrer vers un autre territoire emportait une pierre du *marae* familial qu'il déposait sur le lieu de construction du temple, édifié avec de nouvelles pierres ; celles-ci devenaient sacrées à leur tour !

Le *marae* d'une famille se consacrait au culte d'un dieu ou d'une déesse ; des offrandes attiraient ses grâces et sa protection. Le nom du dieu ou de la déesse auquel le *marae* était dédié restait secret de peur qu'une autre famille, par ses offrandes, ne s'attire elle aussi protection et bienfaits en devenant sa favorite.

Le plan de base restait le même pour toutes les constructions. À partir de là, il existait une infinité de variations possibles. Un *marae* se constituait de pavés de pierre déposés à même le sol ; on entourait ce pavage de dalles, disposées verticalement, pouvant atteindre un mètre de haut, parfois plus s'il s'agissait d'un haut dignitaire. Chaque pierre plate, dressée, semblait consacrée aux dévotions d'un membre de la famille : dalles frontales réservées aux hommes, dalles postérieures pour les femmes. Chaque membre de la famille avait son esprit protecteur dans l'enceinte même du temple, incarné par un végétal ou un animal familier. Les *marae* plus importants apparaissaient surélevés. C'est là qu'on trouve l'origine de l'*ahu*, l'autel des temples collectifs. Les *marae* de bord de mer de Huahine, ceux du site de Maeva par exemple, offrent des exemples caractéristiques de ce type de construction. Le temple se trouvait dans une aire souvent couverte de pelouse et plantée d'arbres. Un mur de clôture en pierres marquait la limite

Le Christ et Pomaré

Le 5 mars 1797, le *Duff* débarque à Matavai une trentaine de membres de la London Missionary Society. Ceux-ci devaient, à l'origine, convertir les Polynésiens au protestantisme. Leur arrivée coïncide avec de profonds bouleversements sociaux et politiques dans l'île de Tahiti. À la suite de nombreuses guerres, les chefs de Papara perdent peu à peu leur influence. Au même moment, une famille d'origine modeste réussit à s'imposer à Tahiti et jusqu'aux îles Sous-le-Vent et aux Tuamotu.

de culte ancestraux

du site sacré, *tapu* (interdit), infranchissable pour tout étranger au clan. Sous une dalle, généralement située à l'entrée du *marae,* se trouvaient des fétiches consacrés au dieu ; il s'agissait de crânes d'ancêtres, d'objets familiers, plumes, images. Retranchée à l'arrière du temple, une fosse faisait office de dépotoir. Dans les grands édifices collectifs, une fosse du même type était destinée à recevoir les dépouilles des animaux ou des hommes sacrifiés au dieu tutélaire.

Le *marae* communautaire ou « *marae* social », symbole unificateur des membres d'une tribu, revêtait une importance considérable : on y célébrait les grandes cérémonies réunissant les membres de la tribu, sous la gouverne du prêtre, pour des manifestations grandioses consacrées à un dieu dit de « première classe » jouant un rôle fondamental dans la mythologie polynésienne. L'architecture du *marae* collectif ne différait de celle du *marae* familial que par l'importance des dimensions de l'édifice et des proportions de l'*ahu.* L'autel, de forme pyramidale, pouvait comporter un, deux, trois étages, parfois même beaucoup plus. L'importance de l'édifice était proportionnelle à celle des membres du clan ou de la tribu à laquelle appartenait le *marae.* Des idoles, appelées *tiki,* sculptées à l'image du dieu protecteur, en gardaient l'accès. La forme de l'*ahu* variait suivant les îles et la taille du *marae.* Aux îles Sous-le-Vent, de grandes dalles de calcaire corallien levées entouraient un parallélépipède de galets accumulés. Une deuxième série de dalles plus petites pouvait exister en retrait par rapport aux premières et former ainsi un embryon de pyramide à degrés (Bora Bora, Huahine). Le grand *marae* Taputapuatea à Raiatea, dans les îles Sous le Vent, semble avoir été un centre religieux très important dont l'influence s'étendait à l'ensemble du triangle polynésien.

À Tahiti, l'*ahu* prend nettement la forme d'une pyramide à degrés, qui peut mesurer jusqu'à 15 m de hauteur. Le plus important, et le dernier construit semble-t-il, était celui de Mahaiatea à Papara (11 étages, aujourd'hui en ruines). Le mieux conservé (restauré) est celui d'Arahurahu à Paea.

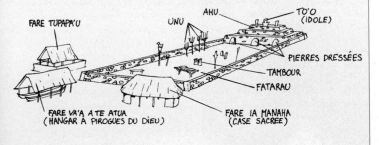

FARE TUPAPA'U   UNU   AHU   TO'O (IDOLE)

PIERRES DRESSÉES
TAMBOUR
FATARAU

FARE VA'A A TE ATUA
(HANGAR À PIROGUES DU DIEU)

FARE IA MANAHA
(CASE SACRÉE)

UNE MYTHOLOGIE INÉPUISABLE

Le milieu insulaire a fortement déterminé la religion et la mythologie du monde maori. Le panthéon polynésien est innombrable.

Un *marae* côtier à Maeva. Les pierres forment une barque allongée, parallèle au rivage. Chacune était vouée au culte d'un dieu.

Les *tiki* sont vivants, malheur à qui oserait les déplacer ou même y toucher ! (musée de Tahiti et ses îles).

Des dieux à profusion

D'une île à l'autre, tel dieu, tel héros revêtait une influence prépondérante. Un héros secondaire dans un archipel pouvait être vénéré dans un autre comme le créateur et l'esprit tutélaire de plusieurs tribus. À Tahiti, quand arrivent les Européens, on a ainsi l'impression que le culte d'Oro, dieu de la Guerre, est en plein essor. Cette mythologie s'exprime dans des légendes d'une richesse et d'une poésie inégalées, chantant la vie, les aventures et les hauts faits des dieux et des héros. Dans l'apparente confusion qui règne, on note cependant des différences entre les grands dieux créateurs, ou *Atua* (Ta'aroa, Tane ou Tiki, Tou, Ro'o), tous *fanau po*, nés de la nuit, et d'innombrables dieux secondaires mais très populaires, localement vénérés et consacrés par les légendes : ce sont Hiro, dieu des Voleurs, de la Pêche et des Voyages, Hina, déesse de la Lune, Pélé (ou Pere), dieu des Volcans…

Sous l'emprise du *mana*

Le lieu de culte ou *marae* diffère suivant les îles. Il garde cependant partout un même plan et des traits communs. C'est une esplanade plus ou moins vaste, souvent rectangulaire, entourée ou non d'un mur de pierres sèches. L'esplanade est un endroit sacré interdit – *tapu* – uniquement accessible aux prêtres et aux chefs. À l'une de ses extrémités, un vaste autel, *l'ahu*, sert à déposer les idoles lors des cérémonies.

Dans certains *marae* sont incorporées à *l'ahu* des pierres inamovibles ou bien des *tiki* sculptés à l'effigie des dieux. Les prêtres, grâce à leur *mana* (pouvoir surnaturel) y font descendre l'esprit du dieu.

En dehors de l'autel, sur l'esplanade sacrée qui portait parfois le nom de *pae pae*, se trouvaient jadis des « pierres-dossiers » hautes de 50 cm à 1 m pour les chefs et les prêtres, ainsi qu'un *fatarau* ou présentoir à offrandes. À l'extérieur de l'enceinte, on voyait divers petits bâtiments composés de simples toits supportés par quelques troncs : dans le *fare tupapau*, on exposait les morts illustres. Le *fare vaa i te atua* servait à déposer la pirogue du dieu qui, en dehors des cérémonies, contenait l'idole.

Le *marae* d'Arahurahu, à Tahiti. Lieu mystérieux, sacré, parfois terrifiant, le *marae* était, selon sa taille, communautaire ou familial.

Offrandes et sacrifices

Le culte était assuré par des prêtres, les *tahu'a*, dont les plus importants étaient issus de la classe des *ari'i* (les chefs). Les offrandes et les sacrifices étaient nombreux. Leur importance dépendait de l'événement qui était célébré, et les sacrifices humains n'étaient pas rares. En général, la victime était tuée au préalable, puis apportée sur le *marae* où le prêtre lui arrachait un œil et faisait semblant de l'avaler. Les restes de la victime étaient ensuite jetés derrière l'*ahu*. Les Polynésiens, superstitieux, craignaient les *tapu* matérialisés par les innombrables *tiki*, ils avaient aussi une très grande peur des *tupapau* (les revenants) qu'il fallait à tout prix éloigner. Lorsque les missionnaires chrétiens s'introduisirent en Polynésie, la population jugea leur culte plutôt simple et rassurant, et ne fit aucune difficulté pour accepter un nouveau dieu, l'*atua kerito*, le dieu chrétien, qu'il suffisait de vénérer.

tiki du *pae pae* Temehea à ...ohae. Visage ovale, menton et ...res en avant, grands yeux ronds, ...iguration de tous les dieux reste ...ême. Il existait pourtant une ...rarchie entre dieux créateurs, ...ux des cultes communaux et ...ux familiaux.

...eurs *tahua* ou prêtres païens les dominaient de leur pouvoir basé sur le *tapu* (...erdit) et de l'imposition des rites. À cela seul ils se trouvaient contraints. Leur croyance ne comportait aucune interdiction ni aucune sanction d'ordre moral. L'idée de vertu, si ce n'était guerrière, en était exclue, encore plus celle du mal ou du péché. Le ciel était la récompense de ceux qui avaient bien tué les ennemis de la tribu ; les enfers n'étaient pas le châtiment des crimes mais seulement de la violation des *tapu*. »

A. t'Serstevens, *Tahiti et sa couronne*

Les *tupapau*

Qui ne connaît aucune histoire de *tupapau* ne sait rien de la Polynésie. Le *tupapau*, c'est le revenant qui, certaines nuits, hante non seulement les cimetières mais aussi certains endroits bien connus de chaque Tahitien : tel bois, telle rivière, telle plage, tel virage, tel pont a son *tupapau*, qu'il ne fait pas bon rencontrer. Les nuits de pleine lune et les trois suivantes sont les plus propices à leurs errances nocturnes. Ne vous aventurez pas n'importe où à ces dates. Même si vous restez chez vous, allumez une lumière qui brillera toute la nuit, c'est assez efficace pour éloigner les esprits. Si vous êtes contraint de sortir, évitez les anciens *marae* (mais vous n'êtes jamais certain qu'il n'y en ait pas eu un à l'endroit même où vous vous tenez !), prenez garde aux animaux errants, chiens, cochons ou chats, car les *tupapau* revêtent des apparences parfois surprenantes. Si, malgré toutes ces précautions, vous en rencontriez un, injuriez-le… en tahitien de préférence, c'est souverain. Vous n'y croyez pas ? Allez donc en parler à cette jeune femme *popaa* qui seule, une nuit au volant de sa voiture, s'aperçut tout à coup qu'une petite vieille était assise derrière elle et lui souriait gentiment. Elle préféra plonger dans le fossé plutôt que d'engager la conversation. Allez donc demander aussi à ce jeune Tahitien qui « grattait la guitare » sur un pont au bord de la route et constata brusquement qu'un être sans tête avait pris place à ses côtés et jouait aussi de la guitare ! Parlez enfin à ce monsieur chinois qui vit une nuit un cycliste sans jambes ni tête passer devant lui. Et si vous n'êtes toujours pas convaincu, sachez que la petite vieille se trouve sur la côte ouest au PK 16,5, le guitariste décapité dans la descente du Taharaa, côté Mahina, et le cycliste cul-de-jatte sur le pont de la Fautaua à Pirae !

L'ascension de cette famille est essentiellement due à l'habileté de ses fondateurs, Pomaré Ier puis son fils Pomaré II, qui savent « vivre avec leur temps » en s'appuyant sur les missionnaires et les fusils des aventuriers, toujours plus nombreux. Pomaré II devient ainsi vers 1815 le premier « roi » de l'île, au sens européen du terme, tandis que l'ensemble des Tahitiens se convertit au protestantisme dans les années 1820.

Tahiti, anglaise ou française ?

Pomaré II meurt en 1821. Son fils Pomaré III, puis sa fille Pomaré IV Vahiné lui succèdent. Celle-ci, véritable Victoria tahitienne, règne de 1827 à 1877. Durant cette période, après la disparition d'une dernière secte « pré-chrétienne », les Mamaia, les missionnaires protestants doivent faire face à l'influence grandissante des catholiques, surtout à partir de 1836. Derrière ces rivalités religieuses se cachent en fait des luttes politiques et coloniales entre l'Angleterre et la France. La reine Pomaré, par indécision – ou par habileté ? – ne choisit pas immédiatement son camp. Cependant le protectorat français s'établit en 1843, à la suite d'une crise entre la France et l'Angleterre. George Pritchard, missionnaire devenu consul d'Angleterre à Tahiti, acquiert de plus en plus d'influence sur la reine Pomaré IV. En 1836, il fait expulser deux pères catholiques français, Caret et Laval, ce qui provoque l'envoi en 1838 à Tahiti de l'amiral français Dupetit-Thouars qui obtient réparation de cet outrage. En août 1842, Dupetit-Thouars revient à Tahiti après avoir annexé les îles Marquises. Avec le soutien du consul de France à Tahiti, Moerenhout, il fait signer une demande de protectorat aux principaux dirigeants locaux, en l'absence de leur reine, qui se voit obligée d'accorder, elle aussi, sa signature dans des circonstances douteuses. L'amiral forme, en outre, un gouvernement provisoire, dirigé par Moerenhout, contrairement aux instructions formelles de son ministre. Puis il quitte Tahiti pour aller chercher confirmation du protectorat en France.

Pritchard, pendant ce temps, ne parvient pas à obtenir de Londres une déclaration officielle de protectorat, mais revient avec une vague promesse d'intervention anglaise aux côtés de la reine Pomaré pour garantir son indépendance. Celle-ci décide donc d'ignorer les institutions mises en place par Dupetit-Thouars. À son retour en novembre 1843, ce dernier se heurte à son refus, expulse Pritchard, déclare l'annexion, et la situation en vient rapidement à la guerre contre les Tahitiens, de mars 1844 à décembre 1846.

En réalité, au-delà des tensions entre la France et l'Angleterre dans le Pacifique, la forte rivalité personnelle entre les deux consuls joue un rôle essentiel dans la crise. Pritchard et Moerenhout sont en effet depuis longtemps des concurrents commerciaux, fort soucieux de leur influence sur les clans locaux, le clan Pomaré pour le premier, les

Les voyages du capitaine Cook

Parti à la recherche de l'introuvable continent austral, le capitaine James Cook arrive à Tahiti à bord de l'*Endeavour*, en baie de Matavai, le 12 avril 1769. Après avoir exploré l'île, Cook lève l'ancre le 13 juillet, prenant comme guide le grand prêtre Tupai, excellent navigateur, qui dresse une carte des îles et le conduit à Huahine puis à Raiatea. Cook prend possession du groupe d'îles, auquel il donne le nom d'« archipel de la Société » en l'honneur de la Société royale de Londres, qui patronne l'expédition.

Quatre ans plus tard, le capitaine Cook retourne en Polynésie à la tête du *Resolution* et de l'*Adventure*. Le 15 août 1773, il aborde Tahiti à Teahupoo puis, chassé par les intempéries, gagne Vaitepiha, et Huitia, pour atteindre la baie de Matavai dix jours plus tard, le 25 août 1773. Cook repart le 1er septembre embarquant à son bord un Tahitien nommé Hiti-Hiti. Le capitaine Furnaux, qui commande l'*Adventure*, ramène, quant à lui, en Angleterre un premier Tahitien, Pa'i, qui apprend à lire et à écrire et peut ainsi transmettre au monde occidental une version phonétique de sa langue natale. Cook poursuit ses explorations des mers du Sud, à la recherche du continent austral, en naviguant toujours plus loin vers l'Antarctique. Il retourne ensuite à Tahiti, où il aborde à Tautira, le 13 août 1777.

À cette époque, Tu (Pomaré Ier) satisfait aux rites traditionnels des sacrifices humains dans la vallée de la Papenoo en la présence de Cook et de ses amis, puis il part pour l'île d'Aimeo (Moorea) pour y réprimer un soulèvement. Cook refuse d'aider son ami Tu dans ses combats, visite l'île et, à cette occasion, donne son nom à la splendide baie de Paopao, devenue depuis baie de Cook.

Cook quitte l'archipel de la Société (îles Sous-le-Vent) le 8 décembre 1777 à destination de l'Amérique du Nord. Il trouve la mort au cours de son escale suivante, aux îles Hawaii en 1779.

La révolte du *Bounty*

En 1788, le capitaine Bligh, ancien premier maître de Cook, est chargé par la couronne d'Angleterre de se rendre à Tahiti afin de ramener des spécimens d'arbres à pain. L'*uru*, acclimaté aux Antilles, pouvait en effet s'avérer d'un intérêt économique considérable pour le Royaume-Uni.

Le 26 octobre 1788, le *Bounty* arrive à Tahiti, où il reste cinq mois. Une fois sa mission accomplie, et en dépit de sa sévérité, Bligh a toutes les peines du monde à arracher son équipage à ces îles de rêve. Trois semaines après, une mutinerie éclate à bord à l'initiative de Christian Fletcher. S'emparant du navire, ce dernier débarque, sur une chaloupe, le capitaine Bligh et dix-huit des hommes qui lui sont restés fidèles. Après avoir dérivé sur plus de 5 000 km, Bligh gagne l'île de Timor. De leur côté, les révoltés prennent la route de Tubuai, où ils comptent s'installer. Chassés par les indigènes, ils échouent finalement sur la petite île de Pitcairn, alors inconnue. Ils finissent par s'entre-tuer, et Christian trouve lui aussi la mort.

En 1791, Bligh reprend la mer dans l'espoir de retrouver les mutins. À Tahiti, le roi Pomaré Ier lui livre sans mal les rebelles. Mais, au retour, la *Pandora* fait naufrage et il n'y a que cinq survivants, qui seront traduits en justice.

C'est grâce aux mémoires de James Morrison, second quartier-maître à bord du *Bounty*, que cette épopée nous est parvenue. À l'écran, l'histoire a été immortalisée par deux films : l'un tourné en 1935 avec Charles Laughton dans le rôle du capitaine Bligh et Clark Gable dans celui de Christian, et l'autre en 1961, avec Trevor Howard (Bligh) et Marlon Brando (Christian). C'est à cette occasion que Marlon Brando acheta l'île de Tetiaroa, dont il a fait son lieu de résidence.

chefs de Parapa, hostiles aux Pomaré, pour le second. La politique interne constitue un facteur au moins aussi important de dissension : les quatre chefs tahitiens que Dupetit-Thouars rallie à la France en 1842 tiennent à profiter du coup de force de l'amiral français, à donner une leçon à la reine et à son clan, qui dominent la région depuis un demi-siècle, et à faire contrepoids au pouvoir des missionnaires anglais.

Le conflit entraîne la mort d'environ 80 personnes du côté français, et d'au moins le double du côté tahitien. La solution est trouvée en 1847, quand la reine accepte de négocier une nouvelle convention sur le protectorat. La paix est magnanime envers les vaincus puisque la reine elle-même retrouve ses titres et reçoit une pension annuelle.

Le protectorat français

La France essaie ensuite d'affirmer son influence par l'envoi de missionnaires (la Société des missions évangéliques de Paris remplace en 1863 les missions protestantes britanniques), l'introduction du Code civil (la notion de propriété privée des terres est inconnue chez les Tahitiens), la création d'une capitale à Papeete. Mais sur le plan législatif et financier, l'évolution est lente : il faut attendre 1905 pour qu'une succursale de la Banque de l'Indochine soit créée à Tahiti, et le franc a du mal à s'imposer : en 1940 les salaires et prix sont encore basés sur la piastre chilienne. D'autre part, les coutumes locales dominent, qu'il s'agisse des mariages ou du mode de propriété foncière. Enfin, on tente bien de développer de grandes plantations coloniales, comme aux Antilles, mais c'est un échec, notamment parce que les Tahitiens sont rétifs au travail salarié. Les seules retombées notables sont le succès de la culture de la vanille, du protectorat français qui supplante le coton auprès des Polynésiens à partir de 1860, et l'arrivée de Chinois.

Environ un millier d'entre eux, surtout des Cantonais, sont recrutés et amenés à Tahiti comme main d'œuvre (avec d'autres Polynésiens des îles voisines) dans la grande plantation de coton que l'Écossais William Stewart, avec l'appui du gouverneur, essaie d'organiser pour tirer parti de la baisse de production américaine pendant la guerre de Sécession, à partir de 1863. Certains Chinois sont rapatriés après la faillite de l'entreprise en 1874, mais d'autres, environ 300, s'implantent rapidement et se mêlent à la population, se distinguant par une grande activité dans le petit commerce. Une seconde vague d'émigration se produit dans le premier quart du XXe siècle, mais cette fois l'intégration se fait moins bien, et provoque des sentiments de rejet devant le succès des Chinois dans le domaine du commerce de détail et l'import-export. En fait, le métissage a lieu, lentement, et en 1964, Paris accorde la nationalité française aux Chinois de Tahiti.

Tahiti, colonie française

À la fin du siècle, l'annexion à la France prend une forme officielle : le fils de Pomaré IV, qui gouverne depuis 1877, décide le 29 juin 1880 de réunir ses territoires à la France : ils comprennent, outre Tahiti, Moorea, Maiao, Mehetia, les Tuamotu, Tubuai et Raivavae. Le gouvernement l'accepte le 30 décembre 1880 par une loi qui donne la citoyenneté française aux Tahitiens et transforme le protectorat en colonie. Ainsi les Établissements français de l'Océanie sont-ils créés, avec les autres îles de Polynésie, annexées peu à peu à la fin du XIXe s. Mais l'immensité des distances rend l'administration difficile, et Paris est souvent mis devant le fait accompli par les administrateurs locaux : il faut alors cent jours pour que les rapports atteignent la France, et autant pour que Paris réponde, soit sept mois au total… On ne peut donc dire que l'occidentalisation soit poussée à la fin du XIXe s. La faible efficacité des colonisateurs, leur facilité à se mêler à la population favorisent l'apparition d'une société pluri-ethnique au début du XXe siècle, avec de nombreux métis, les « demis ».

La Première Guerre mondiale

Lors de la Première Guerre mondiale, Tahiti est peu touchée militairement, préservée par sa situation excentrée. Deux croiseurs allemands causent bien quelques destructions autour de la cathédrale à Papeete, en septembre 1914, mais elles sont minimes. En 1916 en revanche, la guerre se concrétise. Tous les citoyens français en âge de combattre sont mobilisés, et 1 000 Polynésiens sont incorporés dans le Bataillon du Pacifique, ce qui est considérable pour une population de 30 000 personnes. Certains sont envoyés en Grèce sur le front de Salonique, d'autres en Champagne, et ils participent à la bataille de la Marne en 1918. Parmi eux, 300 sont tués. Les autres reviennent en 1918 et 1919 en Polynésie. Pour la première fois, des jeunes Tahitiens sont vraiment impliqués dans les affaires françaises et européennes. Une « conscience politique » se développe.

Tahiti dans l'entre-deux-guerres

Les changements de mentalité se traduisent, dès 1919, par des grèves pour l'augmentation des salaires, motivées par l'inflation subie pendant la guerre et par le manque de main d'œuvre dû à l'épidémie de grippe espagnole qui décime les Îles de la Société en novembre et décembre 1918. Ces revendications sont satisfaites, mais la conscience politique se maintient. Entre les deux guerres, l'autre grande tendance est à l'accroissement du métissage, et à l'intégration des communautés locales et européennes par mariage. Sur le plan économique, les réussites commerciales se multiplient parmi les Tahitiens, dans le domaine de l'exploitation de la nacre, de la culture du coprah et du cabotage. Enfin l'influence française, qui était loin d'être acquise au début de la colonisation, se renforce : les notables Tahitiens se tournent de plus en plus vers la France, et le développement des entreprises à Tahiti, auparavant dominé par les Britanniques et les Allemands, devient surtout le fait des Français.

En revanche, la vie politique locale reste le fait d'une minorité au sein de laquelle les tensions abondent, entre les fonctionnaires et les colons, la municipalité de Papeete et le gouverneur, les protestants, les catholiques et les libres penseurs, ou encore l'administration métropolitaine et les notables tahitiens. Ce qui domine est une atmosphère de scandales politiques et financiers, qui intéresse peu la masse de la population. La vie quotidienne change peu en fin de compte dans cette période.

L'impact du second conflit mondial

La Seconde Guerre mondiale bouleverse la société tahitienne bien plus que la précédente. Là comme en France, les milieux officiels se déchirent entre gaullistes et pétainistes qui s'affrontent pour contrôler la Polynésie. Aussi, les péripéties se succèdent de façon burlesque : des gouverneurs sont simultanément nommés par Pétain et par de Gaulle, les habitants y mêlent les querelles entre factions locales. Finalement, c'est le ralliement à la France libre qui prévaut à l'automne 1940, ce qui resserre les liens avec les États-Unis et la Nouvelle-Zélande (principale source de ravitaillement de Tahiti pendant la guerre) et suscite un nombre important d'enrôlements volontaires (environ 300) dans le Bataillon du Pacifique. À partir de la fin de 1941, un gouverneur gaulliste administre les îles qui, dans l'ensemble, profitent plutôt, sur le plan économique, de la lutte entre Japonais et Alliés dans le Pacifique.

Ces soldats, en majorité tahitiens et « demis », sont envoyés au Proche-Orient avec les volontaires de Nouvelle-Calédonie et des Nouvelles-Hébrides, et s'illustrent à Bir-Hakeim en 1942, en Tunisie en 1943, en Italie et en France en 1944. Le Bataillon perd environ un quart de ses hommes, et les soldats rapatriés en 1946 font figure de héros. Surtout, ils s'intéressent de près à l'action politique et influencent leurs compatriotes sur ce plan.

Émergence d'une vie politique

Le phénomène le plus marquant après la guerre est en effet l'émergence d'un réel mouvement politique tahitien. Le cadre y est propice puisque conformément aux promesses faites pendant la guerre, le général de Gaulle crée l'Union française qui introduit une participation plus large des populations à la vie publique, notamment grâce à la création d'une Assemblée représentative. Dans ce cadre, la Polynésie française acquiert le statut de territoire d'outre-mer, et bénéficie d'un peu plus d'autonomie. À Tahiti cependant, on refuse de plus en plus la domination des fonctionnaires métropolitains, comme en témoignent, en juin 1947, les manifestations contre trois d'entre eux. Pouvanaa Oopa, vétéran de la guerre de 1914-1918 et fondateur du Rassemblement démocratique des populations tahitiennes, acquiert alors sa célébrité. Son parti réclame une réduction des pouvoirs de l'administration, une ouverture plus large de la fonction publique et des affaires aux Polynésiens, une lutte contre les spoliations foncières. Il connaît un succès considérable, remporte la majorité à l'assemblée locale et les trois sièges parlementaires disponibles, dominant ensuite la vie politique tahitienne pendant une décennie (il remporte notamment 70 % des suffrages aux élections de 1951).

Bouleversements à l'occidentale

Le contexte change à la fin des années 1950 : en 1956, la loi-cadre Defferre octroie progressivement l'autonomie politique aux colonies, en créant assemblées territoriales et gouvernements locaux. Dans ce cadre, les Établissements français d'Océanie deviennent la Polynésie française. L'année suivante, la nouvelle constitution de la Ve République propose l'indépendance ou l'autonomie au sein de la Communauté française, ce que choisit la Polynésie. Mais c'est dans les années 1960 qu'elle connaît, sans doute pour la première fois, une réelle occidentalisation tant économique que culturelle.

En 1960, un aéroport international est ouvert à Faaa, près de Papeete, et le port de la capitale est agrandi. En 1963, les expériences nucléaires françaises, auparavant réalisées en Algérie, sont déplacées à Mururoa et gérées par le Centre d'expérimentation du Pacifique. Enfin, Tahiti voit aussi dans cette période la naissance du tourisme international. La conséquence de ces changements est triple.

D'une part, l'afflux de population à Tahiti est énorme, surtout à Papeete dont la population double de 1960 à 1980 (40 000 hab.), l'exode rural et le renforcement du secteur tertiaire se poursuivent. D'autre part, les sommes considérables versées par le CEP font monter les prix et les salaires, et rendent l'économie dépendante de la métropole. Des habitudes de consommation sont prises, le crédit se répand. Pendant longtemps, le plein emploi est assuré et l'on n'accorde pas d'attention à la dépendance de Tahiti qui exporte de moins en moins. La prospérité semble la compensation naturelle de l'installation du CEP. De plus, les Polynésiens refusent l'impôt sur le revenu, préférant des taxes sur les importations, qui renchérissent le coût de la vie. En 1977, Paris accorde un statut d'autonomie de gestion assez large, en matière de commerce intérieur, de niveau de vie, de lutte contre le chômage et les inégalités sociales, de droit du travail, d'investissements. En 1980, le tahitien est reconnu comme langue officielle du pays, avec le français. La décentralisation se poursuit durant cette décennie, avec pour principale réforme, en septembre 1984, l'élargissement du statut à l'autonomie interne. Un gouvernement autonome est créé, dont le président est nommé par une assemblée territoriale. La Polynésie dispose aussi de plus de pouvoirs dans le domaine économique ; elle a également son hymne

LES REPÈRES

En Polynésie		Dans le monde
Peuplement de la Polynésie, par des migrations de populations maories d'origine asiatique, des Marquises et des Îles de la Société.	Du XVe s. av. J.-C. à l'an 700	Migrations de peuples en Europe (Celtes et Germains).
Colonisation des Australes.	De 700 à 1100	Dernières invasions en Occident : Vikings, Hongrois, Sarrasins.
Implantation des populations polynésiennes dans l'ensemble des archipels.	Après 1100	« Poussée vers l'Est » : colonisation de l'Europe centrale par les Germains.
Magellan découvre les Tuamotu qu'il aborde par l'île de Puka Puka (1521).	Vers 1520	Premier voyage autour de la terre, conduit par Magellan puis Elcano (1519-1522).
Mendaña découvre les îles Marquises.	1595	Barents découvre le Spitzberg.
De Queiros redécouvre les Tuamotu.	1606	Champlain fonde Québec (1608).
Bougainville débarque à Tahiti et lui donne le nom de « la Nouvelle Cythère ».	1768	Fragonard, *Les Hasards heureux de l'escarpolette.*
James Cook visite Tahiti à trois reprises et nomme l'archipel de la Société.	1769, 1773, 1777	D'Alembert et Diderot terminent en 1772 la publication de l'Encyclopédie.
Mutinerie du *Bounty*, menée par Christian Fletcher contre le capitaine Bligh.	1788-1791	Révolte de Saint-Domingue conduite par Toussaint Louverture (1791).
Début de la dynastie des Pomaré.	1793	Exécution de Louis XVI.
Débarquement à Tahiti de Le Duff et d'une trentaine de missionnaires protestants anglais qui convertissent une grande partie des Polynésiens.	1797	Les Anglais s'emparent de la colonie hollandaise du Cap (Afrique du Sud).
Pomaré II, premier véritable roi de Tahiti se convertit au christianisme.	1815	Restauration des Bourbons en France, en Espagne et en Italie.
Mort de Pomaré II.	1821	Mort de Napoléon à Sainte-Hélène.
Début du règne de la reine Pomaré IV Vahine.	1827	Louis-Philippe Ier, roi des Français (1830).
La reine Pomaré IV Vahiné demande à l'Angleterre son protectorat. L'Angleterre refuse.	1839	L'Angleterre s'impose en Nouvelle-Zélande.

DE L'HISTOIRE

En Polynésie		Dans le monde
L'amiral Dupetit-Thouars prend possession des Marquises (1841), puis déclare l'annexion de Tahiti à la France (1843). La reine Pomaré IV Vahine accepte le protectorat de la France (1847).	Vers 1840	Le général Bugeaud, gouverneur général de l'Algérie (1840); le duc d'Aumale prend la smala de l'émir (1843). Abd el-Kader se rend en 1847.
Arrivée à Tahiti d'immigrés chinois employés pour les travaux de la plantation de coton d'Atimaono.	1865, 1866	Emploi de Chinois pour la construction du chemin de fer transcontinental américain (1re ligne achevée en 1869).
Mort de la reine Pomaré IV Vahine.	1877, 1879	Protectorat français au Congo.
Pomaré V cède son royaume à la République française.	1880	La France impose son protectorat à la Tunisie.
Mort de Pomaré V et fin de la dynastie des Pomaré.	1891	1re automobile à essence (Panhard).
Bombardement de la ville de Papeete par deux navires allemands.	1914	Première Guerre mondiale : les puissances se battent également sur mer et dans leurs colonies.
Tahiti rejoint les forces de la France libre du général de Gaulle. Les Américains installent une base militaire à Bora Bora (vestiges actuels : les 2 canons de l'intérieur de l'île).	1940	Seconde Guerre mondiale : pétainistes et gaullistes se disputent l'Empire colonial. Grâce au Tchadien Félix Éboué, l'Afrique équatoriale française se rallie dès 1940.
Les îles polynésiennes deviennent la Polynésie française.	1957	La loi-cadre Deferre crée, dans le cadre de l'Empire colonial, les actuels États de l'Afrique noire française (1956).
La Polynésie choisit par référendum de rester française.	1958	Charles de Gaulle élu président de la Ve République.
Adoption du statut d'autonomie interne qui permet au territoire polynésien d'être administré directement et librement par ses élus. Le pouvoir législatif est détenu par le gouvernement local.	1984	Assassinat d'Indira Gandhi. Gorbatchev accède au pouvoir en URSS.
Signature du « Pacte de Progrès ».	1993	Ouverture des frontières européennes.
Arrêt définitif de toute expérimentation nucléaire dans le Pacifique. Démantèlement du CEP.	1996	Réélection de Bill Clinton à la présidence des États-Unis.

propre, son sceau, et son drapeau, et décide de tout ce qui n'est pas relations extérieures, monnaie, justice et défense. Le haut-commissaire est chargé du respect des lois et intérêts nationaux.

À Tahiti : la crise économique et sociale

Pourtant, le monde moderne ne pouvait pénétrer si vite cette société sans apporter ses problèmes – chômage, crise culturelle, inflation, spéculation immobilière. À la fin des années 1970, des quartiers déshérités voient le jour dans certains secteurs autour de Papeete où de plus en plus de jeunes ne trouvent pas de travail. Aussi les troubles sociaux apparaissent-ils de façon récurrente, en 1977-78, en 1983, puis en 1985. Les plus graves ont lieu en octobre 1987. Le 23, à la suite d'une grève des dockers, des incidents éclatent et le centre commercial de Papeete est saccagé. C'est la rupture du seul mythe d'une Tahiti indolente et paradisiaque.

Plus qu'une crise indépendantiste, comme en Nouvelle-Calédonie quelques années plus tôt, il s'agit clairement d'une impasse sociale. Elle est aggravée par le moratoire sur les essais nucléaires du 8 avril 1992, qui pose le problème de la vie sans le CEP de Mururoa, alors que le territoire dépend toujours des subventions de la France. Aussi les dirigeants polynésiens cherchent-ils à résoudre ce problème sur le plan politique, en négociant avec Paris une loi d'orientation pour le développement de la Polynésie, le « Pacte de Progrès », signé en janvier 1993. En juin 1993, l'impôt sur les salaires est finalement voté à Papeete. La reprise par la France d'une série limitée d'essais nucléaires sur l'atoll de Mururoa à partir de juin 1995 déclenche de fortes réactions de la communauté internationale surtout dans la zone Pacifique où les traditionnels opposants farouches : Nouvelle-Zélande, Australie et Japon redoublent d'indignation. Les critiques se font aussi très vives en Europe. La série d'essais est finalement réduite à 6 et la France met fin officiellement à toute expérimentation nucléaire dans le Pacifique en janvier 1996. Dès le 10 août 1996, elle milite pour la signature du traité qui interdit définitivement, dans le monde entier, tout essai nucléaire. Cependant, la reprise temporaire des essais nucléaires aura été le détonateur de manifestations violentes orchestrées par les mouvements indépendantistes et les syndicats, dans l'aéroport de Tahiti-Faaa puis à Papeete, causant d'importants dégats matériels et ravivant les luttes internes et la fracture sociale.

Finalement, l'année 1996 aura été celle de l'apaisement des esprits et de la reconstruction sociale et économique. Les bases de Mururoa et de Fangataufa sont démantelées. Les matériels sensibles sont rapatriés en France et les équipements d'utilité publique donnés au territoire de la Polynésie française. Les sites des atolls sont réhabilités et le déficit économique entraîné par la cessation des activités du CEP compensé par l'attribution de 990 millions de Francs par an pendant 10 ans, jusqu'au 31 décembre 2005.

Sur le plan économique, les efforts portent sur le développement du tourisme et l'introduction d'une économie productive, grâce aux perles noires, aux cosmétiques, aux fleurs, aux produits artisanaux, à l'exportation de vanille, de pamplemousses et d'ananas, et à l'exploitation des ressources de la mer. On espère ainsi reconvertir une économie en difficulté et ouvrir de nouvelles perspectives pour le territoire.

PEUPLE DE LA TERRE
ET DE L'EAU

*Peuple de danses et de rires, les Polynésiens
ont le sens de la fête et de l'accueil spontané.
Leur archipel à la nature exubérante a envoûté,
et retenu pour la vie, plus d'un étranger.
Ces jardins sous les tropiques recèlent
aussi quantité d'endroits passionnants
pour les amateurs d'archéologie.*

———

Certes, ce coin du monde est bien le Paradis ! Mais ces seules images ne peuvent rendre compte de la Polynésie, myriade d'îles que leur isolement dans le Pacifique rapproche.

Et pourtant, les contrastes ne manquent pas dans cette population où la plupart des cultes sont représentés ; dans ces lagons où tel poisson gracieux a une chair empoisonnée, alors que certains requins sont de paisibles mastodontes de plusieurs mètres de long ; dans cet univers du bout du monde qui a permis d'expérimenter les recherches nucléaires les plus avancées tout en offrant aux amoureux de la nature la possibilité de vivre comme Robinson. Ce n'est pas un hasard si Bougainville, Gauguin, Loti, Brel... et tant d'autres ont été séduits par l'étonnante diversité de cette Polynésie aux multiples facettes...

La vision idyllique des îles lointaines peut et devrait enchanter les esprits mais la mode actuelle est-elle encore à l'enchantement ? N'en déplaise aux esprits chagrins adeptes du « trop beau pour être vrai », le voyageur venu du gris et du froid va découvrir un autre monde, avec ses rêves, sa nature exceptionnelle, son accueil ancré dans des traditions millénaires et ses difficultés comme partout à l'approche d'un XXIe s. aux mutations sociales accélérées.

Autonomie interne et gouvernement

La Polynésie française est un Territoire d'outre-mer de la République française, doté d'un statut d'autonomie interne depuis le 8 septembre 1984. Le pouvoir législatif est confié à une Assemblée territoriale composée de 41 conseillers élus tous les 5 ans au suffrage universel. Les Conseillers territoriaux élisent le Président du gouvernement territorial. Il désigne le vice-Président et les ministres (10 au plus) dont le choix est soumis à l'approbation de l'Assemblée territoriale. Cette structure constitue le Gouvernement de la Polynésie française. Les pouvoirs du Président du gouvernement territorial sont considérables, il est le chef de l'exécutif local, de l'administration territoriale, du budget et encore le représentant de la République française auprès des États du Pacifique, est habilité à négocier avec ceux-ci des accords économiques, culturels, de recherche dans les domaines scientifiques, médicaux, etc.

Le haut-commissaire de la République française est le chef des services administratifs de l'État, qui garde dans ses attributions des domaines sensibles tels que la défense, l'armée, la monnaie, la justice. Dans les Assemblées nationales, le Territoire polynésien est représenté par deux députés, un sénateur et un conseiller économique et social. Le drapeau tahitien flotte à côté du drapeau français, deux bandes longitudinales rouges bordent une plage blanche (l'ancien drapeau de la dynastie des Pomaré). En médaillon central, une pirogue rouge navigue sur fond de soleil resplendissant de rayons ocres.

Une croissance économique indispensable

La croissance explosive de l'économie de la ceinture du Pacifique n'a pas encore véritablement entraîné la Polynésie française dans son sillage. Toutefois, des manifestations visibles de développement des relations économiques avec les États du Pacifique se font particulièrement sentir dans les domaines du tourisme et de l'exploitation des ressources de la mer. L'industrie perlière et les activités dérivées comme la joaillerie figurent désormais en tête des exportations du Territoire. Les accords de partenariat avec le Japon, déjà anciens, progressent encore et sont d'une importance vitale pour l'avenir économique de la Polynésie. À moyen ou à long terme, la situation privilégiée qu'occupent Tahiti et ses îles dans le Pacifique Sud garantit des perspectives prometteuses.

La prospérité de Tahiti et de ses îles, le niveau de vie élevé d'une partie de ses habitants, l'exceptionnel développement des équipements publics, à Tahiti même et dans de nombreuses îles, sont liés à l'apport de capitaux d'origine métropolitaine ou étrangère, à l'apport du Centre d'expérimentation du Pacifique (CEP) et à l'aide financière du gouvernement français.

La poursuite du développement économique du territoire nécessite des ressources fiscales accrues : les droits de douane auxquels s'ajoutent des droits d'entrée des marchandises sont élevés. Tahiti est longtemps restée un paradis fiscal, seules les sociétés étaient redevables

Très tôt, dès l'âge de trois ou quatre ans, les Polynésiens apprennent à danser. Ici, une ravissante petite danseuse du groupe des enfants de Raiatea.

Le goût de la différence

Face à un tourisme de masse qui tend vers l'uniformisation des prestations tel qu'on le rencontre dans des destinations de plus en plus nombreuses, où le visiteur dès son arrivée se voit remettre un bracelet plastique inamovible qu'il devra porter tout le temps que durera son séjour et grâce auquel il pourra consommer à volonté hamburgers, corn flakes et boissons aromatisées, où ce même touriste « all inclusive » réalise le miracle de changer de pays sans changer d'habitudes, Tahiti offre des prestations variées, entre hôtellerie de luxe, pensions de famille et logement chez l'habitant, où le visiteur peut encore avoir le privilège de partager des traditions préservées avec des polynésiens chaleureux, dans des sites naturels uniques au monde.

d'un impôt direct, modéré en comparaison avec celui qui frappe les sociétés installées en métropole. Toutes les tentatives d'instauration d'une imposition directe des revenus des personnes physiques avaient échoué. La taxation directe des revenus est maintenant chose faite, mais à des taux très faibles en comparaison avec ce qui existe dans les pays européens : 1 à 5 %.

Malgré tout, les avantages fiscaux persistent et ne manquent pas d'attraits pour les investisseurs potentiels qui se font de plus en plus nombreux. Les Japonais ont, au cours de ces dernières années, investi massivement dans les activités touristiques et l'industrie perlière.

Problèmes sociaux et difficultés latentes

Les mouvements migratoires, au cours de ces vingt dernières années, se sont considérablement accentués entre les îles polynésiennes (Tuamotu, Marquises...) et Tahiti, principalement Papeete, dont la population n'a cessé de s'accroître. Les jeunes Polynésiens, attirés par le « miroir aux alouettes » de la modernité, se sont entassés dans les zones périphériques de la ville (Vallée de la Fautaua, Tipaerui, Titioro) où les bidonvilles et la pauvreté se sont accrus avec une rapidité alarmante, cela allant évidemment et malheureusement de pair avec un très fort taux de croissance du chômage, chez les jeunes surtout. La conséquence de ces maux est, comme on peut s'y attendre, la croissance d'une petite délinquance faite de vols, chapardages en tous genres qui était totalement inconnue dans le passé.

Un dynamisme touristique sans précédent

Le tourisme est en plein essor ; la déréglementation des transports aériens et l'instauration d'une concurrence réelle entre les transporteurs, l'ouverture de la destination en vols charters à moins de 6 000 FF A/R permettent à tous les amateurs de voyages d'accéder au « rêve polynésien » jadis interdit. Tahiti destination de luxe devient accessible à un prix abordable et cette tendance ne devrait que se poursuivre et s'amplifier.

Une promotion de grande envergure, à l'échelle internationale, d'un tourisme dynamique, passe par la mobilisation de moyens en conséquence. Le Conseil de gouvernement a créé en 1983 deux organismes chargés du tourisme : le Service Territorial du Tourisme a pour tâche de collecter et d'analyser les statistiques touristiques, de faire des études de marché et d'offrir aux investisseurs potentiels assistance et conseils. Ainsi, ce service est l'outil qui permet au gouvernement local de déterminer une politique de développement touristique ; le GIE (Groupement d'Intérêt Économique) Tahiti Tourisme a vu le jour le 1er janvier 1993. Son rôle est de promouvoir le tourisme sur les marchés européens. Le bureau de Paris a en charge la France Métropolitaine et les pays francophones. Le bureau de Francfort s'occupe de promouvoir Tahiti et la Polynésie française dans le reste de l'Europe. Cette double implantation permet une promotion plus efficace de la Polynésie sur les marchés naturels que sont la France, les pays francophones et les autres pays européens.

Le GIE Tahiti Tourisme dispose d'un budget autonome et entreprend les campagnes de promotion et de publicité qu'il juge les mieux adaptées aux besoins du territoire polynésien. Il est l'interlocuteur privilégié de tous ceux qui s'intéressent au tourisme en Polynésie. Le GIE Tahiti Animation assure sur place, en Polynésie, la promotion du tourisme, des activités et des sites touristiques, propose auprès des différentes îles des initiatives de promotion. L'OTAC, Office territorial d'action culturelle a, pour sa part, en charge la responsabilité d'organiser les différentes fêtes et manifestations culturelles à Tahiti et dans les îles.

La mer valorisée

La pêche locale suffit depuis toujours à l'alimentation en poisson du territoire polynésien. Il s'agit d'une pêche côtière, pratiquée avec des embarcations rapides, de construction locale, appelées bonitiers, et de pêche lagunaire. Cette activité, à caractère familial ou réservée à de petites entreprises, ne débouche pas sur des exportations ou sur une industrie alimentaire.

L'aquaculture est l'un des domaines de pointe du développement économique polynésien, avec de nombreuses recherches menées par les organismes gouvernementaux : IFREMER (Institut français de recherches pour l'exploitation de la mer) et ORSTOM (Institut français de recherches scientifiques pour le développement en coopération). Les atolls des Tuamotu offrent un potentiel maritime considérable. Des succès notables ont été obtenus dans la production des appâts vivants pour la pêche et la mytiliculture (élevage des moules). Citons aussi l'élevage des chevrettes (bien qu'il ne se pratique pas dans la mer), entré dans la phase industrielle et en pleine expansion.

En 1983, a été créé l'EVAAM (Établissement pour la valorisation des activités aquacoles et maritimes), organisme apportant souplesse, compétence et possibilités accrues de financement aux initiatives contribuant au développement ou à la promotion des ressources de la mer. Des succès remarquables sont enregistrés dans des domaines comme l'aquaculture et la pêche, avec le développement de programmes d'achat de poissons aux pêcheries coréennes et de revente sur les marchés internationaux...

« Aratika, l'île aux perles... »

Beaucoup d'îles aux Tuamotu ont lié leur destin à celui de l'industrie perlière ; c'est particulièrement vrai à Aratika, où « *l'or noir* de nos la-

SOUS LE CHARME
DES PERLES NOIRES

*Aux temps anciens, les Polynésiens connaissaient les perles,
s'en servaient occasionnellement à des fins ornementales,
mais n'y attachaient pas une grande importance.
L'engouement pour les perles polynésiennes débute
avec l'arrivée des Européens vers 1830.*

Quand on parle de perle noire on évoque les *poe
rava*, d'un noir mordoré mélangé de verts dits
« aile de mouche ». Mais il existe aussi des perles
plus claires, qui vont du blanc au gris à reflets
métalliques. D'autres ont des reflets dorés, bruns,
bleus, verts ou même violet aubergine !

Trésors de la mer

L'ébauche d'un commerce a vu le jour au XIXe s.,
et dès lors, les huîtres perlières ont commencé
à se raréfier dans les sites où elles étaient le plus
facilement accessibles. Pour récolter le précieux
butin, il fallait prendre des risques : les plongeurs,
dont le maillot était fait d'un *pareu* noué autour
de la taille, étaient équipés de lunettes optiques à la
monture métallique rudimentaire, et atteignaient
en apnée des profondeurs de 20 à 30 m pour avoir
quelques chances de ramener des huîtres perlières.
Une fois le banc d'huîtres repéré, le plongeur, lesté
d'une grosse pierre attachée à une corde, effectuait
des plongées répétées. La santé des plongeurs était
bien souvent compromise par ce pénible labeur.

**Travail sous-marin dans
une ferme de culture perlière
de Manihi. Après la greffe,
les huîtres sont replacées
dans la mer et régulièrement
brossées pour éviter
la formation d'un dépôt
sur la coquille. Les paniers
les protègent des prédateurs.**

En 1960, les huîtres perlières ont déjà presque
totalement disparu de la Polynésie française.
Le gouvernement tahitien, en accord avec le Service
de la pêche, prend alors des mesures draconiennes
pour arrêter le massacre, réglementer la pêche
des huîtres et mettre sur pied une véritable
politique de gestion du milieu marin :
la periculture est née. En 1966, Jacques et Hubert
Rosenthal fondent dans l'atoll de Manihi
la première ferme perlière de Polynésie, la SPM
(Société d'expérimentation perlière de Manihi).

Un négoce dynamique

En moins de 30 ans, la periculture est
devenue la première industrie exportatrice
du territoire avec, en 1994, un montant
global de 8 milliards de francs
pacifiques d'exportation. Par son
développement, l'industrie de la perle
noire exigeait que la production et le
négoce fussent structurés à la mesure
de l'essor mondial de ces merveilles
polynésiennes. Trois partenaires
réunis au sein du GIE Tahiti-Perles
animent le marché : le Syndicat
professionnel des periculteurs privés

L'huître qui produit une perle noire est la *Pinctada margaritifera* ou « huître à lèvres noires », ainsi nommée pour la pigmentation obscure de la bordure de son manteau. Les huîtres les plus grosses mesurent à l'état adulte 15 à 20 cm. Dans les cas extrêmes, une huître peut atteindre 30 cm, peser jusqu'à 5 kg et vivre 30 ans.

regroupe une quinzaine de producteurs très importants tels que Wan Tahiti Perles, J.-P. Bréaud, J.-P. Fourcade, les frères Rosenthal, etc. ; le groupement Poe Rava Nui réunit 400 fermes familiales et petites coopératives ; enfin le Gouvernement de la Polynésie française favorise la périculture par ses investissements, contribue au financement des groupes, participe aux actions de promotion et de commercialisation menées à l'échelle mondiale. Les Journées internationales de la perle noire, qui se tiennent à Papeete pendant le mois de juin, en sont une dynamique émanation.

Le GIE Tahiti-Perles, animé par Monsieur M.T. Coeroli, se donne pour principal objectif de promouvoir les perles noires dans de nombreux pays avec une participation active à l'organisation de salons, d'expositions, de défilés de mode, de présentation de bijoux, de conférences, etc.

La greffe de l'huître perlière

Pour obtenir une perle, il est indispensable de « greffer » l'huître. Le greffeur, souvent tahitien ou japonais, introduit par une incision qu'il a pratiquée dans la gonade (glande reproductrice qui est une partie charnue

de l'huître) une bille de nacre et un greffon formé d'un fragment d'épithélium sécréteur de nacre. Ce greffon est prélevé sur une autre huître, sacrifiée pour cette occasion. Les huîtres greffées sont ensuite suspendues en pleine eau dans le lagon et y séjournent 2 ans au minimum ou, mieux, 3 ans, durée nécessaire pour la formation de la perle. Le taux de réussite oscille entre 25 et 40 %.

(suite p. 104)

gons a mobilisé toutes les énergies et a même fait revivre une île qui s'endormait... » (*La Dépêche de Tahiti* du dimanche 22 janvier 1995). Un exemple parmi tant d'autres d'un remarquable succès.

L'industrie perlière connaît un impact économique considérable (voir p. 100). L'appellation « perle de culture de Tahiti », est reconnue par le Gemological Institute of America et par la Confédération internationale de la bijouterie-joaillerie, perles et pierres précieuses. La perle noire de Tahiti occupe depuis peu le premier rang des exportations de la Polynésie française.

Le GIE Perles de Tahiti, créé en août 1993, développe la commercialisation des perles de culture de Tahiti par des actions de promotion telles que les Journées internationales de la perle et du bijou de Tahiti. Le Syndicat professionnel des perliculteurs privés et le groupement Poe Rava Nui rassemblent les 15 plus importants producteurs de perles noires et 400 fermes familiales et coopératives : l'ensemble regroupe 80 % de la production perlière polynésienne et, en association de partenariat avec le GIE Tahiti Perles, constitue un interlocuteur de poids pour assurer les opérations de promotion internationales, la grande vente aux enchères internationales d'octobre, destinée aux professionnels, les Journées internationales de la perle noire de Papeete (juin), etc.

La quantité de perles exportées est passée de 6,1 kg en 1976 à 407,6 kg en 1987 et à 2 113 kg, en 1993. En 1994, 8 milliards de CFP de perles noires ont été exportés à 80 % vers le Japon et, pour le reste, la Suisse, les USA (surtout Hawaii), Hong Kong, la Corée du Sud, Taiwan, la France, l'Angleterre, l'Allemagne.

L'agriculture à la recherche d'un second souffle

L'agriculture est la ressource traditionnelle des atolls polynésiens mais une politique globale d'aménagement des sols est rendue difficile par le morcellement insulaire. Par suite de l'effondrement des cours mondiaux du coprah, la production est en baisse. Son exportation n'occupe plus que le second rang, derrière celle des perles noires, et elle est surtout destinée à l'Europe. On assiste, semble-t-il, à une remontée des cours, en raison de la baisse généralisée de la production. Les exportations d'huile de coprah s'élevaient en 1992 à 4 250 millions de CFP (234 millions de FF).

La vanille, longtemps délaissée, voit aujourd'hui ses cours s'envoler et bénéficie de tentatives de relance. Cependant, il s'agit d'une culture nécessitant des soins et une main-d'œuvre importants, d'où le peu d'enthousiasme des populations à reprendre activement cette culture pourtant traditionnelle en Polynésie et réputée pour sa qualité (47 millions de CFP exportés en 1992).

La forêt, enfin, occupe une grande partie de la surface des îles hautes mais est inexploitable sous sa forme actuelle. Les espèces tropicales qui la composent : acacias, goyavier, arbre de fer ou aïto, fougères arborescentes, lantanas sont impropres à la production d'un bois exploitable industriellement. Des recherches agronomiques sont menées dans les îles polynésiennes, le centre principal se trouve à Moorea dans le domaine d'Opunohu. Les agronomes, entre autres travaux, effectuent des recherches d'une grande importance écono-

La population en quelques chiffres

En 1997, la population totale de la Polynésie française est d'environ 225 000 habitants. La progression générale est forte, puisqu'on compte un taux moyen d'accroissement de 2,3 % par an. Les deux tiers de la population du territoire résident à Tahiti ; 85 % vivent dans l'archipel de la Société, 4 % aux Marquises, 4 % aux Australes et 7 % aux Tuamotu-Gambier. Ils semblerait toutefois que l'on assiste à une baisse de la migration des îles éloignées vers Tahiti. La population polynésienne est caractérisée par sa jeunesse (47 % de moins de 20 ans). Le brassage entre les ethnies est de plus en plus répandu ; on trouve 70 % de Polynésiens, 11,5 % d'Européens, 4,3 % de Chinois et 14,2 % de « demis ». En ce qui concerne la population active, on note une nette domination du secteur tertiaire, avec 64 % des actifs contre 17,5 % pour le primaire et 18,5 % pour le secondaire.

mique sur l'acclimatation d'espèces de résineux qui permettraient de valoriser le patrimoine forestier.

L'élevage est lui aussi insuffisant, et la production de volailles, d'œufs, de lait, de viande de bœuf ou de porc ne suffit pas, loin s'en faut, aux besoins de la consommation locale. L'essentiel de la viande consommée à Tahiti est importé de Nouvelle Zélande.

Les exportations ont repris grâce à des efforts de marketing et de rénovation des techniques commerciales.

Entre tradition et modernité : la famille polynésienne

L'une des caractéristiques fondamentales de la famille polynésienne était traditionnellement sa souplesse d'adaptation aux circonstances. Il n'est pas rare de voir des familles nombreuses, en difficulté financière, confier leurs enfants à une autre. Les parents naturels de l'enfant gardent des liens étroits avec les parents adoptifs ou *faamu*. Ainsi, dans un petit village, tout le monde est plus ou moins cousin ou *fetii*. Ces pratiques sont freinées aujourd'hui, en raison du développement de la protection sociale, qui nécessite une structure familiale établie.

Des religions pour tous...

Les Polynésiens restent très attachés à leur religion, et les diverses Églises exercent une réelle influence sur la vie du pays. Quant aux manifestations de cette pratique religieuse, elles font partie de la vie quotidienne. La prière rituelle accompagne chaque réunion familiale ou de groupe, même politique (quel que soit le parti) et certains meetings sportifs traditionnels dont les grands rassemblements dominicaux se tiennent autour des innombrables temples et églises des

îles. Il n'est pas rare de voir un atoll où vivent cent personnes posséder deux, voire trois églises d'obédience différente. On dit même que parfois les offices de fête ne se font pas aux mêmes heures, de façon à ne pas se concurrencer...

La multiplicité des Églises et des sectes est due à la fois à l'histoire

(suite de la p. 101)

Lors de la greffe, il arrive qu'un corps étranger s'installe dans l'huître. Cette matière organique fermente et dégage des gaz qui donnent leurs formes irrégulières aux perles baroques.

Deux perles parfaites, limpides comme un miroir, brillantes et parfaitement rondes.

Comment choisir une perle ?

Pour bien acheter une perle noire, en apprécier la beauté et en estimer le juste prix, il faut l'examiner à la lumière du jour, le matin ou sous un ciel couvert laissant filtrer une lumière diffuse. C'est ainsi que se révèle le mieux le lustre de la perle. Sa surface devrait refléter votre image aussi bien qu'un miroir.

Il n'est pas de meilleur endroit que Tahiti et quelques îles pour acheter de belles perles : l'offre y est abondante et le rapport qualité-prix imbattable. Il s'avère cependant indispensable de s'entourer des conseils d'un professionnel. Tous les bijoutiers et négociants qui tiennent boutique offrent des garanties de sérieux ; il n'en va pas de même des vendeurs à la sauvette qui, faisant miroiter la bonne affaire « en direct de la ferme productrice », proposent des perles difficilement vendables sur le marché : même si elles peuvent à première vue paraître jolies, elles se révèlent ou trop petites (d'un diamètre de 7 à 8 mm), ou dépréciées par des défauts de surface. Le petit prix qui en est demandé reste encore trop élevé.

Des perles à tous prix

Les perles sont classées en fonction de leur taille, de leur forme et de l'état de leur surface, responsable de leur éclat, qui doit être intense. À titre d'exemple, une très belle perle classée « RA 10 » sera parfaitement ronde (R), n'aura aucun défaut de surface, un très bel orient (classe A), mesurera 10 mm de diamètre… et pourra coûter jusqu'à 100 000 CFP. Sa teinte, subtile et nuancée, différera du gris neutre et uniforme que l'on rencontre très souvent. Des perles exceptionnelles peuvent valoir davantage encore.

Pour les « bonnes affaires », on recherchera plutôt dans les catégories B et C des perles rondes de 9 à 10 mm, d'une belle couleur « aile de mouche » et d'un lustre parfait, si possible exemptes de piqûres ou d'autres défauts de surface. On trouve ainsi des perles de bonne qualité, non montées, entre 15 et 20 000 CFP. Une très belle perle, dans cette catégorie, vous coûtera au moins 40 à 50 000 CFP, mais ce sera encore un fort bon prix au regard de ce que vous pourrez trouver hors de Polynésie.

Les prix chutent dans de fortes proportions avec les catégories inférieures,

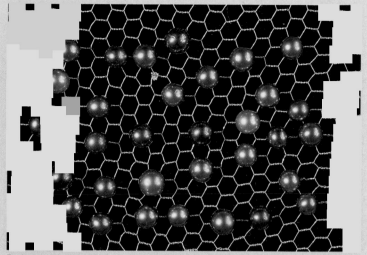

Perles noires sur grillage d'or : création Giovanni Onorato (Milan).

Perles noires montées en collier.

où l'on trouve des exemplaires avec des défauts plus ou moins apparents. Les formes sont diverses, elles aussi : les « poires » sont superbes une fois montées en pendentif, et un peu moins chères que les rondes. Il existe aussi des perles « cerclées » que l'on peut acquérir pour un prix modique de l'ordre de 2 000 à 4 000 CFP et des « kechis », de forme variable, baroques, que l'on achète au gramme. Quant aux demi-perles, appelées « mabe », des soufflures qui parfois coûtent quelques milliers de CFP, elles peuvent donner de très beaux bijoux,

Une perle en quelques mots

Kechis :
petites perles, rejets de l'huître.
Lustre ou *éclat :*
aptitude à refléter la lumière.
Orient ou *eau :*
aptitude à diffracter la lumière en un halo lumineux. Les perles noires n'ont pas d'orient.
Peau :
qualité de la surface.
Pipi :
petites perles jaunes.
Rebuts :
perles non commercialisables pour leur abondance de défauts.
Soufflures :
perles baroques, déformées, à surface bosselée.

D'après Les Perles noires de Tahiti, *Dr J.-P. Lintilhac et A. Durand, éd. Fascination.*

de l'évangélisation et à un besoin certain, à une religiosité évidente chez les Polynésiens. À l'heure actuelle, l'Église protestante reste prépondérante et rassemble environ 55 % des Polynésiens. Cette proportion augmente considérablement aux Australes, aux îles Sous-le-Vent et dans le « district » à Tahiti. Puis vient l'Église catholique avec environ 30 % de la population, mais très majoritaire aux Marquises. Enfin, loin derrière, des Églises plus particulières comme les mormons (3 %), les sanitos (dissidence mormone, 3 %), les adventistes (2 %). Chaque Église a ses mouvements de jeunes, ses asso-

Quelques amoureux de la Polynésie

Louis-Antoine de Bougainville (1729-1811), navigateur français. À bord de *La Boudeuse*, il atteint Tahiti en avril 1768 et lui donne le nom de « Nouvelle Cythère ». En 1771, il publie ses souvenirs, *Voyage autour du monde*, contribuant ainsi à la diffusion du mythe du « bon sauvage ».

Marlon Brando, acteur américain né en 1924. C'est à l'occasion du tournage des *Révoltés du Bounty* en 1961 qu'il découvre Tahiti et achète l'atoll de Tetiaroa, sur lequel il réside.

Jacques Brel, chanteur (1929-1978). Se retire aux îles Marquises en 1966. Il est enterré à Atuona dans le même cimetière que Paul Gauguin.

Paul Gauguin, peintre français (1848-1903). Issu des impressionnistes, il évolue vers le synthétisme (Pont-Aven 1888). Sa volonté de vivre sa peinture le mène à Tahiti en 1891. La vie des îliens, la beauté des Tahitiennes, la nature et l'exceptionnelle richesse de la mythologie maorie inspirent ses toiles les plus remarquables.

Alain Gerbault, navigateur solitaire français (1893-1941). Découvre la Polynésie à l'occasion du tour du monde qu'il a effectué sur un petit voilier de 11 m, d'avril 1923 à juillet 1929. Il réunit une vaste documentation sur les Polynésiens à l'occasion d'un second voyage en 1934. Parmi ses œuvres : *À la poursuite du soleil : de New York à Tahiti* (1929).

Jack London, écrivain américain (1876-1916). Séjourne à Tahiti en 1907. Il serait le premier à avoir aperçu les « hommes nature ». Auteur de *La Maison de Mapuhi*.

Henri Matisse, peintre français (1869-1954). Visite sans grand enthousiasme Tahiti et les Tuamotu en 1930. Ce n'est que quinze ans après qu'il mettra à profit ses souvenirs, s'en inspirant pour *Jazz*.

Herman Melville, écrivain américain (1819-1891). L'auteur de *Moby Dick* a trouvé sa première inspiration dans ses souvenirs polynésiens, qui donnèrent naissance à *Taïpi, Omoo, Mardi*.

Daniel de Monfreid, peintre et graveur français (1856-1929). Confident de Gauguin, dont il publiera les lettres. A illustré le livre de Segalen *Les Immémoriaux*.

Victor Segalen, écrivain français (1878-1919). Médecin de la marine, il retrouve à Tahiti en 1903 les dernières œuvres de Gauguin. Ce voyage lui inspire son premier roman, *Les Immémoriaux*.

Albert t'Serstevens, écrivain belge (1885-1974). Nombreux romans sur la flibuste et les aventuriers. Découvre Tahiti à l'occasion d'un de ses nombreux voyages : d'où *Tahiti et sa couronne* (1950).

Paul-Émile Victor, explorateur polaire français (1907-1995). Survole la Polynésie en 1958 et note : « Nulle part ailleurs. » Il a vécu sur le *motu* Tané à Bora Bora, avec sa femme et son fils.

ciations sportives, voire ses écoles. Les Chinois ne sont plus qu'une poignée à pratiquer le culte des ancêtres ; la plupart sont catholiques. Enfin, quelles que soient vos préférences, ne manquez pas d'aller assister à un office pendant votre séjour. Les chants *(himene)* y sont très beaux. La sortie vaut le déplacement à elle seule ; les dames arborent leur plus beau chapeau, blanc la plupart du temps et cela fait partie de l'imagerie polynésienne traditionnelle.

LES ARTS EN POLYNESIE

La sculpture

C'est très certainement la forme d'art traditionnel la plus marquante en Polynésie française, l'une des plus intéressantes aussi, même si les réalisations, excepté les œuvres originales des îles Marquises, sont relativement moins abondantes que dans d'autres territoires du Pacifique.

Les sculptures anciennes avaient toujours une signification, un but utilitaire : elles étaient destinées aux pratiques religieuses ou étaient le reflet du rang social de leur propriétaire. Les statuettes, appelées *tiki*, étaient considérées comme sacrées. Douées de pouvoirs surnaturels, mises en place sur les *marae* (temples), elles en protégeaient l'enceinte et étaient à la fois redoutées et respectées.

L'art fruste des *tiki*, aux formes brutes, simplifiées à l'extrême et très stylisées, a des accents de modernisme qui ne laissent pas indifférent. Mais attention aux faux, voyez plutôt ce qu'écrit José Garanger dans son ouvrage *Pierres et Rites sacrés :* « Aujourd'hui encore, la mise au jour accidentelle d'un de ces *tiki* est toujours un « événement » significatif dans l'esprit des Polynésiens. Et ces *tiki* sont encore des objets inquiétants, considérés comme des puissances redoutables et qu'il convient de ne pas trop manipuler. » Il arrive en effet qu'au cours de travaux de terrassement des tiki en pierre, enterrés en cachette à l'époque de l'arrivée des missionnaires (alors que des idoles en bois avaient été brûlées) refassent surface, au plus grand effroi des « découvreurs ».

En Polynésie, on sculptait et on sculpte parfois encore des bois durs (*aïto* ou bois de fer), particulièrement décoratifs pour leur belle veinure, ainsi le bois de *tau* et le bois de rose (*Miro*), certainement le plus apprécié en raison de la délicatesse de ses nuances. Exceptionnellement, aux îles Marquises, on sculptait le bois de santal, rarissime. Dans les temps anciens, les sculpteurs occupaient un rang élevé dans la société polynésienne, très hiérarchisée, et étaient investis du *mana* (pouvoir surnaturel). Voir p. 84.

Les sculpteurs sur pierre sont plus rares. Ils utilisent toutes les ressources locales, généralement les pierres volcaniques dures. Les plus rares (donc les plus recherchées) sont les laves claires, beiges ou blanches que l'on trouve parfois aux îles Marquises. La matière minérale doit être homogène, compacte et dense. Malheureusement, les sculptures que l'on trouve de nos jours dans la plupart des *curios*, boutiques de souvenirs et d'objets d'artisanat local, sont d'une qualité tout autant désolante qu'exécrable. Rien à voir avec les trésors d'art traditionnel que recèlent les maisons des Marquisiens.

Une raison de plus pour ne pas manquer la visite du musée de Tahiti et ses Îles, où vous pourrez admirer, hormis les *tiki*, tout ce que les arts anciens recèlent comme objets guerriers ou usuels, toujours remarquablement sculptés : pagaies, lances, casse-tête, des outils aussi, telle l'herminette, sorte de hachette en pierre dont la lame, en pierre volcanique très dure, était fixée à un manche ; c'est avec elle que l'on sculptait le bois.

Les *tapa*

Le *tapa* est un tissu assez rigide, fabriqué à partir de fibres végétales. Pour sa fabrication, on utilise les écorces de l'arbre à pain, du mûrier à papier *(auti)*, du banian...

Les lambeaux d'écorce qui ont été prélevés sont grattés avec des coquillages, puis mis à macérer dans l'eau pendant plusieurs jours. Lorsque les fibres végétales sont suffisamment ramollies, l'écorce est battue sur une grosse pièce de bois, à l'aide de maillets ou, mieux, d'un battoir à tapa allongé, à section carrée. Les faces sont creusées de cannelures parallèles, les unes grossières, les autres plus fines, elles donnent au tissu végétal son aspect, sa texture particulière ainsi que sa souplesse. Les lambeaux d'écorce sont assemblés au cours du « battage » et ajustés par leurs fibres végétales entremêlées. La sève des écorces renferme des résines qui, en séchant, assurent la cohésion du tissu. Les différentes qualités de *tapa* proviennent de la nature de l'écorce employée et du traitement qui suit l'opération du « battage ». Certains *tapa* sont beiges, bruns ou roux ; les autres, longuement blanchis au soleil, très clairs ou blancs. Malheureusement, de nos jours, le blanchissement est réalisé trop souvent à l'eau de Javel. Si l'opération a été mal conduite, il subsiste des taches de chlore indélébiles. Montrez-vous exigeant envers la qualité et choisissez des *tapa* irréprochables. Le tissu végétal est ensuite décoré avec des teintures naturelles élaborées à partir d'extraits de végétaux. On utilise, pour la fabrication des colorants, les fruits, les racines et même les feuilles de nombreuses plantes. De nos jours, l'art de la fabrication des *tapa* s'est malheureusement éteint à Tahiti.

Vous trouverez toutefois, dans les *curios* de Papeete, des *tapa* fidjiens ornés de motifs géométriques, parfois un peu chargés ; les teintures utilisées sont l'ocre, le brun ou le noir.

Les *tapa* marquisiens sont plus recherchés (et aussi plus chers) en raison de la beauté des motifs utilisés pour leur décoration, nettement plus figuratifs. Ils représentent des personnages stylisés, des *tiki*, des compositions souvent originales à caractère mystique. Ils sont toujours exécutés en noir sur fond beige ou roux si l'écorce a sa teinte naturelle, sur fond blanc si elle a été blanchie.

On trouve aussi, plus rarement, des *tapa* tongiens (des îles Tonga).

La vannerie

La vannerie est un art ancien qui s'est perpétué jusqu'à nos jours. Les Tahitiens sont d'une étonnante habileté pour tresser, en diagonale, les feuilles de cocotier ou celles, plus larges, du pandanus. L'art de la vannerie se prête à de très belles réalisations : sacs, paniers..., mais les plus belles sont les magnifiques chapeaux tressés dont se parent les vahinés à l'office du dimanche matin.

Le tatouage

Le tatouage, en Polynésie, est indissociable des arts anciens et connaît un regain d'intérêt de nos jours. Autrefois, le tatouage indiquait un rang social élevé ou était réservé à des héros, souvent guerriers, particulièrement valeureux. Le tatouage était toujours valorisant pour la personne qui était apte à le recevoir.

C'est aux îles Marquises que l'art du tatouage était le plus développé. Les motifs stylisés et symboliques sont le reflet de l'art marquisien, emprunté aux tiki, aux éléments naturels (soleil, lune, végétation, animaux, points cardinaux, comètes, figures humaines) ou à des figures géométriques (croix, damiers, motifs de *tapa*...).

Certains Marquisiens étaient entièrement tatoués, de la tête aux pieds. Les tatouages étaient également très répandus aux Tuamotu. Selon la tradition, les hommes étaient abondamment tatoués sur tout le corps, alors que les femmes affectionnaient des tatouages plus localisés intéressant les parties charnues de leur personne, mais, à l'inverse des hommes, jamais le visage.

Le tatoueur jouissait d'un grand prestige dans la société polynésienne. Il employait, pour son art, des instruments composés d'un support sur lequel étaient fixés des instruments fins et pointus composés de dents de poissons acérées ou de très fins os d'oiseaux. Les teintures étaient d'origine végétale, préparées à partir de fruits ou d'écorces calcinées mêlées à de l'eau.

De nos jours, les tatouages connaissent un regain d'intérêt. Il existe plusieurs tatoueurs à Tahiti, avis aux amateurs d'exotisme placardé.

Le tatouage figure parmi les arts anciens de la Polynésie. Cette tradition se perpétue de nos jours avec de plus en plus de succès.

TAHITI

Découverte le 2 avril 1768 par Bougainville, Tahiti fut baptisée la « Nouvelle Cythère ». Bénéficiant d'un climat tropical humide tempéré par les alizés, cette île-jardin vous séduira par ses multiples centres d'intérêt mais aussi par sa population, qui a su garder son originalité, son caractère, et ses traditions.

Tahiti, la plus grande des îles polynésiennes, avec 1 042 km², fait partie de l'archipel de la Société. Elle est formée de deux volcans d'âge tertiaire qui constituent à l'ouest la Grande Tahiti, appelée Tahiti Nui, et à l'est la Petite Tahiti, nommée Tahiti Iti ou presqu'île de Taiarapu. Les deux étendues volcaniques sont réunies par l'isthme de Taravao. L'aspect massif du mont Orohena (2 241 m) et de l'Aorai (2 066 m) est renforcé par les imposants plateaux d'origine basaltique, entaillés de profondes vallées fluviales et dont les reliefs sont à peine adoucis par l'opulente végétation. Les fines ciselures du Diadème (1 321 m), entrevues depuis la côte est, couronnent l'intérieur du volcan. Les derniers contreforts des plateaux viennent mourir en pente douce sur la plaine côtière élargie à l'ouest de plages de sable noir et, par endroits, de quelques formations coralliennes. Parfois, ils s'arrêtent sur la mer qu'ils dominent de falaises abruptes (côte est et presqu'île). Un étroit récif frangeant, composé de madrépores et de polypiers soudés formant une roche calcaire assez dure, peut également souligner le littoral. Au large, le récif-barrière, interrompu dans certaines parties de l'île, anime l'horizon d'un liséré d'écume blanche dont les grondements se répercutent en écho contre la montagne.

PAPEETE**

Les navigateurs qui se succédèrent pendant tout le XVIIIe s. choisirent comme mouillage la baie de Matavai ; leurs successeurs lui préfèrent la rade de Papeete, nettement plus abritée. La ville de Papeete prit rapidement de l'importance et attira les îliens. Pritchard s'y installa en 1824, puis la reine Pomaré IV Vahiné, en 1827. Papeete devint le chef-lieu de l'île, puis fut choisie en 1842 comme capitale du protectorat français ; la ville comptait alors 2 000 habitants. Les cascades de Sainte-Amélie furent canalisées et la ville régulièrement alimentée en eau. Les constructions, légères, en bois, étaient ramassées le long de la baie. Ce n'est qu'en 1845 que le gouverneur Bruat fit édifier les premiers bâtiments en pierre. Les révoltes des Tahitiens se succédèrent avec pour principale cible la ville nouvelle : en 1844, on attaque la mission catholique ; en 1846, 1 200 insurgés dévastent la ville et s'en prennent même au palais du gouverneur. Une fois la paix revenue, Papeete s'agrandit (elle compte 3 750 habitants en 1902), son port se développe. Le 22 septembre 1914, la ville est bombardée par l'amiral von Spee.

De nos jours, Papeete conserve la physionomie d'une petite ville commerçante établie pour sa partie la plus importante entre les quais du front de mer et les contreforts de la montagne, entaillés par les vallées de Tipaerui et de la Fautaua. Les communes de Pirae à l'E et de Faaa à l'O complètent cet ensemble urbain. Papeete est le contraire d'une station balnéaire. Que de jugements erronés sur cette ville où les bâtiments du front de mer, le long du boulevard Pomaré, conservent des proportions raisonnables tout en affichant une architecture inspirée de motifs marquisiens. On y trouve aussi d'anciennes maisons coloniales ou des *fare* traditionnels aux sculptures apparentes.

Parmi les plus belles réussites architecturales figurent le *fare* Manihini du GIE Tahiti Tourisme, celui de l'OTAC, la mairie de Papeete, mais aussi le marché central ou le bureau de poste. Les constructions récentes du centre commercial Vaima, du centre Aline ou les immeubles de l'avenue Bruat disparaissent derrière un épais rideau d'ombrages et s'intègrent parfaitement à l'environnement des quais bordés de voiliers qui s'allongent le long de la baie.

On ne visite pas Papeete, on s'y promène, parfois sans but. La ville se vide le samedi après-midi, puis se peuple à nouveau le soir, pour être finalement presque déserte après les offices du dimanche matin. Il faut visiter Papeete en semaine, puis y flâner le dimanche après-midi, par forte chaleur. Le spectacle de cette ville active, subitement sans vie, est tout à fait insolite.

■ PAPEETE MODE D'EMPLOI

Accès : voir p. 37.

Circuler

Les repères sont indiqués en points kilométriques (PK), c'est-à-dire en distance les séparant de Papeete. La route est jalonnée, côté montagne, de bornes plus ou moins visibles. Nous distinguerons les PK côte O en les faisant précéder de la lettre O alors que la lettre E indiquera les PK de la côte E.

Programme

Consacrez à Papeete une demi-journée à pied. La promenade débute à l'office du tourisme (**Fare Manihini**) où vous recueillerez des renseignements utiles. Le programme hebdomadaire des soirées et distractions organisées dans les hôtels est affiché dans le hall d'entrée. Vous verrez peut-être dans la salle attenante une exposition de gravures, de peintures ou de coquillages.

Un « **tour de ville** », excursion guidée à pied ou en bicyclette, permet de découvrir l'essentiel de Papeete en 1 à 3h. Infos et rés. auprès d'une agence de voyages ou à Papeete Tours, BP 11842, Mahina (bureau situé au marché central).

Le front de mer et les quais*

En longeant la mer vers l'O vous découvrirez des quais très animés lors de la venue à Tahiti des bateaux de croisière hauturière, ou quand les navires-écoles chilien et espagnol (voiliers quatre-mâts) *Esmeralda* ou *Sebastián el Cano* sont conduits là au gré d'une mission, une fois par an. *Rens. au GIE Tourisme, Fare Manihini, bd Pomaré, BP 65, Papeete ☎50.57.00, fax 43.66.19.* La plus grande animation règne au quai d'Honneur (quai des Paquebots) les ven. et sam., et lorsque le *Club Med 2* et le *Wind Song* sont au mouillage.

Le **front de mer** de Papeete assure un dépaysement total. Les arbres, très verts toute l'année, agrémentent le panorama. Après l'agence Air France, le front de mer (ou bd Pomaré A3-C2) croise l'av. Bruat. Au bord de l'eau, face à l'avenue, se dresse le monument dédié au général de Gaulle. Au-delà de l'avenue sur le front de mer, vous visiterez le **temple Paofai** B3, centre d'évangélisation protestante ; reconstruit en 1980, il est bâti sur une terre donnée par la reine Pomaré IV. À côté, à l'emplacement de l'actuel foyer des jeunes filles de Paofai, se trouve le site de l'ancien consulat britannique du missionnaire George Pritchard. Au-delà de Paofai, en bord de mer, on atteint l'Office territorial d'action culturelle (OTAC) A3, agréable ensemble « néopolynésien ». À proximité se trouve le site de la prison où séjourna Herman Melville.

En retournant vers le centre, on visite le **musée de la Perle Noire*** *(bd Pomaré, face au temple Paofai. Ouv. de 8h à 12h et de 14h à 17h30 du lun. au sam. midi et le dim. de 14h à 17h30. Entrée gratuite ☎43.85.58, fax 43.49.01).* Des panneaux didactiques et des échantillons présentent l'origine de la formation de la perle noire, sa culture, son marché, sa commercialisation, etc. Un détour intéressant, même pour une courte visite. C'est le seul musée installé à Papeete même.

On peut aussi remonter tout de suite l'**avenue Bruat** B3, une des plus belles artères de Papeete, agréable par sa verdure et sa fraîcheur. Le centre commercial Bruat se trouve plus bas à dr. Les bâtiments officiels (Conseil de gouvernement, haut-commissariat, Palais de Justice, police, caserne) se trouvent plus haut après le carrefour. Tout en haut, la gendarmerie et le quartier Sainte-Amélie.

L'**avenue du Général-de-Gaulle** B-C3 vous reconduira vers le centre-ville. Vous traversez un ensemble de places ombragées : à dr.! Tarahoï, la résidence du haut-commissaire, la vice-présidence et l'Assemblée territoriale bâtie à l'emplacement de l'ancien Palais royal ; à g., vers la mer, le **jardin de la poste** est reposant avec ses petits plans d'eau où flottent des nénuphars. Le long du front de mer,

Paul Gauguin, *Femme de Tahiti* **(détail).**

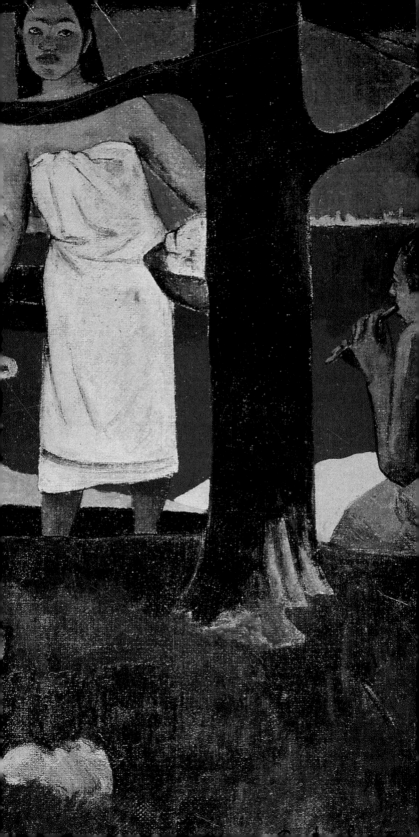

Tahiti

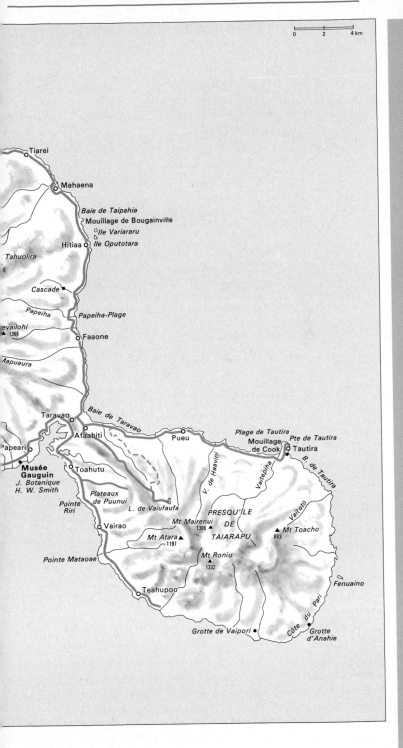

Tiarei

Mahaena

Baie de Taipahia
Mouillage de Bougainville
Ile Variararu
Hitiaa *Ile Oputotara*

Tahuolira

Cascade

Papeiha
Papeiha-Plage

evailohi
▲ 1368
Faaone

Mapuaura

Baie de Taravao
Taravao
Afaahiti
Pueu
Plage de Tautira
Mouillage *Pte de Tautira*
de Cook Tautira
apeari
B. de Tautira
**Musée
Gauguin**
J. Botanique Toahutu
H. W. Smith
V. de Haavini
Vaitepiha
*Plateaux
de Puunui*
*Pointe
Riri* L. de Vaiufaufa **PRESQU'ÎLE**
DE
Vaitoto
Mt Mairenui
Vairao 1306 ▲ *TAIARAPU* ▲ Mt Toacho
Mt Atara ▲ 893
1197
Pointe Mataoae
Mt Roniu
1332
Fenuaino
Teahupoo

Côte du Pari
Grotte de Vaipori ● *Grotte
d'Anahie*

0 2 4 km

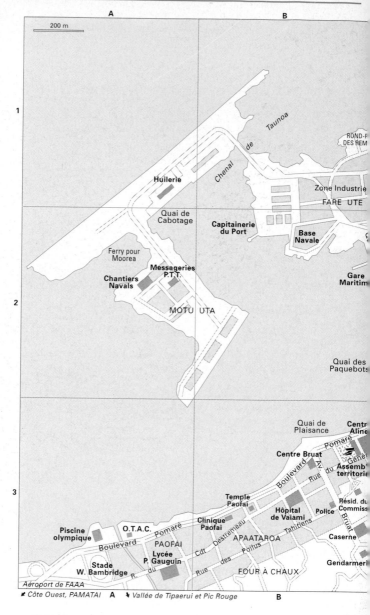

Papeete

en bas du jardin, le monument en bronze dédié à Bougainville est flanqué de deux canons, l'un provenant du voilier *Seeadler*, corsaire allemand échoué à Mopelia en 1916, et l'autre de la canonnière du commandant Destremeau, *La Zélée*, coulée dans la passe en 1914. En continuant vers le centre-ville, avenue du Général-de-Gaulle, après la poste, on remarque une des plus vieilles maisons de Papeete,

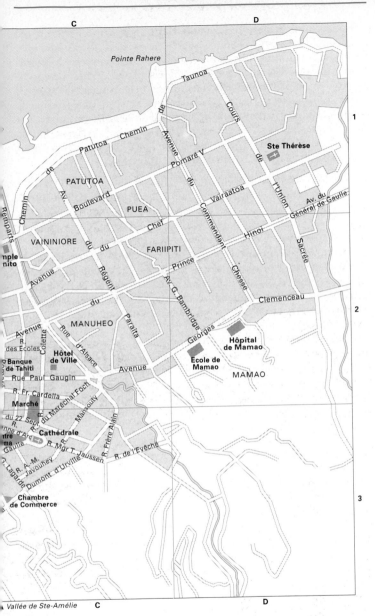

la maison de la reine Marau, dernière reine de Tahiti ; le bâtiment est toujours propriété de sa famille.

On peut avoir un premier aperçu des centres commerciaux Aline et Vaima avant de s'engager dans la **rue Jeanne-d'Arc** pour rejoindre la **place Notre-Dame** C3.

Le centre

La **cathédrale Notre-Dame de Papeete** C2 trône au centre de la place du même nom, vaste esplanade d'une architecture simple et fonctionnelle, non dénuée de charme. Cette imposante bâtisse a été construite à partir de 1856, consacrée en 1875, restaurée en 1967. L'intérieur est illuminé par un vitrail de 1875, consacré à Notre-Dame-du-Sacré-Cœur, et par plusieurs vitraux modernes. Le porche en ogive est en pierres de taille et les portes, massives, en bois sculpté. Sur la dr., masqués par un écran de verdure, se trouvent les locaux de la banque Westpac, autrefois occupés par la banque Indosuez. Les **rues commerçantes** s'étendent à dr. de la place Notre-Dame. Suivez la rue du Maréchal-Foch ou la rue Colette, puis empruntez les petites rues perpendiculaires afin de retrouver le front de mer.

Le marché de Papeete*

➤ *C2-3 Prenez sur quelques mètres la rue du Maréchal-Foch avant de vous engager à g. dans la rue du 22-Septembre. Vous découvrirez alors le grand marché central. Si vous venez du front de mer, vous pourrez vous y rendre par la rue Cardella. Ouv. t.l.j. de 5h à 18h.*

Très animé et pittoresque, le marché de Papeete est une véritable attraction tant il y règne une ambiance fébrile. Les échoppes sont réparties sur deux étages. **Au rez-de-chaussée** sont installés des fleuristes, des étals de poissons et de viandes locales, des spécialités préparées par les cuisiniers chinois, des légumes frais, tous les fruits tropicaux, etc.

Les galeries situées **à l'étage** sont tenues par des artisans qui proposent leurs articles en vannerie, des coquillages, des colliers, des bois sculptés, des plats décorés de motifs ornementaux, des *tiki*, des pirogues, des nacres incisées de motifs polynésiens, mais aussi de très beaux *pareu* (voir p. 20 et 152). Les abords de la halle sont occupés par les commerçants chinois, les vendeuses de chapeaux tahitiens en vannerie entre autres.

Le marché est particulièrement intéressant le **sam. après-midi** et le **dim. matin** à partir de 5h et jusqu'à 8h. On y crie, on s'agite, on gesticule, on s'affaire. Avec la destruction de l'ancienne bâtisse, les inconditionnels pouvaient craindre que le marché central de Papeete ne perde de son authenticité ; il n'en est rien, le nouvel établissement a gagné en intérêt et en diversité !

Si du marché vous revenez vers le front de mer, vous arrivez à l'**office du tourisme**, face au quai des Paquebots. En continuant vers la dr., vous atteignez la **gare maritime** B2 d'où partent les bateaux pour Moorea. En prolongeant davantage (la balade est toutefois un peu austère), vous dépassez la base maritime côté mer. À dr. se trouve la zone industrielle de **Fare Ute** B1, à g., le quai de cabotage et, tout au bout, le nouveau **port de Motu Uta** AB-2 avec la zone portuaire où sont déchargés les cargos.

En quittant le marché de Papeete, vous pouvez prendre un *truck* pour le **marché de Pirae** *(ouv. en sem. de 6h à 12h et de 14h à 18h, le dim. de 6h à 10h).* Vous quitterez Papeete par l'avenue du Prince-Hinoi et continuerez sur l'avenue du Général-de-Gaulle. Le marché de Pirae se trouve à g., peu après le pont de la Fautaua. Vous y achèterez des colliers de coquillages, des articles de vannerie, des chapeaux tahitiens, mais aussi du poisson frais, des légumes, des fleurs. Ce marché est très bien approvisionné, les prix y sont intéressants.

LES BONNES ADRESSES

Agglomération de Papeete : Papeete-ville, Faaa, Pirae, Mahina.
Offices du tourisme. GIE Tahiti Tourisme, Fare Manihini, bd Pomaré,
BP 65 ☎50.57.00, fax 43.66.19. **GIE Tahiti Animation**, Fare Manihini,
bd Pomaré, BP 1710 ☎50.57.12, fax 43.66.19. **OTAC**, BP 1709 ☎42.88.50.

Hébergement

▲▲▲▲ **Hyatt Regency Tahiti** ♥, OPK 8,5 ; BP 1015. VISA, AE, DC, MC.
☎48.11.22, fax 48.25.44. *190 ch.* Air cond., s.d.b., minibar, TV, tél., balcon. Sur la pointe du Taharaa face à la baie de Matavai. Restaurant abrité
par une coque de navire renversée. Golf, courts de tennis, piscine avec
cascades, vue panoramique, ball-trap…

▲▲▲▲ **Tahiti Beachcomber Parkroyal** ♥, OPK 7,1 ; BP 6014, Faaa. VISA,
AE, DC, MC. ☎86.51.10, fax 86.51.30. *212 ch. dont 69 standard, 111 de luxe,
17 bungalows, 15 fares junior-suites.* Air cond., réfrigérateur, TV, vidéo,
tél., s.d.b. Très bonne situation sur la pointe Tataa, dans un parc de
12 ha, cadre exceptionnel, architecture de style polynésien, service et animation de qualité, cuisine soignée. Piscines d'eau douce, plages de sable
blanc. Courts de tennis, practice de golf, sports nautiques.

▲▲▲ **Sofitel Maeva Beach**, OPK 8 ; BP 6008, Faaa aéroport. VISA, AE, DC,
MC. ☎42.80.42, fax 43.84.70. *224 ch. et appartements équipés.* Air cond.,
TV, minibar, tél., s.d.b. Au milieu d'un vaste parc bien entretenu.
Construction inspirée des *marae*. Balcons de style marquisien avec vue
sur la mer, piscine. Dans le hall, très belle collection d'antiquités mélané-
siennes. Sports nautiques, tennis, boutiques, night-club.

▲▲ **Ibis Papeete**, BP 4565. VISA, AE, DC, MC. ☎42.32.77. *72 ch. petites mais
confortables.* Air cond. Récent en centre-ville, près du port. Bar-terrasse,
boutique, shopping, night-club. Bon rapport qualité-prix.

▲▲ **Kon Tiki Pacific** A BP 111. VISA, AE, DC, MC. ☎43.72.82, fax 42.11.66.
44 ch. Air cond., dans le quartier animé du port. Balcon, vue sur le port,
la mer et l'île de Moorea. ♦♦ **Restaurant panoramique**, cuisine française
et internationale avec quelques spécialités polynésiennes. Bar, night-club.

▲▲ **Mandarin**, BP 302, Papeete. VISA, AE, DC, MC. ☎42.16.33, fax 42.16.32.
32 ch. et 5 suites. Air cond., TV, vidéo, tél., minibar. Confortable, en plein
centre-ville, à proximité du marché central.

▲▲ **Matavai**, BP 32, Papeete. VISA, AE, DC, MC. ☎42.67.67, fax 42.36.90.
138 ch. Air cond., radio, tél., balcon, s.d.b. Proche du centre-ville, dans la
vallée de Tipaerui, au milieu d'un jardin tropical. Grande piscine, courts
de squash. Bar et ♦♦ **restaurant traditionnel** au bord de la piscine.
Organisation de spectacles tahitiens, fêtes polynésiennes.

▲▲ **Prince Hinoi** B BP 4545. VISA, AE, DC, MC. ☎42.32.77, fax 42.33.66.
Situé en centre-ville. *76 ch.* Air cond., piscine, très beau restaurant.

▲▲ **Royal Papeete** D BP 919. VISA, AE, DC, MC. ☎42.01.29, fax 43.79.09.
78 ch. spacieuses. Air cond. Dans le centre-ville, en front de mer, façade
de type colonial, boutique, bar, café, night-club très animés : **Tamure
Hut et La cave**. ♦♦♦ Restaurant le **Gallieni**.

▲▲ **Royal Tahitien**, Pirae, BP 5001, Pirae. VISA, AE, DC, MC. ☎42.81.13,
fax 41.05.35. *40 très belles ch. et 5 bungalows tout confort.* En banlieue de
Papeete, au milieu d'un jardin tropical donnant sur la plage de sable noir
de Taaone. ♦♦ **Restaurant**, bar, soirées dansantes avec groupes folkloriques.

▲▲ **Tahiti**, OPK 1 ; BP 416. VISA, MC. ☎82.61.55, fax 41.31.51. *86 ch. et
18 bungalows.* Entre jardins tropicaux et lagon, de style polynésien traditionnel, belle collection d'antiquités polynésiennes dans le hall couvert de
niau. Bar, piscine. Nombreuses soirées, notamment l'élection des « Miss »,
dont Miss Tahiti au mois de juin. ♦♦ **Restaurant** de bonne tenue.

▲▲ **Tahiti Country Club**, hôtel de la chaîne TRH, OPK 7,2 ; Punaauia, BP 13019, Papeete. VISA, AE, DC, MC. ☎42.60.40, fax 41.09.28. *40 ch. en r.d.c.* Air cond., TV, réfrigérateur. Proche de l'aéroport de Tahiti-Faaa, sur une colline dominant le lagon. Piscine, tennis. Bon rapport qualité-prix.

▲ **Heitiare Inn** ○ OPK 4,3 ; Faaa, BP 6830 ☎83.33.52. *10 ch. dont 4 avec air cond.* Piscine.

▲ **Mahina Tea**, quartier Sainte-Amélie, BP 17 ☎42.00.97. *14 ch. avec s.d.b. et 6 studios avec cuisine.*

▲ **Tahiti Budget Lodge**, quartier de la Mission, BP 237 ☎42.66.82, fax 43.06.79. *11 ch.* Cuisine à disposition.

Shogun, 10, rue du Cdt-Destremeau, BP 2880 ☎43.13.93. *9 ch.* Air cond., s.d.b. et toilettes individuelles. Dans le centre-ville. Auberge japonaise de 12 lits avec douches et toilettes communes. Salon de thé, snack.

Teamo, 8, rue du Pont-Neuf, BP 2407 ☎42.00.35, fax 43.56.95. *4 ch. et 3 dortoirs.* Cuisine à disposition.

Logement chez l'habitant. Chez Sorensen, Mme Joséphine Dahl dite « Fifi », OPK 5,5, Faaa ☎82.63.30. *3 ch.* Face à l'aéroport.

À Papeete et en proche banlieue

Vous ne trouverez pas de restaurants tahitiens proprement dits dans la liste ci-après. En fait, la majorité des restaurants incluent dans leur carte les spécialités tahitiennes classiques (poisson cru, chevrettes au curry, papaye, *poe*).

♦♦♦♦ **Auberge du Pacifique** ♥, Punaauia OPK 11,5, en bord de mer. VISA, MC, AE. ☎43.98.30, fax 45.98.34. Cadre agréable et aéré, vous y dégusterez les meilleurs produits de la mer, accommodés par Jean Galopin, auteur de *La Cuisine de Tahiti et ses îles* (voir p. 229). Cuisine raffinée où les saveurs exotiques s'harmonisent avec celles de nos terroirs.

◆◆◆◆ **Coco's**, Punaauia, OPK 13. VISA, MC, AE. ☎58.21.08. Dans un *fare*, dépaysement et confort en bord de mer avec vue sur l'île de Moorea. Cuisine française raffinée, excellents desserts. Recommandé aux gourmets.

◆◆◆◆ **La Corbeille d'Eau**, bd Pomaré. VISA, AE. ☎43.77.14. Excellentes préparations de produits de la mer et quelques classiques de notre terroir.

◆◆◆ **Acajou**, front de mer à Papeete, Fare Tony. VISA, AE, DC. ☎42.87.58. Très bonnes chevrettes au curry et cuisine française classique. Spécialités chinoises.

◆◆◆ **Le Belle Vue**, hôtel *Kon Tiki Pacific*. VISA, AE, DC, MC. ☎42.28.50. Restaurant en rotonde avec vue sur le front de mer, le port, le lagon, Moorea. Très bonne cuisine française, excellents steaks, spécialités locales et chinoises

◆◆◆ **Belvédère** ♥, route Fare Rau Ape. VISA, AE, DC. ☎42.73.44. Installé dans un chalet à 600 m d'altitude. Une navette vous y conduira de votre hôtel. Site extraordinaire, panoramas sur l'île. Quelques spécialités françaises et cuisine montagnarde. Tous les soirs, fondue bourguignonne, savoyarde ou aux fruits de mer.

◆◆◆ **Le Bougainville**, au bord de la piscine du *Sofitel Maeva Beach*. VISA, AE, DC, MC. ☎42.80.42, fax 43.84.70. Buffet barbecue et danses polynésiennes.

◆◆◆ **Le Dragon d'Or**, rue Colette. VISA, AE, DC, MC. ☎42.96.12, fax 43.51.54. L'un des meilleurs chinois de Tahiti.

◆◆◆ **Gallieni**, hôtel *Royal Papeete*. VISA, AE, DC, MC. ☎42.01.29, fax 43.79.09. Très bon établissement qui propose une cuisine traditionnelle copieuse et soignée. Service attentionné.

◆◆◆ **Jade Palace**, bd Pomaré, Centre Vaima. VISA, AE. ☎42.02.19. Cadre intime et raffiné. Cuisine chinoise de grande qualité.

◆◆◆ **Le Lion d'Or**, Pirae (près du marché). VISA, DC, MC. ☎42.66.50. Décor soigné, très bonne cuisine bourgeoise avec de bonnes spécialités (poissons et fruits de mer).

◆◆◆ **Mahana-Terrasse et Captain Cook**, hôtel *Hyatt Regency*, Taharaa. VISA, AE, DC, MC. ☎48.11.22. Très bonne cuisine française et exotique, des poissons de qualité avec le service d'un hôtel de classe internationale.

◆◆◆ **Le Manava**, angle av. Bruat et rue du Cdt-Destremeau. VISA, AE. ☎42.02.91. Cuisine française avec des spécialités régionales et de bons poissons. Accueil avenant et sympathique.

◆◆◆ **Le Plazza**, *Mandarin*, rue Colette VISA. ☎42.16.33, fax 42.16.32. Spécialités chinoises exécutées de main de maître par des cuisiniers très expérimentés.

◆◆◆ **Sakura**, hôtel *Sofitel Maeva Beach*, OPK 8. VISA, AE, DC, MC. ☎42.80.42, fax 43.84.70. Toutes les spécialités japonaises dans un cadre raffiné. Très bon restaurant.

◆◆◆ **Shiosai**, hôtel *Hyatt Régency*, vers Mahina, OPK 8,5. VISA, AE, DC, MC. ☎42.12.34, fax 48.25.44. Cuisine japonaise avec sa tradition et une excellente prestation du cuisinier. À recommander.

◆◆◆ **Tiare**, hôtel *Tahiti Beachcomber*. VISA, AE, DC, MC. ☎86.51.10. Cuisine française très soignée à base de produits de la mer de première fraîcheur et spécialités internationales. Accueil courtois, service attentionné.

◆◆ **Apetahi**, av. du Général-de-Gaulle, Pirae. VISA, MC. ☎42.70.88. Restaurant traditionnel, cuisine de type brasserie, une bonne adresse. Repas rapides au snack ou à la pizzeria.

◆◆ **L'Api'zzeria**, bd Pomaré. VISA. ☎42.98.30. En front de mer, terrasse ombragée, la première pizzeria de Papeete.

◆◆ **L'Auberge**, bd Pomaré. VISA, MC. ☎42.22.13. Cuisine classique, grillades.

♦♦ **Le Bistrot du Port**, centre Bruat, bd Pomaré. VISA. ☎42.55.09. Brasserie sympathique, bonne cuisine.

♦♦ **Le Caesario**, rue Dumont-d'Urville. VISA, MC. ☎42.21.20. Spécialités italiennes et pizzas.

♦♦ **Dahlia**, Arue (après le yacht-club). VISA, AE, DC. ☎42.59.87. Cuisine chinoise soignée.

♦♦ **Don Camillo**, 14, rue des Écoles ☎42.80.96. Spécialités italiennes, pizzas et cuisine française.

♦♦ **Grillardin**, rue Paul-Gauguin (face à la mairie). ☎43.09.90. Très bonnes viandes et quelques spécialités exotiques.

♦♦ **Lou Pescadou**, rue Anne-Marie-Javouhey ☎43.74.26. Ambiance colorée et sympathique, très bonne cuisine italienne qui ne manquera pas de plaire aux amateurs.

♦♦ **Moana Iti**, bd Pomaré. VISA, AE. ☎42.65.24. Cuisine classique.

♦♦ **Petite Auberge**, au pont de l'est. VISA, AE, DC. ☎42.86.13. Toujours une bonne adresse pour un repas traditionnel et agréable dans une ambiance sympathique.

♦♦ **Le Pitate Mamao**, av. Georges-Clemenceau. VISA. ☎42.86.94. Cuisine chinoise et européenne, spécialités à emporter.

♦♦ **Rétro**, centre Vaima. VISA, AE, DC, MC. ☎42.86.83. Belle décoration. Formule brasserie de qualité avec un emplacement privilégié.

♦♦ **La Romana**, angle av. Bruat et rue du Cdt-Destremeau. AE. ☎41.33.64. Grillades, pizzas, cuisine rapide très soignée, alliée à un accueil toujours avenant.

♦♦ **La Saigonaise**, av. du Prince-Hinoi. VISA, MC. ☎42.05.35. Cuisine vietnamienne de grande qualité.

♦♦ **La Soupe Chinoise**, rue Paul-Gauguin. VISA. ☎42.97.48. Spécialité de soupes chinoises, y compris les plus traditionnelles sur commande.

♦♦ **Te Hoa**, rue du Maréchal-Foch ☎43.54.85. Cuisine chinoise de qualité.

♦♦ **Waikiki**, rue A.-Leboucher ☎42.95.27. Cuisine chinoise.

♦ **Les roulottes-restaurants.** Elles sont de plus en plus nombreuses, le soir, à Papeete le long des quais ou dans les centres urbains d'une importance suffisante pour proposer aux passants, à un prix défiant toute concurrence, un très vaste choix de mets. Vous trouverez là matière à satisfaire un petit « creux » avec des brochettes, des frites, des salades mais aussi, ce qui est nettement plus original, du poisson cru à la tahitienne, des spécialités chinoises, des grillades de veau ou même du cochon de lait, des viandes en sauce, et, pour clôturer vos agapes, des crêpes de toutes sortes. Cela va du plus simple à des mets qui ne manquent pas de saveur et d'un certain raffinement inattendu en de telles circonstances. À découvrir.

Activités sportives

Pour participer à des activités sportives, la meilleure solution est de vous adresser au pavillon nautique de votre hôtel ou au *tourist desk*. Tous les grands hôtels proposent des activités nautiques.

Bateaux à fond de verre. Ceux qui ne veulent pas se mouiller pourront tout de même bénéficier du fantastique spectacle offert par les fonds coralliens. Des excursions en bateau à fond de verre sont organisées au départ de quelques grands hôtels. Renseignements ou réservation au bureau des activités nautiques de votre hôtel et dans les agences de voyages.

Bateaux et voile. Yacht Club d'Arue, BP 1456 Papeete ☎42.78.03, fax 42.37.07. à 4 km de Papeete, côte E (face au camp militaire d'Arue). **École de voile d'Arue**, BP 50752, Pirae ☎42.23.54. **GIE Mers et Loisirs**, bd Pomaré, *fare* flottant face à la poste. BP 3488 ☎43.97.99. **Tahiti Aquatique**, hôtel Sofitel *Maeva Beach* ☎42.80.42. Croisières en catamaran au coucher du soleil, location de petits voiliers et bateaux à moteur, promenades en bateaux à fond de verre. **Club Nautique**, hôtel *Beachcomber Parkroyal* ☎86.51.10. Croisières pour la journée ou au coucher du soleil, pirogue, bateaux à moteur, ski nautique, promenades en mer, planche à voile. **Ski Nautique Club de Tahiti**, Punaauia, BP 50136 Pirae ☎42.10.38. École de ski nautique, parachute ascensionnel, catamarans légers…

Équitation. L'intérieur de l'île, les sous-bois, les franchissements de gués ou les promenades en bord de plage attireront les amateurs d'équitation. À côté de l'hippodrome de Pirae, où sont organisées des courses de chevaux, on trouve deux clubs : **Club équestre de Tahiti** ☎42.70.41. *Ouv. t.l.j. sf le lun.* Leçons et promenades en montagne. **L'Éperon de Pirae** ☎42.79.87. *Ouv. t.l.j. sf le lun.* **Poney Club de Tahiti**, BP 5027 Pirae ☎43.49.29. **Ranch Teanavai**, Papeari ☎57.70.77.

Golf. On peut le pratiquer dans les meilleures conditions possibles à 45 km de Papeete, côte O. **Golf international Olivier Bréaud** (golf d'Atimaono) ☎57.43.41 (voir p. 132). *Ouv. t.l.j. de 8h à 17h.* Ce parcours s'étend entre mer et montagne sur une longueur de 6,3 km. Ce vaste terrain, ancienne plantation de coton et de canne à sucre, offre de splendides points de vue sur la montagne ; il est agrémenté d'une belle végétation tropicale. Parcours de 18 trous de 6 352 m de longueur destiné aux professionnels, 5 950 m pour les visiteurs hommes (par 72) et pour les dames 5 797 m (par 73) ; les *fair-ways* sont bordés d'arbres fruitiers et de cocotiers. Un « Proshop » permet la location de matériel et l'achat d'accessoires. Restauration au snack-bar du complexe. Piscine et jacuzzi.

Parapente. Unique à Tahiti en raison de l'exceptionnelle beauté des sites montagneux et des multiples pitons rocheux d'où s'élancent des amateurs. Excursions d'une journée avec pique-nique inclus. **Club de Tahiti Parapente**, BP 10405, Paea ☎58.26.12. **Air Evasion**, BP 5323 Pirae ☎58.22.88, fax 43.72.01.

Pêche, promenades en mer. Plusieurs bateaux de pêche ou de promenade, parfaitement aménagés, sont disponibles avec leur équipage pour des sorties d'une ou plusieurs journées. Les forfaits « tout compris » incluent un repas léger et la fourniture du matériel de pêche. Pêche au gros (thon, espadon, *mahi-mahi* c'est-à-dire coryphène), en fonction de l'embarcation, jusqu'à 15 personnes. Le **GIE Mers et Loisirs**, *fare* flottant en bord de mer ☎43.97.99, vous fournira les tarifs. Mini-croisières à Tetiaroa pour la journée ou mini-croisières de 3 jours à Tahiti, Moorea et Tetiaroa. Réservez votre sortie sur place, auprès d'une agence de voyages ou du centre d'activités nautiques de votre hôtel.

Plongée et exploration sous-marines. **Tahiti Plongée**, hôtel *Te Puna Bel Air* ☎41.00.62. École de plongée très active. Tous les jours dans le lagon ou à l'extérieur du récif. École pour enfants. Il est aussi possible de plonger de nuit ; le matériel se loue sur place. **Yacht Club de Tahiti** (YCT), Arue, EPK 4,2 ☎42.23.55. Débutants ou plongeurs confirmés. Plongées sur Moorea à bord d'un bonitier. **Tahiti Aquatique**, hôtel *Maeva Beach* ☎41.08.54. Un plongeur biologiste vous propose des plongées dans ou hors du lagon. **Centre de Plongée**, hôtel *Beachcomber Parkroyal* ☎86.51.10.

Squash. Un club de squash fort dynamique a son siège à l'**hôtel** *Matavai* de Papeete. Les touristes férus de ce sport ou souhaitant s'y initier trouveront sur place le meilleur accueil. Deux courts de squash, parfaitement aménagés, sont disponibles ☎42.67.67.

Surf. Le surf est très pratiqué à Tahiti. Les meilleurs endroits sont, d'oct. à mai, sur la côte E, à Papenoo et, de mai à sept., sur la côte O, à la pointe des Pêcheurs, à Paea et à Papara.

Tennis. Tous les grands hôtels sont équipés d'au moins 2 courts de tennis en dur. Le Fautaua Tennis Club dispose de 5 courts en dur près du stade Fautaua à Pirae. Réservations indispensables ☎42.00.59. Il y a plusieurs autres clubs de tennis à Papeete, mais en majorité privés. Inscriptions possibles à l'année.

Autres activités sportives. Piscine olympique à la sortie de Papeete, côte ouest ☎42.89.24. **Bowling club de Tahiti**, Arue, EPK 5,6 (près de la mairie) ☎42.93.26. *Ouv. t.l.j. sauf lun.*

Loisirs et culture

Cinémas. La qualité des salles et des programmes s'est considérablement améliorée au cours des quatre dernières années. Certains films sont projetés avec un décalage de 5 à 6 mois par rapport à Paris. Les programmes paraissent dans les quotidiens.
Concorde 1 et 2, centre Vaima ☎42.63.60. Nombreuses séances à partir de 12h. Confort et sonorisation dignes des salles parisiennes. Climatisation. **Hollywood 1 et 2**, Fare Tony, côté rue Lagarde ☎42.65.79 et 42.04.02. Deux petites salles modernes climatisées. **Liberty**, rue du Maréchal-Foch ☎42.08.20. Matinées et soirées. **Mamao Palace**, rue du Cdt-Chessé, Pirae (près de l'hôpital Mamao) ☎42.54.69. Bon confort, matinées et soirées. Trois salles climatisées. Début des séances le sam. à 9h.

Expositions. Les expositions de peinture sont fréquentes à Papeete : **Galerie Noa-Noa**, bd Pomaré face au GIE Tahiti Tourisme ☎42.73.47. **Galerie Laurent Winkler**, rue Jeanne-d'Arc ☎42.81.77. **Art gallery Buffoni**, av. Georges-Clemenceau ☎43.93.03. **Galerie des Tropiques**, immeuble Haura ☎41.05.00. **Matamua**, bd Pomaré ☎41.34.95. **Planète Emeraude**, av. du Prince-Hinoi ☎45.22.99.

Spectacles et vie nocturne

Bals. Les hôtels *Tahiti* et *Matavai* organisent en fin de semaine de grands bals (orchestres tahitiens ; danses modernes et tahitiennes). Si vous avez la chance d'être à Tahiti un soir d'élection de « Miss » (elles sont nombreuses), c'est une occasion à ne pas manquer ; dans ce cas, il est prudent de réserver ; se renseigner au GIE Tahiti Tourisme.

Bars. **Armand**, quai Gallieni ☎42.88.18. **Auberge**, quai Gallieni ☎42.22.13. **Café de la Gare**, Fare Tony ☎42.75.95. **Calypso**, quai Gallieni ☎42.17.53. **Chaplin's**, bd Pomaré ☎42.73.05. **La Cave**, front de mer ☎42.01.29. **Le Manava**, av. Bruat ☎42.02.91. **Morrison's café**, centre Vaima ☎42.78.61. **Le Kikiriri**, rue des Écoles ☎43.58.64. **Le Palais de la Bière**, rue des Écoles ☎42.97.85. **Le Pitate**, av. Bruat (à côté du restaurant *Manava*) ☎42.83.04. **Le Rétro**, centre Vaima ☎42.86.83. **Taina**, quai Gallieni ☎42.64.40. **Le Tiki d'Or**, rue Lagarde ☎42.07.37. Tous les grands hôtels ont un ou plusieurs bars, généralement ouverts de 10h à minuit.

Dîners-Spectacles. Le repas traditionnel polynésien ou *tamaaraa* (voir p. 43) est toujours synonyme de fête. Avant l'ouverture du four tahitien, les invités sont conviés à un spectacle de danses ou de chants. La qualité des spectacles et des repas fait du *tamaaraa* un événement à ne pas manquer. Les repas traditionnels, fêtes, soirées organisées par un hôtel sont accessibles à tous, sans qu'on soit forcément client de l'établissement ; il convient en tous cas de réserver à l'avance, en téléphonant soit au GIE Tahiti Tourisme, soit directement dans les établissements, pour connaître le programme de la semaine. On peut aussi consulter le Minitel 3615 TAHITI.
Tahiti Beachcomber Parkroyal ☎86.51.10. VISA, MC, DC, AE. « Soirée fabuleuse », chaque ven. soir. L'une des plus belles soirées de l'île, à laquelle participent les locaux. Le restaurant est installé sur une plage de sable blanc. La reine arrive en pirogue et les festivités commencent : gigan-

tesque buffet de fruits de mer, langoustes grillées et bouillies dressées en impressionnantes pyramides, meilleurs poissons diversement accommodés, plats exotiques raffinés, tables entières de desserts. Les groupes de danse se succèdent sur un podium dominant la plage. Chaque dim., fête tahitienne avec four polynésien et buffet, dîner-spectacle. Après les fêtes de Heiva Taupiti, fin juil., début août, rétrospective des meilleurs groupes de Tahiti et des îles. Chaque dim. soir, très belle revue polynésienne. **Hyatt Regency** ☎46.12.34, chaque ven. et sam. à partir de 19h. Revue polynésienne de qualité, *Ia Ora Tahiti*. Dîner-spectacle, *tamaaraa* le dim. Dîner à la carte.

Sofitel Maeva Beach ☎42.80.42. *Tamaaraa* avec four tahitien, ballets, pratique du tressage, de la vannerie, confection de couronnes de fleurs, sculpture, chants. Chaque dim. midi.

Hôtel Tahiti ☎82.95.50. Une ambiance très animée tous les ven. midi avec un somptueux buffet de fruits de mer très apprécié des locaux. Après le repas, c'est la « bringue tahitienne », ambiance garantie. **Te Puna Bel Air** ☎42.82.24. *Tamaaraa* tahitien le lun. soir. Bal. Spectacle de danses folkloriques une fois par sem. Autres soirs, orchestre Paumotu.

Discothèques. Les hauts lieux de la vie nocturne de Tahiti sont aussi pittoresques qu'excentriques ! Cela dépend en grande partie de l'établissement, du jour, des clients… Voici quelques endroits connus, mais leurs noms changent assez fréquemment. Bon nombre d'entre eux sont regroupés dans la rue des Écoles. Ils sont ouverts de 10h à 3h du matin ; quelques boîtes ferment à 1h.

Calypso, quai Gallieni ☎42.17.53. **La Cave** (hôtel *Royal Papeete*), quai Gallieni. **Club 5**, rue des Écoles ☎42.97.85. **Club 106**, front de mer, immeuble Moana lti ☎42.72.92. **Lido**, rue des Écoles ☎42.95.84. **Mayana**, centre Bruat, 2e étage ☎43.82.29. **Le Piano Bar**, le classique « gay » de Tahiti. **Pitate**, av. Bruat. Orchestre local. *Ouv. t.l.j. de 21h à 2h du matin* ☎42.83.04. **Tamure Hut** (hôtel *Royal Papeete*) ☎42.01.29. **Zizou Bar**, quai Gallieni, front de mer ☎42.07.55. Une institution de Tahiti.

Shopping

Quelques années ont suffi à rendre le centre de Papeete méconnaissable. Les transformations se poursuivent. Les vieilles bâtisses chinoises en planches des quartiers commerçants et du front de mer se font rares et les commerces sont de plus en plus spécialisés, alors qu'autrefois « le Chinois » vendait tout dans la même échoppe. Ce fait nouveau est dû à l'apparition de grands centres commerciaux qui regroupent, dans un périmètre limité, tous les commerces que l'on peut rechercher. Le premier apparu, et le plus important, est le **centre Vaima**, puis le **centre Aline**, **Fare Tony**… Le **marché central** (voir p. 118) offre la plus grande diversité de boutiques d'artisanat local de Papeete. En règle générale, ces centres commerciaux ne sont pas des supermarchés mais des ensembles de magasins. Sont annexés aux centres commerciaux des bars, des restaurants, un dancing, une piscine, des cinémas. Vous trouverez des vêtements, chemises, robes, *pareu* dans la plupart des *curios* et boutiques de ces complexes. Une adresse à ne pas manquer : **Marie Ah You Couture**, bd Pomaré ☎42.03.31.

Les centres artisanaux. Tissus, pareu, sculptures en bois, etc. **Pu Maohi Faaati**, av. Georges-Clemenceau, derrière Toyota Mamao ☎42.63.65. **Pu Maochi**, av. du Régent-Paraita ☎43.70.26. **Pu Tamatea**, bd Pomaré-IV, quartier Patutoa ☎43.97.62.

Les curios (artisanat, tissus, nappes). On y trouve toutes les productions d'artisanat : sculptures marquisiennes en bois ou en pierre, nacres, sculptures sur nacres, *tapa* fidjiens, tongiens ou marquisiens, sculptures anciennes d'importation d'art océanien, bois tourmentés sculptés de visages typiques polynésiens, casse-tête et haches marquisiens, mais aussi les articles plus courants. Les productions en série qui inondent les boutiques d'artisanat font parfois bien piètre figure. Inversement, il existe encore de très belles pièces exécutées par les artistes contemporains. **Aline Curios,** centre Aline, Fare Tony ☎42.54.42. **Celina Curios,** quartier du Commerce ☎42.82.90. **Les Curios Tahitiens,** allée Pierre-Loti, Pirae (quartier Titioro) ☎42.80.93. **Exotic,** front de mer ☎42.43.65. **Ganesha,** arts du Pacifique, Centre Vaima ☎43.04.18. **Manuia Curios,** pl. Notre-Dame ☎42.04.94 (quelques pièces intéressantes). **Manuia Junior Curios,** rue des Écoles ☎42.88.34. **Mareva Curios,** Fare Tony, front de mer ☎42.52.17. **Noa Noa,** bd Pomaré, front de mer ☎42.73.47. **Pacific Curios,** av. du Prince-Hinoi ☎42.07.84. **Shangrila,** rue Clappier ☎42.77.97. Porcelaines de chine, coffrets, laques… **Tahiti Art,** front de mer, centre Aline ☎42.97.43.

Chapeaux. Grand choix autour du marché central de Papeete *(ouv. sam. et dim. matin),* au marché de Pirae et dans les *curios* de la ville.

Colliers de fleurs. Vous en trouverez toujours à l'aéroport de Tahiti-Faaa avant l'arrivée des avions, puisqu'il est de tradition de « couronner » les nouveaux venus. On trouve aussi de très beaux colliers dans les centres artisanaux, surtout au marché central de Papeete, à l'entrée du bâtiment et autour. Allez-y si vous vous trouvez à proximité. Grande animation à l'arrivée des bateaux de croisière.

Coquillages de collection. On en trouve surtout au marché central de Papeete et dans les *curios.* Avant d'acheter, faites-vous préciser la provenance. Les spécialistes vous encourageront à la prudence si vous recherchez des pièces de collection, de nombreux coquillages vendus à Tahiti sont importés des Philippines et des régions productrices de l'océan Indien. Inversement, aucun problème avec les différentes déclinaisons de l'huître perlière *Pinctada Margaritifera* que l'on propose à l'état brut, polie ou lustrée sur la face externe des valves, sans ou avec inclusion de demi-perle, *mabe,* ou même sculptée d'élégants motifs marquisiens. Il s'agit dans ce cas d'authentiques productions locales que l'on peut acquérir sans hésitation. On trouve aussi de belles réalisations exécutées avec les troca (gros escargots marins exploités pour la nacre).

À voir absolument : le **musée de la Perle noire** à Papeete et le **musée du Coquillage,** PK 35,9, Papara ☎57.45.22. *Ouv. t.l.j. de 8h à 17h et sam./dim. de 9h à 17h* (voir p. 112 et 132).

Colliers de coquillages. La halle de l'aéroport de Faaa est couverte de *niau.* Les vendeuses de colliers y présentent leurs marchandises dans des corbeilles tressées. Dès que vous pénétrez dans « l'arène », vous êtes hélé par les vendeuses. Prix intéressants en raison du débit. Achetez les colliers avant le départ des avions long-courriers.

Au **marché central de Papeete,** vente de colliers et de coquillages par les marchands qui occupent les galeries du 1er étage. Vous y achèterez des pièces très élégantes. Les collectionneurs de coquillages visitent régulièrement ces stands, où l'on fait quelquefois des trouvailles ! De même, on trouve au **marché de Pirae** de très beaux colliers de coquillages.

Librairies. On trouve à Tahiti tous les livres sur la Polynésie française ainsi que les grands romans, les nouveautés, etc. Pour un prix modique, les excellentes publications de la Société des océanistes, en vente localement, sont, à elles seules, une remarquable petite encyclopédie de la vie polynésienne présente et passée. **Archipels,** 68, rue des Remparts ☎42.47.30. Grand choix de livres sur la Polynésie, cassettes vidéo sur les principaux archipels polynésiens, récits de voyages, récits historiques… **Hachette Pacifique,** av. Bruat et centre Vaima ☎42.56.10. Très bien approvisionnée ; on y trouve tous les livres, la presse et des cassettes vidéo.

Klima, pl. Notre-Dame ☎42.00.63. **La Nouvelle Cythère**, rue Pomaré-IV ☎42.60.33. **Le Petit Prince**, Punauia ☎43.26.24.

Disquaires. Kinny Music, Fare Tony ☎42.57.09. **Music Shop**, rue du Général-de-Gaulle ☎42.85.63. **Sincère**, bd Pomaré, front de mer ☎42.00.60. **Tahiti Music**, pl. Notre-Dame ☎42.74.83.

Joailleries ♥. Les perles noires et la haute joaillerie représentent Tahiti et ses îles dans le monde. Les perles noires brutes ou les créations de joailliers polynésiens connaissent actuellement des succès sans précédent aux États-Unis, au Japon, en Italie, en Allemagne et en Suisse. La France découvre depuis peu la fascination de ces joyaux d'exception. On peut trouver une perle à partir de 150-250 F et jusqu'à 10 000 F ou plus (voir p. 104).

Quelques joailliers ont des signatures déjà prestigieuses, certains ont reçu des prix internationaux : c'est le cas notamment de Michel Fouchard et de Robert Wan. Les artistes ne manquent pas à Tahiti, et rivalisent de goût et d'ingéniosité. Toutes les perles que l'on achète en Polynésie sont véritables, l'importation de perles teintées artificiellement est interdite et les contrôles de l'État sont très stricts. Des certificats d'authenticité sont souvent délivrés automatiquement ou à la demande de l'acquéreur.

Artisor, 6 rue Jeanne-d'Arc et centre Vaima. **Galerie Hibiscus** ☎43.65.22. Fabrication de bijoux, vente de perles. **Chechillot Daniel**, quartier du Commerce ☎42.74.56. **Joaillerie Martin**, quartier du Commerce ☎42.08.18. **Joaillerie Noa-Noa**, bd Pomaré ☎42.77.35. **La Pagode d'Or**, rue Paul-Gauguin ☎42.80.95. **Michel Fouchard Joaillier**, angle bd Pomaré/front de mer ☎42.05.32. **Mourareau**, av. du Prince-Hinoi ☎42.95.93. **My Pearls**, 1 av. du Prince-Hinoi ☎43.24.69. **Poe Rava**, Pirae ☎42.96.84. **Sibani**, Centre Vaima ☎41.36.34. **South Sea Pearl Co.**, centre Vaima ☎42.56.68. **Tahiti Perles**, bd Pomaré ☎42.46.44. **Vaima Perles**, centre Vaima ☎42.55.57. **Bijouterie Tamanu**, centre commercial Tamanu ☎58.45.94 (voir p. 104) et bien d'autres !

À Papeete, l'Office polynésien d'expertise et de commercialisation de la perle de Tahiti propose à la vente des perles noires avec leur certificat d'expertise et leur radiographie. **OPEC**, 20, rue Paul-Gauguin (1er étage) ☎45.36.26.

Adresses utiles

Aéroport. Tahiti-Faaa ☎82.60.61. **Service passagers** ☎86.42.17. **Litiges bagages** ☎86.42.21.

Agences de voyages. Kia Ora Tours, bd Pomaré (près du temple Paofai), BP 1588 ☎43.04.98, fax 41.34.72. **Manureva Tours**, Fare Tony, BP 1745 ☎42.72.58, fax 42.48.43. **Paradise Tours**, Tipaerui, BP 2430 ☎42.49.36, fax 42.48.62. **Tahiti Nui Travel**, centre Vaima, BP 718 ☎42.68.03, fax 42.74.35. L'une des agences de voyages les plus importantes ; elle propose, par exemple, des excursions d'une journée, au départ de Tahiti, en avion, en bateau mais aussi en pirogue à moteur, vers Tetiaroa, Moorea et Bora Bora. **Tahiti Poroi Travel**, Fare Ute (à côté de Nauti-Sports), BP 83 ☎42.00.70, fax 43.53.35. **Tahiti Tours**, rue Jeanne-d'Arc, BP 627 ☎42.78.70, fax 42.50.50. **Voyagence Tahiti**, immeuble Donald, bd Pomaré, BP 274 ☎42.72.13, fax 43.21.84. Spécialisé dans les formules « vacances sur l'eau ». **GIE Mer et Loisirs**, *fare* flottant face à la poste, BP 3488 ☎43.97.99, fax 43.33.68.

Autocars. Arii Transports Touristiques ☎42.49.36. **Lechaix Transports**, Hamuta, Pirae ☎42.72.32. **Transpolynésie**, Tipaerui ☎42.68.03. **Transports Touristiques Tahitiens**, Tipaerui ☎43.71.84.

Banques. Paribas, immeuble Vaite, bd Pomaré, BP 4479 ☎43.71.00, fax 43.13.29. **Banque de Polynésie**, bd Pomaré, BP 530 ☎46.66.66, fax 46.66.64. **Socredo**, rue Dumont-d'Urville, BP 130 ☎41.51.23, fax 43.36.61. **Banque de Tahiti SA**, rue Cardella, BP 1602 ☎41.70.00, fax 42.33.76. **Westpac**, pl. Notre-Dame, BP 120 ☎46.79.79, fax 43.13.13.

Compagnies aériennes internationales. Air Calédonie International, aéroport de Tahiti-Faaa, BP 4585 ☎85.09.04, fax 85.69.05. **Air France,** centre Vaima, BP 4468 ☎43.63.33, rés. 42.22.22, fax 41.05.22. **Air New Zealand,** centre Vaima, BP 73 ☎54.07.47, fax 42.45.44. **AOM,** 90, rue des Remparts, BP 398 ☎54.25.25, fax 43.62.28. **Corsair,** 9, pl. Notre-Dame, BP 116 ☎42.28.28, fax 42.29.09. **Hawaiian Airlines,** centre Vaima, BP 20702 ☎42.15.00, fax 45.14.51. **Lan Chile,** centre Vaima, BP 1350 ☎42.64.55, fax 42.18.87. **Polynesian Airlines,** BP 4468 ☎42.22.22, fax 41.05.22. **Quantas,** centre Vaima, BP 1695 ☎43.88.38, rés. 43.06.65, fax 41.05.19.

Compagnies aériennes intérieures. Air Tahiti, bd Pomaré, BP 314, immeuble Fare Tony ☎86.40.00, rés. 86.42.42, fax 86.40.69. Dessert l'ensemble des îles sauf Moorea. **Air Moorea,** BP 6019, aéroport de Faaa ☎86.41.00, rés. 86.41.41, fax 86.42.99. Dessert Moorea et Tetiaroa.

Compagnies d'hélicoptères. Héli-Pacific, BP 6109, Papeete ☎ 85.68.00, fax 85.68.08. **Héli-Inter Polynésie,** BP 424 Papeete ☎ 81.99.00, fax 81.99.99.

Consulats. Allemagne, BP 452 ☎42.99.94, fax 42.96.89. **Australie,** c/o Quantas Airways, BP 1695 ☎43.06.65, fax 41.05.19. **Autriche,** représentant de **La Suisse** et du **Liechtenstein,** BP 4560 ☎ 43.91.14, fax 43.21.22. **Belgique,** BP 6003 ☎82.54.44, fax 83.55.34. **Chili,** BP 952 ☎43.89.19, fax 43.48.89. **Corée,** BP 2061 ☎43.64.75, fax 45.45.74. **Danemark,** BP 548 ☎43.68.30, fax 54.04.55. **Finlande,** BP 2870 ☎42.97.39, fax 43.42.63. **Grande Bretagne,** BP 1064 ☎42.43.55, fax 81.98.41. **Italie,** BP 380412 ☎43.45.01, fax 43.45.07. **Pays-Bas,** BP 2804 ☎43.06.86, fax 43.56.92. **Suède,** BP 1617 ☎42.73.93, fax 43.49.03.

Hôpitaux et cliniques. Plusieurs hôpitaux permettent de soigner sur place la plupart des affections ou accidents. **Hôpital territorial de Mamao,** av. Georges-Clemenceau, Pirae, quartier de Mamao ☎42.01.01. **Hôpital militaire** Jean-Prince ☎46.45.00. **Hôpital de Vaiami,** rue du Cdt-Destremeau ☎42.93.70.

Il existe aussi plusieurs cliniques parfaitement équipées, bénéficiant de très bonnes équipes médicales. **Clinique Cardella,** rue Anne-Marie-Javouhey ☎42.80.10 et urgences ☎42.81.90. **Clinique Paofai,** angle du bd Pomaré et de la rue du Lieutenant-Varney ☎43.02.02, urgences ☎43.77.00.

Location de voitures. André, Fare Ute ☎42.94.04. **Avis,** rue Charles-Viennot ☎42.96.49, aéroport de Faaa ☎82.44.23, agences dans les grands hôtels. **Budget** ☎43.80.79, fax 43.39.26, agence aéroport ☎83.01.05. **Hertz** ☎42.04.71, agence aéroport ☎82.55.86. **Pacificar** ☎41.93.93, aéroport ☎85.02.84. Prix indicatif de la location : 150 à 300 F par jour.

Photo. Les développements rapides de vos films sont possibles à Tahiti, avec toutes les garanties de qualité. **Photo Te Pari,** rue Paul-Gauguin ☎42.07.58. **Polydis** traite les films de toutes les marques, y compris les Ektachrome. Dépôt des films chez le photographe ☎42.82.82. **Photo Tahiti,** centre Vaima ☎42.97.34. **Q.S.S.** centre Vaima ☎43.61.11. Autres centres : bd Pomaré, Euromarché, Arue et face à l'hôpital Mamao. **Tahiti Labo Color,** Fare Ute ☎42.74.45. Laboratoire officiel Kodak. Traitement de la marque et vente de tous les films, conservés en chambre froide.

Taxis. Aéroport de Tahiti-Faaa ☎83.30.07. Place du Marché ☎43.19.62. Bd Pomaré, centre Vaima ☎42.33.60. À l'angle du bd Pomaré et de la rue des Écoles ☎42.35.98.

LE TOUR DE L'ÎLE DE TAHITI ♥

L'île de Tahiti mérite une visite approfondie. Vous découvrirez d'ouest en est d'étonnants sites archéologiques, un musée exceptionnel dédié à l'ensemble des archipels polynésiens, un autre très différent consacré à Gauguin, un lagoonarium surprenant, un jardin botanique unique, et partout, une nature tropicale resplendissante.

■ TAHITI MODE D'EMPLOI

Circuler

Tôt le matin, on peut envisager de faire le tour de l'île en *truck* au départ de Papeete, en prévoyant un retour vers 15h30-16h. Passé cette limite, vous risquez de ne pas pouvoir rentrer. Il ne faut pas oublier que la nuit tombe très tôt (18 à 19h suivant la saison). Louer une voiture pour 1 ou 2 journées est de très loin la meilleure solution, la plus souple aussi. Pour un séjour plus long, on peut envisager une découverte des panoramas grandioses de l'intérieur en véhicule 4x4 tout-terrain. Enfin, l'île peut aussi être découverte de l'extérieur en louant un voilier ou une autre embarcation (ne pas manquer les côtes sauvages du Pari).

S'orienter

Sur une circonférence de 176 km, 115 km de route goudronnée vous permettront de faire le tour de Tahiti. Les repères sont indiqués en points kilométriques (PK), c'est-à-dire en distance les séparant de Papeete. La route est jalonnée, côté montagne, de bornes plus ou moins visibles. Nous distinguerons les PK côte ouest en les faisant précéder de la lettre O alors que la lettre E indiquera les PK de la côte est.

Programme

Il est préférable d'effectuer le tour de l'île dans le sens inverse des aiguilles d'une montre, c'est-à-dire en débutant par la côte O, au départ de Papeete. Les raisons de ce choix sont multiples ; l'éclairage favorable à la photographie, les aspects plus urbains de l'île à visiter avant les sites où la nature domine.
Prévoyez 1 ou 2 journées. Vous pouvez alors réserver 1 jour au tour de l'île en excluant la visite du musée de Tahiti et de ses îles, du jardin botanique et du musée Gauguin, réservé pour le lendemain. Si vous n'êtes pas limité dans le temps, une journée supplémentaire pourra être consacrée à un survol de l'île en hélicoptère et/ou à une découverte en 4x4 des montagnes, des lacs et des cascades de l'intérieur de l'île.

De Papeete à Taravao

Pour quitter Papeete, deux possibilités s'offrent à vous :
En suivant le front de mer (quai de l'Uranie), vous optez pour la route des collines. Un parcours de 5 à 6 km vous conduit directement à **Utumaoro** à la hauteur du *Maeva Beach* et du *drive-in* Gauguin, où l'on rejoint la route de ceinture à double voie (**OPK 8**). Au départ de Papeete, très beau panorama à dr. sur le lagon, la passe et **Moorea** (au même endroit en sens inverse, magnifique vue sur la rade, le port et la ville). À la redescente vers **Punaauia**, vue dégagée sur **Taapuna**, le lagon et la passe. Sur la voie rapide, 2 sorties, l'une à la hauteur de la route de **Pamatai**, l'autre à la route des Maraîchers (sortie vers l'aéroport de Faaa), permettent de rejoindre la route de ceinture ou de monter vers les hauteurs.
Par la rue du Cdt-Destremeau, vous quittez la ville en passant devant le lycée Paul-Gauguin, à g., l'école de Tipaerui-Plage à dr. Vous atteignez bientôt l'hôtel *Tahiti* côté mer et retrouvez l'embranchement de la route de Pamatai.
Pamatai mérite un détour. La route qui y conduit s'élève en lacet à flanc de montagne. Beau point de vue sur Papeete, sa rade, le lagon, l'océan et Moorea. 1 km plus loin, le laboratoire de géophysique de l'ORSTOM (Office de la recherche scientifique et technique d'outre-

mer) ne se visite pas. Enfin, après 500 m de piste, un magnifique panorama ouvert sur l'espace compris entre la **pointe Vénus** (côte E) et l'aéroport de Faaa (côte O). Au retour, vous trouverez la route de ceinture au **PK 3,5**.

OPK 5,5 : aéroport international de Faaa.

OPK 7,4 : hôtel *Beachcomber Parkroyal*, édifié sur la *pointe Tataa*, constituée de tuf volcanique mêlé à des polypiers coralliens. C'est à ce niveau qu'au cours de l'histoire géologique de Tahiti sont apparues les premières formations coralliennes.

OPK 7,5 : hôtel *Te Puna Bel Air* (côté mer).

OPK 8 : hôtel *Maeva-Beach* (côté mer).

OPK 9,5 : une petite route goudronnée mène, côté montagne, à la résidence *Taina*. Très beaux points de vue** sur le lagon, l'océan, la baie de l'hôtel Sofitel *Maeva Beach* et Moorea. De retour sur la route de ceinture, laissez côté mer, deux petits ports de plaisance : la **Marina de Taina** puis la **Marina Lotus**. Côté montagne, le quartier du Lotus d'où l'on bénéficie aussi de vues splendides. Montez jusqu'à la citerne pour un panorama de Faaa à la côte de **Punaauia**.

OPK 11,4 : le **Lagoonarium**** (☎43.62.90. *Ouv. t.l.j. de 9h à 18h*). C'est un grand *fare*. Restaurant-bar de décoration polynésienne, prolongé par un deck (plate-forme) en bois qui surplombe le lagon et par un ponton qui mène à des parcs où évoluent des requins et quelques espèces de poissons locaux. Vous pénétrez dans la gueule béante d'un requin pour accéder aux pièces vitrées immergées dans le lagon. C'est dans une ambiance aux reflets mouvants bleu turquoise que vous admirerez le ballet des poissons. La vedette revient aux requins de lagon et aux tortues de mer.

OPK 12 : côté mer, l'**église Saint-Étienne**, l'une des plus vieilles de Tahiti, a été rasée et remplacée par une église moderne sans doute plus fonctionnelle ! Dans le cimetière, la **tombe de Tiurai**, guérisseur célèbre (en tahitien, *tiurai* signifie juillet).

OPK 12,5 : école « 2+2=4 ». Le nom a été donné par Jean Souvy qui fit don du terrain et ne manquait pas d'humour ! 200 m plus loin, **école de Punavai** (côté mer) et embranchement de la route de Punavai (côté montagne).

OPK 13 : temple protestant.

OPK 14,5 : vallée de la Punaruu et plateau des Orangers. 200 m avant d'atteindre le PK 14,5, vous traversez le pont de la Punaruu qui se jette dans la baie de **Punaauia**. Un chemin de terre vous permet de remonter la vallée sur plusieurs km en voiture. Les amateurs de marche emprunteront ensuite un sentier qui, longeant la **vallée de la Punaruu**, mène au **plateau des Orangers** (plateau de Tamanu, 598 m). Comptez 4 à 5 heures de marche. Un refuge en bordure de chemin, le *fare* Anani, sert d'abri en cas de mauvais temps. Les orangers sauvages produisent leurs fruits en juillet et août. Les Tahitiens les vendent en bordure de route à des prix qui s'expliquent par les grandes difficultés de récolte et de transport. Les oranges sont succulentes et on ne peut plus naturelles ! **Du PK 15 au PK 18** : la plus belle (et la seule) plage de sable blanc de Tahiti.

OPK 14,6 : **Musée de Tahiti et ses îles***** (☎58.34.76, *fax 58.43.00. Ouv. du mar. au dim. de 9h30 à 17h30 ; entrée payante*). Il s'agit de l'ancien musée de Papeete, considérablement agrandi, modernisé, construit en bordure de mer, au milieu d'une pelouse au pied d'une cocoteraie. À 100 m après **le port de la Punaruu**, à la sortie du virage, prendre une petite route goudronnée à dr. (pointe des Pêcheurs). Continuer env. 500 m et tourner à dr. à la pancarte « P » (parking). Le musée est au fond du chemin.

Du parc, vous découvrirez un panorama très dégagé sur Moorea grâce à la passe qui interrompt le récif-barrière, dans l'axe de la Punaruu. Côté montagne, belle vue étendue sur la vallée. Ce parc est à orientation ethnographique et historique : une partie est consacrée au milieu naturel marin et terrestre, une autre partie à l'histoire de la Polynésie. Enfin, de nombreux objets permettent de découvrir le mode de vie et l'art avant la découverte européenne. À voir absolument la salle des *tiki*. Le musée s'est récemment enrichi de la collection d'objets d'art polynésiens de James Hooper.

Le musée est associé au Département des traditions. Avec le Département archéologique, ils constituent le **Te Anavaharau, Centre polynésien des sciences humaines :** à voir absolument.

OPK 18,8 : *marae* de Taata*, côté montagne. Si vous êtes limité dans le temps, visitez plutôt le *marae* suivant (**PK 22,4**).

OPK 21,5 : mairie de Paea.

OPK 22,4 : *marae* d'Arahurahu**. On y accède par un étroit chemin goudronné situé juste après le magasin chinois qui se trouve côté montagne. Après un court passage en sous-bois, ombragé et à 200 m de la route, se trouve un petit parking limité par l'enceinte du *marae*. Poursuivez à pied. On découvre plusieurs terrasses de pierre, un *fare* en bambou qui servait aux prêtres, un enclos où étaient enfermés les porcs destinés aux sacrifices, une plate-forme en bois sur laquelle séchaient les corps des chefs, au soleil, avant d'être déposés dans des grottes en montagne. Le *marae* d'Arahurahu a été très bien restauré. Il est en bon état de conservation et des reconstitutions historiques y sont organisées chaque année en juillet pendant les **fêtes du Heiva I Tahiti*** (à voir absolument si vous avez la chance de vous trouver à Tahiti à cette période de l'année ; voir p. 46).

OPK 27 : la route longe la mer. La végétation luxuriante traduit un microclimat nettement plus humide que celui de la côte de Punaauia.

OPK 28,5 : grottes naturelles de Maraa** (qui signifie « soulevée »), côté montagne. Cette vaste cavité creusée dans la roche abrite un petit lac où stagne une eau noire. La grotte de Maraa a été qualifiée de « véritable entrée des Enfers ». Le plafond, en forme d'arche, donne l'impression d'aller en s'abaissant vers les entrailles de l'excavation. En lançant un caillou, il est difficile d'en atteindre le fond. Inutile de vous harnacher d'un équipement de plongée… l'eau est glacée. Pendant la saison chaude, les enfants s'ébrouent joyeusement et s'aspergent d'eau fraîche.

Par un sentier touristique aménagé à flanc de falaise, vous pénétrez dans un milieu où règnent de riches frondaisons de fougères et un cortège de plantes vertes communes dans les lieux frais et humides. Après une petite promenade à pied de 20 mn, vous découvrirez l'ensemble des grottes de Vaipoiri, Mata Vaa et Te Ana Tetea.

OPK 36 : église Saint-Michel* (bord de mer). Sa haute façade est sur-montée d'un clocheton carré. Peu après, le temple est caractérisé par un lourd porche que domine un clocheton octogonal. On traverse ensuite le pont de l'Ahoaraa. Les rivières Ahoaraa, Papeiti et Vaiata découpent la montagne et ouvrent, par temps clair, sur le **mont Orohena** (2 241 m), point culminant de Tahiti. Côté montagne, vous pouvez visiter le **musée du Coquillage**** (*☎57.45.22, fax 57.37.78. Ouv. t.l.j. de 8h à 17h et les sam. et dim. de 9h à 17h*). Seul musée de cette sorte, il abrite une exceptionnelle collection de coquilles, et des aquariums d'eau de mer aux hôtes multicolores.

OPK 37 : pont de la rivière Ahoaraa, très belle vue sur la montagne.

OPK 38,9 : plage des surfeurs*. Traversez le grand pont en « dos d'âne » de la rivière Taharuu. Immédiatement après, prenez le che-min de terre à dr. qui conduit à la mer. Le surf s'y pratique surtout de mai à oct. (sam. et dim.).

OPK 39 : *marae* **de Mahaiatea*** (bord de mer). Indiqué par un pan-neau en bord de route. Un chemin de terre vous y conduit après 1 km de parcours. De l'ancien et très vaste *marae,* il ne reste qu'un mur. Il est difficile d'imaginer les proportions de l'ancien édifice le plus important de Polynésie, malheureusement pillé (pour les pierres), puis détruit par des raz de marée. Le capitaine Cook, en juin 1767, le décrivait comme « un énorme tas de pierres dressées en forme de pyramide » avec un escalier de chaque côté. Ce *marae* avait env. 80 m de long, 25 m de large et 15 m de hauteur. Au centre, se trouvait l'image d'un oiseau sculpté dans le bois et, à proximité, un poisson taillé dans la pierre. Cette pyramide faisait office d'autel et se trouvaient dans l'angle d'une vaste cour pavée de pierres plates et clôturée d'un mur de pierres sèches.

OPK 40 : Golf international Olivier Bréaud** (*☎57.40.32. Ouv. t.l.j. de 8h à 17h30*). La **plaine d'Atimaono** est la plus vaste de Tahiti, pay-sage ample, verdoyant, avec de splendides pelouses entretenues grâce à l'implantation du terrain de golf, côté montagne. Ce parcours de 18 trous pour une distance de 6 355 m fut créé en 1970. À l'emplace-ment de ce golf se trouvait de 1861 à 1865, pendant la guerre de Sécession aux États-Unis, une plantation de coton et de canne à sucre. L'Américain William Stewart, promoteur du projet de golf, a fait venir de Chine un millier de coolies. Il est ainsi à l'origine de l'implantation des premiers Chinois sur le territoire polynésien.

OPK 43 : point de vue. On découvre la presqu'île de Taiarapu et une belle ouverture sur le **motu Puuru.**

OPK 44 : église Saint-Jean-Baptiste, édifiée avec des polypiers de ma-drépores (coraux) en 1857. Elle est la plus ancienne église en « dur » de Tahiti. Restaurée.

OPK 46 : temple de Mataiea, caractérisé par son dôme à clocheton dominant le porche. À dr., une route mène à la plage de sable noir de Mataiea.

OPK 46,5 : village de Mataiea, où Paul Gauguin vécut de 1891 à 1893.

OPK 48 : route du lac Vaihiria. Dès le **PK 47,8**, vous franchissez le pont de la Vairaharaha puis, env. 1 km plus loin, celui de la Vaihiria. Peu après le premier pont, au **PK 47,9**, vous emprunterez un chemin que vous repérerez grâce à deux maisons situées à g. S'il fait beau, remontez la vallée de la Vaihiria en voiture, sur plusieurs km. Continuez ensuite à pied ou en 4x4. Le chemin mène au **lac Vaihiria****, à 473 m d'altitude (18 km de parcours à partir de la route de ceinture). Le lac a plus de 600 m de longueur pour une profondeur de 15 à 20 m, parfois plus en période de pluie. Il occupe le fond d'une vaste cavité dont les parois sont abruptes et dominent l'eau avec des à-pic de 600 à 700 m. La seule ouverture est du côté de la vallée par laquelle on accède au lac. Une curiosité de ce lac : ses anguilles « à oreilles ». Elles atteignent parfois 1,50 à 1,80 m. Cette espèce d'anguilles, *Anguilla mauritania* (*puhi taria* en Tahitien), diffère des anguilles communes des rivières de Tahiti *(puhi pape, Anguilla megastoma)*, à corps tacheté.

En 4x4, on peut traverser l'île de part en part en poursuivant le chemin dans la direction de la **vallée de la Papenoo**, ce qui permet de rejoindre directement la côte E (voir p. 143).

OPK 50 : bain de la Vaima*. Avant d'arriver au restaurant du musée Gauguin, la **rivière Vaima**, signalée par le petit pont qui la franchit, est une résurgence. En remontant le cours d'eau sur 50 m, on atteint une sorte de vasque semblable à une source où l'eau bouillonne en sortant du sol. C'est le bain Vaima. L'eau y est claire et laisse la peau fraîche et douce. 100 m plus loin au bord de la route, l'eau d'une autre résurgence a été captée dans un réservoir.

OPK 50,5 : restaurant du musée Gauguin. Vue sur la presqu'île de **Taiarapu**. Un ponton permet d'accéder à un enclos grillagé. Attraction : les requins de lagon !

OPK 51 : complexe formé par le **jardin botanique** et le **musée Paul-Gauguin** (☎57.10.58, fax 57.10.42. *Ouv. t.l.j. de 9h à 17h. Entrée payante*). Deux parkings sont aménagés, séparés par un petit pont. Le chemin est bordé de pelouses. À g., plusieurs bassins égayés de plantes aquatiques. Nombreuses variétés de nénuphars.

Le jardin botanique***. *(Compter 1h30 à 2h pour la visite, davantage si vous aimez la végétation tropicale. Avant de visiter le jardin, procurez-vous la brochure de la Société des océanistes. Toutes les plantes remarquables y sont recensées avec précision)*. **Harrison Smith**, le fondateur de ce jardin, choisit le secteur de Papeari et la rive dr. de la rivière Vaite en raison de l'absence de risques de sécheresse. C'est lui qui a introduit la plupart des espèces végétales du jardin. Deux tortues géantes ramenées des îles Galapagos en 1930 vous accueillent à l'entrée. Un bois de *mape (Inocarpus fagiferus)* jouxte la route de ceinture et le jardin. Le tronc cannelé du *mape* se ramifie à sa base et s'étale en réseau tentaculaire afin d'assurer une meilleure assise à l'arbre sur son terrain marécageux (arbre à croissance spontanée à Tahiti). Autre curiosité de taille, les touffes de bambous géants *(Dendrocalamus giganteus)* situées au fond du jardin. Au moindre souffle de vent, ils émettent des craquements sinistres, plient mais ne rompent pas ! Le cycas, cher aux botanistes, est une plante des temps anciens. Les fleurs tropicales abondent, les unes communes, telles les fleurs de cire ou les fleurs-perroquets, les autres plus rares : poinsettia sauvage, *calliendra*, rose de Colombie, liane-sabot… La cruelle aristoloche mérite un détour. Cette fleur, en forme de cornet, possède une paroi interne munie d'une abondante pilosité dirigée vers la base. L'insecte qui s'y aventure se faufile aisément entre les soies, mais ne peut ressortir et se trouve digéré vivant !

Le musée Paul-Gauguin*. Il est consacré à la vie et à l'œuvre de l'artiste. La 1re salle abrite les œuvres originales et les expositions temporaires. Le musée évoque ensuite les étapes de la vie de Gauguin, la « case des Marquises », évocation du dernier atelier du peintre. Autres thèmes développés : Gauguin graveur, écrivain, journaliste, gloire posthume de l'artiste. Un grand panneau précise la répartition géographique des œuvres de Gauguin dans le monde. Une nouvelle salle est consacrée aux sources d'inspiration du peintre dans la mythologie et l'art océaniens. Le musée, créé par la **fondation Singer-Polignac**, a été donné récemment au territoire polynésien. Il est actuellement géré par l'Association des amis du musée Gauguin qui souhaite le développer en faisant venir des œuvres originales de Gauguin, de l'école de Pont-Aven, ou de peintres contemporains. Une terre cuite a récemment été acquise ainsi que des gravures et des peintures originales. Une ouverture se fait aussi sur les peintres de l'école de Paris. Enfin, sont exposées des œuvres de Constance Cumming datant de 1877, des huiles de Charles-Alfred Lemoine, venu à Tahiti au début du siècle, d'Adrien Gouwe, de Peter Heyman, etc. Dans les **jardins du musée**, côté mer, ont été installés **trois** *tiki*** (deux grands et un petit). Ces très belles statues de pierre proviennent de Raivavae, dans les îles Australes. L'art des îles Australes prend place à mi-chemin entre l'art de l'île de Pâques et celui des Marquises. Leur masque rappelle déjà les faces frustes des *tiki* de

Gauguin, la genèse d'un tableau

« Une jeune fille canaque est couchée sur le ventre, montrant une partie du visage effrayé. Elle repose sur un lit garni d'un paréo bleu et d'un drap jaune de chrome clair. Un fond violet pourpre semé de fleurs semblables à des étincelles électriques ; une figure un peu étrange se tient à côté du lit.

Séduit par une forme en mouvement je les peins sans aucune autre préoccupation que de faire un morceau de nu. Tel quel, c'est une étude un peu indécente. Et cependant, j'en veux faire un tableau chaste et donnant l'esprit canaque, son caractère, sa tradition.

Le paréo étant lié intimement à l'existence d'une Canaque, je m'en sers comme dessus de lit. Le drap d'une étoffe écorce d'arbre doit être jaune. Parce que, de cette couleur, il suscite *(sic)* pour le spectateur

quelque chose d'inattendu. Parce qu'il suggère l'éclairage d'une lampe, ce qui m'évite de faire un effet de lampe. Il me faut un fond un peu terrible. Le violet est tout indiqué. Voilà la partie musicale du tableau tout échafaudée. »

Cahiers de Gauguin, cités par Victor SEGALEN, *Journal des îles*, Éd. du Pacifique, Paris, 1978.

Tahiti. Les Tahitiens accordent souvent aux pierres des *marae* et aux *tiki* en pierre des vertus surnaturelles (voir p.82).

OPK 52 : village de Papeari* : village vert, beaux jardins multicolores. La route longe, après avoir dépassé Vairei, les baies de Teahuahu et de Port-Phaéton qui forment le « creux » de l'isthme de Taravao. Port-Phaéton est un site paisible qui inspire le calme et le repos tels qu'on les imagine en Polynésie.

OPK 55,5 : la route de ceinture se poursuit en bord de mer, et passe entre des plans d'eau (parcs à huîtres à g.).

OPK 57,5 : circuit de motocross. Côté montagne, parcours sportif *toute l'année le sam. après-midi et le dim. Accès libre.*

OPK 60 : Taravao et bifurcation, route de **Teahupoo, presqu'île de Taiarapu****. Cette presqu'île *(76 km A/R)* est un havre de verdure et de calme. Son jardin vous réserve plus d'une surprise, comme le plateau de Taravao : une parcelle de Normandie transportée à Tahiti ! La presqu'île de Taiarapu est une contrée encore sauvage. Vous n'en découvrez qu'une partie en voiture. La zone inhabitée (ou presque) qui se poursuit au-delà de Tautira et de Teahupoo est le domaine de quelques hommes nature. D'origine métropolitaine, venus à Tahiti depuis plus ou moins longtemps, ils refusent la civilisation et vivent, tels des Robinson, de fruits, de culture, d'élevage et de pêche. Contrairement à ce qu'on pourrait supposer, ils acceptent volontiers les visites, car elles sont rares ! Jack London serait le premier à les avoir aperçus.

De Taravao à Vairao et à Teahupoo

➤ *38 km A/R. On prend la route de Teahupoo. Après 5 km de parcours, on arrive au petit village de Toahotu. De la route, beaux points de vue* sur l'île de Tahiti Nui. (La lettre T dans les reports ci-dessous est l'initiale de la presqu'île de Taiarapu).*

TPK 7 : la pointe Riti, à dr., précède la rade de Vairao, la seule de Tahiti accessible aux navires de fort tonnage. À g., une route mène au plateau situé à l'intérieur de la presqu'île (ancien complexe de Puunui). **Vue**** splendide sur l'isthme de Taravao et la presqu'île de Taiarapu, le lagon, les récifs-barrières et l'océan. Restauration sur place. Étape agréable.

TPK 10 : côté mer se trouve l'**Institut français de recherche pour l'exploitation de la mer** (IFREMER) qui effectue des recherches sur la biologie marine, les techniques d'élevage pouvant offrir un débouché dans l'économie du territoire (succès pour l'élevage de la chevrette et la pisciculture).

TPK 17 à 19 : Teahupoo*, terminus de la route. Au-delà, la côte n'est accessible qu'en bateau. Côté mer, l'*auberge du Pari* (PK 17,8) organise des excursions (sur réservation) pour visiter la côte du Pari en bonitier (6 à 8 personnes max.). Programme « sur mesure ».

La grotte de Vaipoiri**
➤ *4 km du terminus de la route. Visite à pied au départ de Teahupoo.*
La grotte est située au fond de l'estuaire étroit du fleuve Vaipoiri. Le sentier qui y mène traverse un bois de *mape*. La grotte, sous un couvert de végétation humide, mousses, lianes, orchidées sauvages, sur-

LA POLYNÉSIE EN ART : PAUL GAUGUIN

En avril 1891, Paul Gauguin, désireux de créer un « atelier des Tropiques », loin d'un monde trop civilisé à son goût, quitte Paris pour Tahiti. Fasciné par le mystère et les couleurs de son environnement polynésien, il va y peindre inlassablement, donnant à ses personnages les traits de sa jeune compagne tahitienne, Teha'amana.

C'est en 1867, au cours d'un voyage autour du monde, que Paul Gauguin découvre Tahiti pour la première fois ; il n'y séjournera que 24 ans après. Entre-temps, après avoir été officier de marine marchande, il est engagé chez un agent de change en 1872 et se marie l'année suivante avec une Danoise, Mette Gad, dont il a cinq enfants. Gauguin commence à peindre et participe à plusieurs expositions impressionnistes. Renvoyé de son travail en 1882, il choisit de conserver cette liberté nouvelle pour se consacrer exclusivement à son art.

Quand te maries-tu ?,
1892, Fondation Rudolf
Staechelin.

Un nouveau départ

Après des séjours à Rouen et à Copenhague, où sa femme décide de vivre avec leurs enfants, Gauguin découvre Pont-Aven (*Lavandière à Pont-Aven*, 1886). Puis, revenu à Paris, il fréquente le milieu symboliste, se lie d'amitié avec Odilon Redon et Daniel de Monfreid qui demeure, jusqu'à la fin, son ami le plus fidèle. Il fait un second séjour à Pont-Aven, où il peint l'admirable *Vision après le sermon* (1888), puis passe trois mois en Provence auprès de son ami Van Gogh, avant de quitter la France.

Le silence et les fleurs

En 1891, il s'installe à Tahiti et y séjourne deux ans. C'est à cette époque qu'il peint *L'Esprit des morts veille* (1892). Pourtant la maladie et le sentiment de solitude qui l'accablent le ramènent bientôt en France. À Paris, l'accueil est glacial et ses œuvres s'avèrent incomprises. Tout en travaillant à un recueil de légendes polynésiennes, *Noa-Noa*, Gauguin prépare un nouveau départ : « Il me reste à sculpter mon tombeau là-bas, dans le silence et les fleurs. » Une vente de ses tableaux en février 1895 est un véritable échec. Il quitte la France en juillet, pour ne jamais y revenir. Cependant, il n'est pas plus heureux en Polynésie qu'il ne l'a été en France. « Folle mais triste et méchante aventure que mon voyage à Tahiti », écrit-il à Daniel de Monfreid en 1897, l'année qui voit la mort de sa fille préférée, Aline, et la naissance d'un chef-d'œuvre : *Que sommes-nous ? D'où venons-nous ? Où allons-nous ?* Incompris, isolé,

Scène de vie
traditionnelle à Hiva Oa :
les Marquises vues
par Paul Gauguin.

Haut : D'où venons-nous ?, Boston museum of Fine Arts.

Bas : Nave Nave Mahana, Lyon, musée des Beaux-Arts.

Gauguin tente de se suicider à l'arsenic en 1898. Pourtant, son œuvre commence à être reconnue et appréciée en Europe : le jeune marchand Ambroise Vollard et quelques collectionneurs achètent régulièrement ses toiles, ce qui permet au peintre de vivre correctement de son art à partir de 1900.

La maison du Jouir

En septembre 1901, le peintre s'installe aux Marquises et construit sa *maison du Jouir* à Atuona. Durant les deux dernières années de sa vie, diminué par la maladie, il peint peu et commence à écrire : *Racontars de rapin, Avant et après*. Il a conscience d'être l'intermédiaire d'une évolution dans l'histoire de la peinture : « Je sais qu'en art j'ai raison, mais aurai-je la force de l'exprimer d'une façon affirmative ? En tout cas, j'aurai fait mon devoir et si mes œuvres ne restent pas, il restera toujours le souvenir d'un artiste qui a libéré la peinture de beaucoup de ses travers académiques d'autrefois et de travers symbolistes. » *(Racontars de rapin)*. Gauguin réalise, durant cette période, quelques-unes de ses plus belles toiles *(Contes barbares*, 1902), empreintes de sauvagerie tendre et d'une volonté de liberté qui devient obsédante : « *Les peintres qui aujourd'hui profitent de cette liberté me doivent quelque chose.* » Accusé d'encourager l'« anarchie indigène », il connaît quelques démêlés avec l'administration locale jusqu'à sa mort, le 9 mai 1903, à 55 ans.

À l'abri d'un frangipanier, la tombe de Paul Gauguin, surmontée par la silhouette frêle d'Oviri.

Oviri

« Cette œuvre est de mon goût [...] toute la critique d'art est là. Être d'accord avec le public, chercher une œuvre à son image. Oui, messieurs les littérateurs, vous êtes incapables de critiquer une œuvre d'art, fût-elle un livre [...] travaillez librement et follement, vous ferez des progrès et tôt ou tard on saura reconnaître votre valeur si vous en avez. Surtout ne transpirez pas sur un tableau ; un grand sentiment peut être traduit immédiatement, rêvez et cherchez-en la forme la plus simple. »

Paul Gauguin, extrait de *Oviri*.

plombe un plan d'eau. L'ensemble serait romantique à souhait en l'absence de moustiques…

La côte du Pari**

➤ *Accessible uniquement en bateau. Plusieurs visites vous sont proposées. 1. Au départ de l'Auberge du Pari ☎ 47.13.44. Réservez une semaine à l'avance. Si votre groupe le permet (10 personnes au moins), nous vous conseillons de choisir un bonitier. Le skipper vous mènera où bon vous semble, entre Teahupoo et Tautira. 2. Au départ de Papeete, plusieurs embarcations de pêche pourront vous conduire au Pari. Renseignements dans les agences de voyages. Embarquement : quai des Yachts. Contactez aussi le GIE Mer et Loisir, fare flottant, front de mer ou une agence de voyages. 3. Au départ de Tautira, renseignez-vous sur place.*

La côte du Pari est très découpée, sauvage, boisée, d'accès difficile. La mer y est parfois forte. Parmi les centres d'intérêt marquants : la grotte de Vaipoiri, les falaises Te Pari, la grotte Anahie, les cascades, le motu Fenuaino… Cette côte est le refuge des derniers « hommes nature », vivant loin de toute civilisation.

De Taravao à Pueu et à Tautira

➤ *38 km A/R. Si, comme nous le conseillons, on effectue un détour par le plateau de Taravao, compter alors 50 km A/R.*

Prenez à dr. la route de Pueu et de Taravao. La route qui conduit au plateau de Taravao se trouve à 1 km de la route de ceinture, à dr. Après quelques centaines de mètres de parcours, vous arrivez à une bifurcation : prenez la route de g. et continuez jusqu'au sommet (parking). De la route qui s'élève, vous découvrirez des prairies parsemées d'eucalyptus. Le plateau de Taravao est consacré à l'élevage et au reboisement. Ses vallons verdoyants ne manqueront pas de vous surprendre ! La route s'arrête à une altitude de 500 m. Cette zone constitue le **parc naturel** de Vaiufaufa. Un bassin de retenue d'eau y a été construit. En continuant à monter sur quelques mètres, à pied, vous arriverez à une vue panoramique sur Tahiti Nui et l'isthme de Taravao. L'air est frais. En redescendant, vous pouvez emprunter une petite route goudronnée qui descend sur la dr. et vous atteindrez la route de ceinture à la hauteur de Pahua en traversant une zone agricole. Au retour, vous trouverez la route de ceinture à la hauteur de Pahua.

TPK 7 : village de Pueu*. L'église ancienne, côté montagne, est très belle.

TPK 11 à 17 : on franchit plusieurs rivières avant d'atteindre la pointe Matahiva puis la baie de Cook (PK 15). Au-delà, la très belle **plage de sable noir de Tautira***, bordée de pandanus, est idéale pour la baignade. En poursuivant sur la plage à pied, ou sur la route, on croise la rivière Vaitepiha où il ne faut pas manquer de se baigner. L'eau y est délicieusement fraîche.

TPK 17,5 à 19 : village de Tautira*. Après avoir franchi le pont de la Vaitepiha, vous atteignez le terminus de la route avec le village de Tautira, où l'on fabrique des pirogues de compétition. Les piroguiers de Tautira sont célèbres dans tout le Pacifique Sud. Le village n'est autre que le « jardin d'Éden » de Robert Louis Stevenson, qui y mouilla en 1888.

De Taravao à Papeete

➤ *54 km. Vous quittez Taravao en laissant, à dr., la route de Tautira.*
La route longe la mer avec de beaux points de vue sur le lagon et le récif. Les amateurs de plongée trouveront des fonds coralliens après la pointe Aturaufea. Les paysages sous-marins qu'offrent les récifs de Teaauroa, de Faratahi et de Teauraa comptent parmi les plus remarquables.

EPK 48 : vallée de la Mapuaura. Vue dégagée sur la montagne.

EPK 42-41 : cascade de Fa'atautia*. Franchissez le pont. À dr., plage de sable noir avec vue sur la presqu'île. À g., au fond de la vallée, on découvre la cascade Fa'atautia, dans un paysage à caractère sauvage. Toujours une très belle vue sur la presqu'île. On atteint ensuite Hitiaa, au large les *motu* Oputotara et Variararu.

EPK 38 : mouillage de Bougainville. C'est le 6 août 1768 que Louis-Antoine de Bougainville atteignit ce rivage, après avoir franchi la passe de la Boudeuse (du nom de son navire).

EPK 35-34 : entrée dans Mahaena*. Plusieurs *motu* sont visibles côté récif : îlot Puuru, Ta'aupiri. La plage de sable noir est dangereuse par mer forte en raison de vagues déferlantes.

EPK 25 : en arrivant dans la commune de **Tiarei**, le paysage s'adoucit par une végétation ordonnée et luxuriante. Vous pourrez admirer tout au long de la route les plus beaux crotons de l'île, servant de haies à des jardins fleuris et à des cocoteraies bien entretenues. Route en corniche, la côte est rocheuse, découpée. Des tables basaltiques avancent dans la mer. Côte accidentée jusqu'au PK 22.

♥ **EPK 22 :** les trois **cascades de Faarumai****. Immédiatement après le pont, à g., une route vous mène à proximité de la première cascade, d'un accès très facile (500 m env., à pied). Laissez votre voiture à l'emplacement réservé à cet effet. Prévoir une « bombe spray » ou tout autre produit antimoustiques. Il serait dommage que ces insectes intrépides et affamés gâchent le plaisir que vous aurez à marcher quelques minutes dans un splendide sous-bois avant d'atteindre la première cascade. Eau délicieuse pour la baignade dans un site exceptionnel. Les deux autres cascades sont d'un accès nettement plus difficile. Le parcours est accidenté, parfois quelque peu acrobatique. La seconde cascade se déverse dans un bassin plus profond que celui de la première, très agréable pour la baignade.

EPK 22,2 : trou du Souffleur*. 200 m après les trois cascades, en bordure de mer. Les amateurs de géologie découvriront une très belle coulée de basalte, à la surface érodée et polie par les vagues. On y distingue un « débit en prismes » de section hexagonale. La mer, toujours forte en raison de l'absence de récif-barrière, arrose d'écume la route protégée des effondrements par un mur maçonné. Le trou du Souffleur est une cavité naturelle dans laquelle s'engouffrent les vagues et l'air, comprimé par les flots. L'eau est pulvérisée avec force. Au départ du site, la route en corniche domine la mer et vous fait découvrir les sites les plus pittoresques de la côte.

EPK 17,5 : vallée de la Papenoo*. Autre site géologique intéressant. Après avoir traversé le pont de la Papenoo, à g., vous remontez aisément le lit de la rivière sur plusieurs km, en voiture. La Papenoo prend sa source au centre de la caldeira du volcan de Tahiti Nui et charrie un échantillonnage de l'ensemble des roches volcaniques présentes dans l'île. Armez-vous d'un marteau : ces roches sont polies à l'extérieur et il faut les casser pour découvrir leur structure minérale interne. La mer est bordée d'une plage de gros galets provenant de la Papenoo. De l'embouchure de la Papenoo à Orofara, la route surplombe une autre plage de galets. Le site est fréquenté par les amateurs de surf de nov. à mai.

EPK 14 : pointe Tapahi et village d'Orofara. Cette côte très découpée offre un joli point de vue depuis le promontoire rocheux de la pointe Tapahi. Peu après, à g., en contrebas, le village d'Orofara est une léproserie fondée en 1914.

EPK 11,5 : route du lotissement de Super Mahina (côté montagne). La route monte très rapidement du fond de la vallée jusqu'à la station de télécommunications. Vous découvrirez de très beaux panoramas sur le lagon, l'océan, la **pointe Vénus***, Moorea. Par temps clair, on peut apercevoir, vers le N, l'atoll de Tetiaroa, propriété de Marlon Brando. Au-delà de la station de télécommunications, la route traverse un autre lotissement. En allant tout au bout, on a une vue exceptionnelle de l'intérieur de l'île : **vallée de la Tuauru**, avec au fond à g., le sommet caractéristique de l'**Orohena** (en dos de chameau), point culminant de l'île à 2 241 m. À dr., une longue crête se termine par l'Aorai (2 066 m). Le spectacle est grandiose en fin d'après-midi.

EPK 10 : Mahina, pointe Vénus* **et baie de Matavai****. La route est indiquée par un panneau, à dr. Vous dépassez à dr. le temple et à g. la station d'émission de Mahina (pylône et antennes de 100 m de hauteur). Après 2 km de trajet, vous atteignez le domaine de la pointe Vénus, en bord de mer, planté d'*aito* (arbre de fer) et de cocotiers. La pointe Vénus possède une très belle **plage de sable noir*** bordant la **baie de Matavai**, dans laquelle ont mouillé la plupart des navigateurs. Laissez votre voiture et poursuivez votre chemin à pied dans ce cadre verdoyant. Cette pointe doit son nom au capitaine Cook qui y conduisit un astronome chargé d'observer, le 3 juin 1769 pour l'amirauté britannique, le transit de Vénus devant le disque solaire. **Phare de la pointe Vénus*** : édifié en 1866, mis en service en 1868, il avait une hauteur de 25 m et fut surélevé de 7 m en 1963. À l'origine, il était muni d'un feu blanc portant à 15 milles. Son équipement actuel le rend fonctionnel pour les navigations maritimes et aériennes.

EPK 8,5 : pointe Taharaa** (belvédère, hôtel *Hyatt Regency Tahiti*). Magnifique site surplombant la mer. Engagez-vous dans l'entrée de l'hôtel et laissez votre voiture dans le parking à dr. Du belvédère, vous découvrirez la pente douce du volcan, que l'on attribue au « type hawaïen ». Vous voyez à proximité du rivage le récif frangeant, plus loin, le récif-barrière et dans le lointain, l'île de Moorea. L'après-midi, le contre-jour anime les flots d'un scintillement exceptionnel (attention aux surexpositions !).

EPK 7 : plage d'Arue*. Belle plage de sable noir. La route vous mène bientôt dans la banlieue de Papeete.

EPK 5,5 : côté montagne, la **mairie d'Arue**** est une très belle maison ancienne de style colonial. Un peu plus loin, la maison où vécut l'écrivain américain Norman Hall (mort en 1951) qui, avec Charles Nordhoff, écrivit *La Mutinerie du Bounty*.

EPK 5 : tombeaux des Pomaré dont celui de Pomaré IV Vahiné. Côté mer, à dr. de l'école, un enclos maçonné est situé sur l'emplacement d'un des plus grands *marae* de Tahiti.

EPK 4 : on atteint la commune de **Pirae**. Côté mer, le yacht-club. Vous pouvez y louer un voilier pour une croisière d'une demi-journée jusqu'à Moorea (rens. au bureau du yacht-club). Un peu plus loin, à hauteur du camp militaire d'Arue, la route de ceinture se divise. Que vous preniez à dr. la double voie ou à g. l'ancienne route, vous traversez Pirae pour atteindre Papeete. Vous abordez ensuite le quartier du Taaone. Une petite voie, à dr., mène à la vaste plage de sable noir de **Taaone**. Un parking jouxte les bâtiments militaires. La route traverse le pont de la **Fautaua**. Très belle vue sur la montagne, dégagée par la rivière. On y découvre, par temps clair, le **Diadème**.

En prenant à g., l'ancienne route de ceinture passe devant le *drive-in* Arue et l'entrée du cimetière chinois dit « Chemin du repos éternel », avant de vous conduire au carrefour de l'Hippodrome, puis bientôt, sur la g., la route de la vallée Hamuta. Un panneau vous indique le restaurant *Le Belvédère*** : si vous n'êtes pas pressé, les paysages que vous y découvrirez méritent le détour (prévoir 1h). Possibilité d'excursion d'une demi-journée. La route qui y mène est étroite et sinueuse. Vous dépasserez les lotissements Bellevue et Bel-Air. À 1,8 km de la route de ceinture, la circulation est réglementée. Les sam., dim. et j. f., montée entre chaque heure et le quart suivant : descendre entre la demi-heure et les trois quarts d'heure qui suivent. La route est dangereuse et domine, à flanc de montagne, la vallée Hamuta. Très beaux sous-bois de pins, l'atmosphère y est fraîche, végétation de montagne, fougères, mousses… un vrai dépaysement ! Au-delà du *Belvédère* se trouve le **fare Aru Ape** (centre militaire de repos). Les marcheurs peuvent envisager une excursion qui, après 5h d'efforts, les mènera au sommet de l'**Aorai**, à 2 066 m. Un refuge sert d'abri en cas de mauvais temps. De retour sur la route de ceinture, vous traversez le pont de la rivière Fautaua. La route de la vallée de Fautaua a pour seul intérêt de conduire au célèbre bain Loti qui doit son nom à la description que fit Pierre Loti de Tahitiennes s'y baignant. Malheureusement, l'accès en est interdit en raison de la proximité du réservoir d'eau potable de Papeete. Les baigneurs nuisaient à la qualité de l'eau.

Pierre Loti à Tahiti

Le 22 janvier 1872, Julien Viaud, jeune officier de marine, débarque à Tahiti. Il deviendra l'écrivain Pierre Loti, surnom que lui avaient donné ses amis tahitiens – *loti* est le nom d'une fleur en maori.

Son œuvre est caractérisée par une certaine mélancolie du temps qui passe, un goût pour la mort, le souvenir et le rêve : « *Le temps s'écoulait, et tout doucement se tissaient autour de moi ces mille petits fils inextricables, faits de tous les charmes de l'Océanie, qui forment à la longue des réseaux dangereux, des voiles sur le passé, la patrie et la famille, et finissent par si bien vous envelopper qu'on ne s'échappe plus.* » L'idylle qu'il vécut avec Rarahu, la petite Tahitienne de quatorze ans qu'il avait épousée, lui inspira un roman, *Le Mariage de Loti* (1882).

Le dernier centre d'intérêt avant d'atteindre Papeete est le très beau **temple chinois**** sur votre dr. Récente et de couleurs vives, son architecture en élévations incite au recueillement et témoigne de la réussite sociale de la population chinoise de Tahiti. Visite autorisée si vous savez rester discret.

On atteint le cœur de Papeete par le carrefour du Pont-de-l'Est.

LES BONNES ADRESSES

Hébergement

Petite hôtellerie. ▲ Fare Nana'o, district de Faaone, EPK 52 ☎57.18.14, fax 57.76.10. *4 bungalows. dont 1 sur pilotis et 2 fare suspendus dans les arbres.* En bord de mer. Cuisine. ▲ **Te Anuanua**, district de Peu, OPK 80, BP 1553, Papeete ☎57.12.54. *2 bungalows doubles.* Restaurant, bar. Buffet tahitien le dim.

Hébergement chez l'habitant. Le Bellevue, PK 16,5, côté montagne, BP 13451, Punaauia ☎58.47.04. Lotissement Te Maruata. *1 studio.* **Chez Tea Hirson**, district de Paea, OPK 29. BP 13069, Punaauia ☎58.29.27. *2 bungalows* côté mer. Cuisine et douche. **Fare Opuhi Roti**, district de Paea, OPK 21, côté montagne, BP 2593, Papeete ☎53.20.26. *2 ch.*

Restaurants

♦♦♦♦ **L'Auberge du Pacifique**, OPK 11,5 et le ♦♦♦♦ **Coco's**, OPK 13, sont de véritables étapes gastronomiques (voir p. 120-121). VISA, AE.

♦♦♦ **Acajou**, OPK 12, Punaauia, VISA, AE, DC. ☎43.45.06. Très bon restaurant chinois, mets raffinés. Bon accueil.

♦♦♦ **Le Belvédère**, route de Fare Rau Ape, altitude 600 m, situation exceptionnelle. VISA, AE, MC ☎42.73.44.

♦♦♦ **Bob Tardieu**, EPK 51,8, Faaone. VISA, AE. ☎57.14.14. Célèbre de longue date à Tahiti. Bob Tardieu est une figure de la restauration polynésienne. Cuisine chaleureuse spécialisée avant tout dans les fruits de mer, poissons, etc. Une véritable halte gastronomique.

♦♦♦ **Captain Bligh, le Lagoonarium**, OPK 11,5. VISA, AE. ☎43.62.90. Table de très grande qualité, qui fait largement appel aux produits locaux, poissons et fruits de mer, avec quelques bonnes recettes traditionnelles. Groupes folkloriques de qualité.

♦♦♦ **Nuutere**, OPK 32, Papara. VISA. ☎57.41.15. Cuisine soignée donnant une large place aux produits de la mer. Quelques bonnes spécialités locales, chevrettes notamment.

♦♦♦ **Relais de la Maroto**, vallée Maroto-Papenoo. VISA. ☎57.90.29, fax 57.90.30. *25 ch.* Piste d'atterrissage pour hélicoptères. ♦♦♦ Restaurant gastronomique et cave exceptionnelle. Très bonne cuisine traditionnelle.

♦♦ **Aquatica**, OPK 27, Paea, sur un petit *motu*. VISA, AE. ☎53.20.61. Buffet, fruits de mer, spécialités polynésiennes.

♦♦ **Auberge du Pari**, presqu'île de Taiarapu, juste après le village de Teahupoo. VISA. ☎57.13.44. Simple mais typique, accueil sympathique. Baignade.

♦♦ **Côté jardin**, galerie marchande Moana Nui, Continent Punaauia. VISA, AE, MC. ☎43.26.19.

♦♦ **Restaurant du musée Gauguin**, PK 50,5. VISA, AE. ☎57.13.80. Cuisine classique dans un cadre très agréable à côté du jardin botanique de Papeari.

♦♦ **Vahiné Mohena**, OPK 36,5. VISA. ☎57.41.70. Remarquable *tamaaraa* le dim. midi.

♦ **Vahoata**, OPK 42,5, Mataiea. VISA, DC. ☎57.48.94. Établissement simple où l'on découvre un superbe point de vue sur la presqu'île de Taiarapu. Typique.

Tours organisés

« **Tour de l'île** ». Un **tour guidé** est organisé au départ des grands hôtels ou sur réservation auprès d'une agence de voyages. Départ entre 9h et 9h30 suivant les visites effectuées et le temps passé à chaque arrêt, retour vers 15h30 à 16h. Dans tous les cas, s'informer sur place. L'agence **Tahiti Nui Travel** propose un tour de l'île avec déjeuner au restaurant du musée Gauguin. Départ des hôtels Sofitel Maeva Beach à 9h15, Tahiti Country Club à 9h20, Beachcomber Parkroyal à 9h30, hôtel Tahiti à 9h35, hôtel Mandarin à 9h40, Royal Tahitien à 9h50, Hyatt Regency à 10h. Retour à l'hôtel avant 16h30 ☎42.68.03.

♥ **Excursions en 4x4.** L'intérieur de l'île est accessible en 4x4. **Maroto 4x4 Safari Adventure** est une excellente manière d'apprécier la beauté intérieure de Tahiti. En Land Rover 4x4, vous suivez la côte N jusqu'à la vallée de la Papenoo et remontez vers le cœur même de l'île. Vous traverserez la rivière plus de 20 fois en admirant des paysages pittoresques de cascades, ruisseaux cristallins, forêts de bambous ainsi que les nombreux vestiges de *marae* de l'ancienne Tahiti. Vous pourrez vous baigner dans la rivière Vainavenave avant le déjeuner servi au ♦♦♦ **Relais de la Maroto** (cave exceptionnelle) situé dans la caldeira du volcan. Vous grimperez ensuite vers le plus haut tunnel de montagne en Polynésie (780 m). Puis descendez vers le S à la découverte du **lac Vaihiria**** dans la vallée de la Mataiea. **Ron's Tours**, informations et réservations ☎56.35.80, fax 56.10.66. **Tahiti Safari Expédition** propose tous les types de visites de l'intérieur de l'île. **Excursions au mont Marau** (1 700 m) à la découverte des fougères arborescentes et des différentes strates de végétation des pics volcaniques de l'intérieur : châtaigniers géants, manguiers, *purau*, bambous, jardins suspendus à flanc de volcan que travaillent parfois des Chinois encordés tant la pente est forte... Vous cueillerez en altitude des framboises sauvages et des myrtilles. **Autres excursions :** tours de l'île complets ou partiels, mais aussi d'autres visites : vallée Titaviri, mont Thabor, traversée de l'île par le lac Vahiria et le relais Maroto, etc.

Tahiti Safari Expéditions, BP 14445, Arue ☎42.14.15 ap. 18h. **Adventure Eagle Tours**, BP 6719, Faaa ☎41.37.63. **Association Tahiti 4x4**, BP 4477, Papeete ☎85.55.71.

Tours en hélicoptère. On peut aisément imaginer le spectacle grandiose qu'offrent les sommets déchiquetés ceinturant la caldeira du volcan, les élégantes cascades, le vertigineux plongeon vers la plaine côtière, les récifs et le lagon miroitant de scintillants reflets argentés. Plusieurs survols de l'île sont proposés : en 20 mn, récif, lagon, contreforts des volcans ; en 40 mn, lagon, récif, sommets (Orohena, Diadème), cascades, lac Vahiria ; en 50 mn, l'intérieur de l'île de Tahiti Nui et de la presqu'île, isthme de Taravao. Une expérience inoubliable.

Héli-Pacific, BP 6109, Papeete ☎85.68.00, fax 85.68.08. **Héli-Inter Polynésie**, BP 424 Papeete ☎81.99.00, fax 81.99.99.

Adresses utiles

Aéroport international de Faaa : OPK 5,5.
Mairies : de Paea, OPK 21,5 ; d'Arue, EPK 5,5.

DANS LES ÎLES

Tahiti n'est qu'une facette de la mosaïque insulaire polynésienne. L'ensemble des terres émergées de la Polynésie française couvre à peine la moitié de la Corse alors que leur aire marine égale la superficie de l'Europe.
Si Papeete était placée sur Paris, les Gambier seraient en Roumanie et les îles Marquises non loin de Stockholm !

La visite de la seule île de Tahiti, si pleine de charme soit-elle, ne vous laisserait qu'une image fragmentaire de la Polynésie. Nous vous recommandons donc de vous aventurer vers d'autres rivages polynésiens. On ne peut pourtant prétendre tout visiter : beaucoup d'îlots ne sont pas habités, d'autres ne sont pas reliés à Papeete par un système régulier de communications, certains enfin ont une vocation stratégique et sont interdits d'accès (c'est le cas de Fangataufa et de Mururoa). Nous vous proposons un périple qui inclut Moorea, une ou deux îles Sous-le-Vent et un atoll de Tuamotu, entre autres choix, première approche intéressante et surtout facilement réalisable de cette région.

L'ARCHIPEL DE LA SOCIÉTÉ :
LES ÎLES DU VENT,
LES ÎLES SOUS-LE-VENT

Le nom de cet archipel fut attribué à tort à Cook. En revanche, l'ardent navigateur a la légitime paternité du nom d'« îles Sous-le-Vent » qu'il leur donna parce qu'elles semblaient être toutes exposées aux **alizés**, vents dominants. Ce n'est que plus tard, que les îles du Vent formèrent avec les précédentes l'archipel de la Société. **Les îles du Vent**, à l'E, comprennent Tahiti, Moorea et 3 îlots : Tetiaroa, Maiao et Mehetia. **Les îles Sous-le-Vent**, au N-O des précédentes, sont composées de 5 îles hautes : Raiatea, Tahaa, Huahine, Bora Bora, Maupiti et de 4 atolls : Scilly, Bellinghausen, Mopelia, Tupai.

Moorea***

➤ **En avion.** *Si vous accédez à Moorea avec l'un des bimoteurs de la compagnie* **Air Moorea**, *vous atterrissez, 7 mn après avoir quitté l'aéroport de Tahiti-Faaa, sur la piste de l'aéroport de Moorea Temae, à l'E de l'île. De 6h à 9h et de 15h à 18h, un vol minimum toutes les 30 mn ; de 9h à 15h, un vol par heure. De l'aéroport, des bus ou des taxis vous conduisent vers les principaux hôtels de la ville, mais vous pouvez aussi louer une voiture à l'aéroport. Malheureusement, ce survol ne permet pas d'apercevoir les panoramas qu'offre l'approche par la côte N. Un survol de l'île en hélicoptère comblera cette lacune.*

En bateau. *Il existe un service régulier et important entre les deux îles. Chaque jour, 2 ferries quittent le port de Papeete, en face de l'hôtel Royal Papeete, aux alentours de 9h. Durée du trajet : env. 1h30. Retour vers 17h ou 18h.* **Tamarii Moorea Ferry.** *Deux ferries transportent passagers, voitures et fret. Direction Vaiare, 1h de trajet. Embarcations très modernes et fonctionnelles. 5 ou 6 traversées A/R par jour, départs de Papeete à partir de 7h, derniers retours sur Papeete du lun. au jeu. à 15h30, ven. à 17h30, sam. et dim. à 17h. Prix approximatif A/R : 1 400 CFP (77 F) par personne et 4 000 CFP (220 F) par voiture, BP 118 Moorea ☎43.76.50, fax 42.10.49.* **Tamahine Moorea II.** *Catamaran très moderne, traversée en 30 mn. Climatisé, 376 sièges dans le salon et 100 sièges extérieurs. 5 ou 6 traversées A/R par jour à partir de 7h. Dernier retour du lun. au jeu. à 16h40, le ven. à 15h55, sam. à 14h45 et dim. à 17h40. Prix approximatif A/R : 1 400 CFP/personne. BP 3917, Papeete ☎43.76.50, fax 42.10.49.* **Aremiti.** *Catamaran, 5 ou 6 traversées journalières A/R de*

30 mn chacune. Au débarcadère, des trucks, des taxis ou des fourgon-
nettes vous transportent dans toute l'île. Des prix forfaitaires sont prati-
qués. BP 9254, Papeete ☎ et fax 42.88.88.

Moorea, autrefois *Aimeo*, est l'île sœur de Tahiti, dont elle n'est sépa-
rée que par un étroit chenal de 17 km. Elle était surnommée l'« île
aux huit radiations » en raison de son relief très accusé qui découpe
la lumière du soleil couchant en fins rayons.

On ne voudrait arriver à Moorea qu'en survolant l'île à basse altitude
par la face N du Triangle basaltique dont l'élégante silhouette se pro-
file à l'horizon. La masse rocheuse du **mont Rotui** (899 m) garde les
deux somptueuses baies telle une fière sentinelle : la **baie de Cook**** à
l'E de l'île et la **baie d'Opunohu**** à l'O. Le Triangle basaltique est
entaillé de profondes vallées fluviales qui dissèquent les reliefs, taillés
au vif par quelque scalpel divin dont la généreuse mythologie des
îliens des temps anciens ne manque pas de nous fournir des noms
exemplaires. Vu du large, le mont Rotui ressemble à un éperon fiché
au milieu d'un arc de cercle montagneux composé, d'O en E, par les
monts Parata (517 m), Matotea (714 m), Tautuapae (769 m),
Mouapu (762 m), Mouaroa (880 m), Tohiea (1 207 m), Mouaputa
(830 m) et les monts Tearai (770 m) et Fairurani (741 m).

Vous atteignez la côte E de Moorea en catamaran ou en ferry, en ac-
costant au quai du petit village de Vaiare, le trajet le plus court, alors
qu'autrefois on atteignait l'île par la baie de Cook au mouillage de
Paopao ou par l'entrée de la baie d'Opunohu, au quai de Papetoai. Le
débarquement accompli, vous voici au pied des bâtisses qui abritent
les bureaux des compagnies maritimes. C'est ici que vous avez le premier contact, naturel, spontané, avec les îliens. Éparpillés sur

---

Épopée moderne

Le voyage Tahiti-Moorea en confortable catamaran à moteur ou en
ferry est bien différent de la traversée haute en couleur telle que la relate
A. t'Serstevens dans son admirable ouvrage *Tahiti et sa couronne*. « On
ne disposait alors que du *Mitiaro* – en tahitien : Dompteur de la mer ! –
une de ces vieilles bailles qui n'hésitent pas à se lancer en plein
Pacifique, en dépit de leur tonnage et de leur vétusté, espèces de bacs à
fond plat ; à l'avant, deux ou trois mètres de pont, avec un mât très
court qui ne porte jamais la moindre trinquette. Le reste est recouvert
d'un toit plat, soutenu par des montants de bois très espacés, et qui
abrite un rouf de la hauteur d'un siège, réservé aux passagers. Celui-ci
n'a ni dossier, ni accoudoirs, ni rien de ce qui rappelle un siège, bien
que ce soit son rôle. La surface est tellement polie par des générations
de derrières qu'on y glisse comme sur un toboggan. Les coursives étant
encombrées de marchandises, de cochons noirs, de poules en grappes,
etc., il est presque impossible de se déplacer. Le toit, comme l'impériale
de nos autocars, est recouvert de caisses de bière, de bicyclettes, de
dames-jeannes ventrues, de régimes de *fei*. Tout cela, mené par un
équipage de Maoris demi-nus qui se casent où ils peuvent ; s'en va sur
la mer, roule dans la vague, chevauche la houle, poussé par un petit
moteur qui s'époumone sous le rouf, et dont la cheminée brûlante
passe au milieu des passagers... »

A. t'Serstevens, *Tahiti et sa couronne,* Albin Michel

Chant de Moorea

'O 'Aimeo i te rara varu	C'est 'Aimeo aux huit radiations
Te fenua i pa'i hia	Le pays où régnait
E te Ari'i Ra'a poto.	Le roi Ra'a-poto
'O Fa'ato'ai te fenua e,	Fa'ato'ai est le pays O,
Opo'o-tû taua e !	Des chefs guerriers !
'O Matiti te *marae*,	Matiti est le *marae*,
O Vai-'ai'a te pape,	Vai'-ai'a est la rivière.
'O Mave iti, o Mave rahi,	Coulant dans les bois parmi les
Mave i te uru tuouo e !	clameurs. Oh !
Tau fe'e ro'oa	Ta pieuvre
I paepae-ara,	Au pavage de pierre noire.
I te fare muhu area,	À la maison des murmures occasionnels
Te fare orerorero-ra'a o te hui toà	La maison du parlement des guerriers
E ru'uru'u opu,	Où l'abdomen est ceint
E ma'a na te to'a	Où la nourriture est pour les guerriers.
To'erau i te aria roa	Le vent du nord des régions lointaines.
Na ni'a mai i te uri a Ra'a.	Souffle sur les ombres de la sainteté.

Relaté par Mme Teuira Henry, *Tahiti aux temps anciens*,
Société des océanistes, musée de l'Homme.

quelques étals, des fruits – bananes locales, noix de coco rafraîchissantes – et des légumes variés vous sont proposés sans artifice. Les Polynésiennes, assises avec nonchalance, conversent, et vous échangez un « bonjour » affaibli par la chaleur qui règne sur les quais. Vous voilà adoptés par la Polynésie tout entière.

« Celui qui ne sait pas sourire ne comprend rien et ne prend rien. Ceux pour qui sourire est comme une plaie ouverte sur le visage, passeront à côté de tout… Inutile alors de se perdre sous les Tropiques, les Polynésiens ont assez avec leurs problèmes et n'ont rien à faire de ceux des autres… Alors, le visage indifférent, ils laissent l'importun poursuivre son chemin. » Ces propos de Derek, un ami américain qui nous pilotait en 4x4 à Moorea ne manquent pas de flamme, et nous ne les avons pas oubliés !

C'est bien sur les quais de Vairae que vous vous sentez réellement en Polynésie et heureux de vous y trouver. Quand on arrive de Papeete, Moorea opère instantanément son charme, c'est la séduction de la vie simple telle que vous l'imaginez, enfin les vacances… les vraies !

Les artistes, peintres et écrivains apprécient tout particulièrement Moorea où ils ont élu domicile et ne tarissent pas d'éloges sur ce coin de paradis. Moorea est une invitation permanente au rêve, au dépaysement et à une foule d'activités. Le petit village de Vairae se trouve au pied du mont Mouaputa, la « montagne trouée » qui l'écrase de son arrogante stature.

L'île du lézard jaune

Jadis, Moorea s'appelait *Aimeo*, « manger caché », car c'était le refuge des guerriers tahitiens fugitifs. Moorea (*moa* signifie lézard, et *rea*, jaune) est le nom du fils d'un grand chef guerrier. L'histoire de l'île est liée à celle de la famille Pomaré, qui s'y réfugia à chaque fois que la situation devenait difficile pour elle à Tahiti.

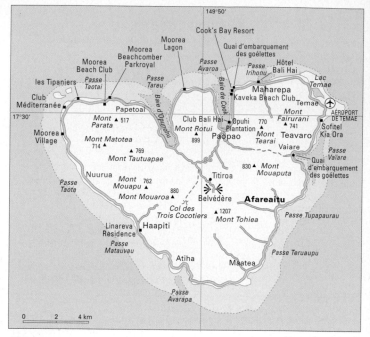

Moorea

En 1767, lors de son passage, Wallis donne à Moorea le nom d'île d'York. Des Tahitiens attaquent Moorea en 1777 : Cook, alors présent, demeure neutre et ne soutient pas son ami Pomaré, il visite l'île et donne son nom à la baie de Paopao. Treize ans plus tard, Pomaré Ier retourne en expédition à Aimeo et remporte la victoire grâce aux armes laissées par le capitaine Bligh lors de son dernier voyage.

C'est sur l'île de Moorea qu'en 1842, Pomaré IV Vahiné accepte le principe du protectorat français. Cinq ans plus tard, lors de l'entrevue de Papetoai, Moorea devient française en même temps que Tahiti.

Le tour de l'île

➤ *2h à une demi-journée suffisent pour effectuer le tour de l'île en voiture ou en scooter, la route de ceinture fait tout juste 60 km de long.*

Moorea est un havre de paix entouré d'arbres, de jardins méticuleusement entretenus, de rivières rafraîchissantes et de maisons aux façades égayées de teintes vives. Une fragrance de vanille plane dans cet environnement. Visiter Moorea, c'est flâner, contempler le lagon teinté de bleu, de vert ou de turquoise, se baigner, admirer les montagnes, délicatement érodées ou bien découpées selon de grands pans rocheux par les caprices du temps et de la géologie. Les vestiges historiques de Moorea, son orientation vers l'agriculture, mais aussi l'art, l'artisanat de qualité et le tourisme méritent également l'intérêt.

À partir de l'aéroport de Temae, faites le tour de l'île dans le sens inverse des aiguilles d'une montre. La côte N, à l'abri des vents dominants, est jalonnée de centres hôteliers et d'innombrables boutiques, artistiquement décorées, qui proposent des *pareu*, *tifaifai*, coquillages, bois sculptés, *tiki*, chapeaux tressés, colliers, articles en vannerie, et aussi les fameuses perles noires. L'étroite route côtière se faufile parmi les jardins et les cocoteraies, laissant apparaître au gré des anses, des caps et des baies, tantôt une plage côtière, tantôt la mer.

Le centre artisanal de Vaimiti*. Après la sortie de l'aéroport, la route longe la côte au pied de la montagne, entre terre et récifs coralliens limitant par endroits de minuscules lagons animés d'un liseré blanc d'écume. Vous atteignez rapidement le petit village de Maharepa. La visite du très intéressant **Centre artisanal de Vaimiti** permet de découvrir les techniques d'impression locales des *pareu* avec des matrices sculptées sur bois (☎56.16.12).

♥ **La baie de Cook****. Intense émotion quand vous vous engagez dans la baie de Cook enserrée par les pentes abruptes et verdoyantes des monts **Tearai**, **Mouaputa**, **Tohiea** et **Rotui**. On peut y contempler le vaste plan d'eau recherché comme mouillage par des navigateurs venus du monde entier, comme jadis le capitaine Cook. Enfoncé au fond de la baie, le petit village de **Paopao** s'organise autour d'un quai animé et de quelques boutiques d'art. En traversant le village, vous pouvez emprunter une petite route qui vous permet d'atteindre les plaines côtières et les contreforts de l'intérieur, les plantations d'ananas qui font la richesse de l'île, mais aussi celles de pamplemousses, de papayes et même de canne à sucre ou de bambous géants.

Opuhi Plantation*. À visiter absolument. Ce très beau jardin botanique comprend bien sûr des *opuhi*, tout comme de très nombreuses essences tropicales, arbres fruitiers, fougères, plants de vanille, gingembre, etc. (☎56.28.94, fax 56.30.07). Traversez les cultures expérimentales et les vastes champs du splendide domaine d'Opunohu. À ce stade, vous pouvez retourner sur vos pas et continuer sur la route côtière, ou prolonger votre périple en direction du Belvédère.

L'église de Saint-Joseph. Si vous continuez par la **route côtière**, à 1 km de Paopao se trouve la petite église de Saint-Joseph réputée pour son autel incrusté de nacres et pour la fresque moderne de Peter Heyman. Sortez de la baie de Cook en longeant le flanc E du mont Rotui pour atteindre la pointe Pihaena, avec de très beaux panoramas sur le récif frangeant et quelques plages lagunaires.

La distillerie de Moorea. Réservez une courte visite à l'usine de jus de fruits et à la distillerie de Moorea : on peut y acheter les liqueurs et apéritifs artisanaux de la marque *Ava Tea*. Le mythe des îles ne vous lâchera pas si vous goûtez le Punch Royal, le Coco Crystal, le Lagon Bleu ou le Punch Rêveur…

La baie d'Opunohu**. En contournant le mont Rotui, vous pénétrez dans la profonde baie d'Opunohu qui forme le plus vaste plan d'eau de l'île, dominé par le mont Tohiea, point culminant de Moorea. Au fond de la baie d'Opunohu, prenez la petite route qui passe devant les terres longeant le vaste domaine territorial privé d'Opunohu. Poursuivez vers le Belvédère. La route, très étroite et sinueuse, s'élève à flanc de montagne et offre de très beaux panoramas sur les montagnes et le littoral. À près de 1 km du Belvédère, vous atteignez le *marae* de Titiroa** (à g. du chemin). Ce lieu de culte, restauré en 1969, est figé au milieu d'un superbe bois de *mape*, châtaigniers tahitiens au tronc caractéristique.

D'autres *marae*, d'accès moins facile, ont été restaurés dans cette vallée. Une première approche de ces sites grandioses sera complétée par une visite organisée, en 4x4 par exemple.

Le Belvédère**. Une dernière ascension et vous arrivez au **Belvédère**, site superbe, probablement l'un des plus beaux de toute la Polynésie, surtout par temps clair ce qui est rare sauf le matin de bonne heure. Devant vous, le mont Rotui sépare la baie de Cook à dr. et la baie d'Opunohu à g. ; derrière vous se trouve un immense cirque rocheux au long duquel s'alignent les plus hauts sommets de l'île. En redescendant, vous suivez toujours la vallée d'Opunohu pour retrouver la route côtière. À la sortie de la baie d'Opunohu, on aborde la côte la plus touristique de l'île où se succèdent le *Moorea Beachcomber Parkroyal*, le *Moorea Beach-Club*, les *Tipaniers* et le *village du Club Méditerranée* situé dans une immense cocoteraie, en bordure de la plus belle plage de sable blanc de l'île, un site d'ailleurs admirable ! La route se fraie un passage entre cocoteraies et jardins, on croise le *Moorea-Village*, le *Tiki Théâtre Village* puis le village de Haapiti et l'hôtel *Linareva*. Vous voyez, tout au long de la route, se profiler la masse imposante de Tahiti qui vous accompagne jusqu'à l'aéroport.

Sur le chemin du retour se trouve le village d'**Afareaitu**, l'un des districts les plus peuplés de l'île. Un étroit chemin mène à la **Coopérative de vanille Hotutea** qui dépend du Service de l'économie rurale : vous pouvez y acheter de la vanille produite localement, de la

---

Le mariage à la polynésienne

« Dans le décor enchanteur d'un village polynésien bordé d'un lagon aux couleurs magiques, la cérémonie du mariage tahitien du Tiki-Village est le plus beau cadeau que puisse offrir un mari à sa future épouse ou à sa femme, pour un anniversaire de mariage… », dit Olivier Briac, directeur du Tiki-Village. Il existe 4 formules pour se marier en Polynésie : mariage princier, royal, super-royal, ou cérémonie royale avec banquet tahitien et grande fête de nuit. À titre d'exemple, le mariage super-royal propose une cérémonie conduite par le chef de village et le grand prêtre. Arrivée du mari en pirogue royale conduite par quatre rameurs tahitiens ; colliers, couronnes de fleurs, musiciens, villageois, cérémonie préparatoire où les fiancés revêtent les splendides costumes tahitiens, certificat de mariage, procession avec transport des jeunes mariés à dos d'homme par quatre guerriers, danse du feu, cadeaux, dont une perle noire, une nacre gravée, un *tifaifai*, un *tiki*, un *peue*, champagne et retour en calèche sous les étoiles… Le mariage tahitien connaît du succès puisque des grandes vedettes du show-bizz viennent maintenant convoler au Tiki Théâtre Village.

« Au Tiki Village, c'est le mariage carte postale, et à la carte, pour 4 500, 6 000 ou 7 500 F selon le nombre de figurants, de danseurs, de piroguiers, de musiciens. Moorea a un mérite : celui d'offrir des rites, des chants, une tradition, les apparences d'un sacre que les prêtres d'Europe et d'Amérique du Nord, devenus si « cérébraux », semblent refuser aux gens depuis trente ans ; et pour aller s'unir à la tahitienne, sous la haute protection des *tiki*, les esprits polynésiens ancestraux, sculptés dans le bois et la pierre, les milliers de kilomètres ne comptent pas… » (*Figaro Magazine*, 18 juin 1994).

Informations-mariage : Tiki Théâtre Village : BP 1016, Haapiti, Moorea ☎*56.10.86, fax 43.20.06.*

On vole le mont Rotui !

Hiro est le dieu des voleurs et de Pai (dieu des guerriers dans la légende). Hiro et sa bande de voleurs décidèrent un jour de venir à Aimeo (Moorea) pour lui ravir le mont Rotui. Ils attachèrent pour cela de longues lianes *pohue* au sommet de la montagne et tirèrent si fort que cette partie de l'île en fut presque détachée. Pai, qui se trouvait alors à Punaauia, en face de Moorea, fut réveillé par ses pères nourriciers qui lui dirent : « Prends ta lance et jette-la sur Aimeo aux huit radiations. » Pai se leva, gravit la colline Tataa d'où la vue sur Moorea est excellente, et jeta sa lance sur Hiro. La lance, en un instant, traversa la mer et se ficha dans le sommet de la montagne où elle perça un grand trou (*Moua-Puta*, la roche percée).

L'ébranlement provoqué par le choc de la lance réveilla les coqs qui, de tous côtés, se mirent à chanter. Effrayés, les voleurs s'enfuirent au plus vite. Hiro réussit tout de même à emporter l'extrémité du mont Rotui qu'il déposa à Opoa, dans la partie sud, l'île de Raiatea où cette petite colline recouverte de bois de fer différente des reliefs environnants, existe toujours.

D'après Teuira HENRY, *Tahiti aux temps anciens*,
Société des océanistes, musée de l'Homme.

poudre de vanille ou de l'extrait. À Afareaitu, vous trouverez aussi l'un des minuscules hôtels au charme authentique et très célèbre en Polynésie, *Chez Pauline* ♥ (voir p. 155). Construite en 1918 par la mère de Pauline, cette maison de style colonial comporte des chambres simples, décorées à la manière des demeures locales, de tissus avec des *pareu* stylisés. On apprécie aussi des pièces anciennes en bois sculpté ou en pierre. L'hôtel disparaît derrière un épais mur végétal où se mêlent la plupart des essences locales. *Pauline* c'est aussi la plus ancienne – et la plus pittoresque – des auberges de l'île, réputée pour sa cuisine polynésienne. Il ne vous reste plus que quelques km à parcourir pour retrouver le quai de débarquement de Vairae et regagner votre hôtel.

LES BONNES ADRESSES

Hébergement

▲▲▲▲ **Moorea Beachcomber Parkroyal** ♥, secteur de Papetoai, au N-O de l'île près de la baie d'Opunohu, BP 1019 ☎55.19.19, fax 55.19.55. VISA, AE, DC, MC. 147 *unités d'habitation* dont *50 bungalows sur pilotis* de style polynésien, *48 bungalows plage et jardin, et 49 ch*. Air cond., mobilier en rotin, couvre-lits de *tifaifai*, habitations spacieuses. Deux petites plages privées, grande piscine près du lagon, piste d'atterrissage pour hélicoptères. Sports nautiques, excursions, tennis, navettes sur les îlots, pêche au gros, excursions en pirogues à moteur, bateau à fond de verre, balade au coucher de soleil, promenades à cheval, promenades en voilier et toutes les visites de l'intérieur de l'île ! ♦♦ **Fare Hana**, restaurant à l'ambiance décontractée, à l'extérieur du Beachcomber Parkroyal près de la piscine. Plats simples au déjeuner. VISA, AE, DC, MC. ♦♦♦ **Fare Nui**, restaurant gastronomique du Beachcomber Parkroyal qui accorde une part importante aux fruits de mer et aux spécialités locales. Remarquables soirées à thème dont la « Soirée merveilleuse » avec son incomparable buffet de fruits de

LE *PAREU*
EN SES MILLE COULEURS

*« Cotonnade à fleurs attachée comme on veut
à la ceinture », selon l'expression de Paul Gauguin,
le pareu éclate de couleurs dans maints tableaux du peintre.
Décoré de feuilles, de coquillages ou d'oiseaux, ses motifs
se sont enrichis au cours du temps, mais il fait toujours
référence à une nature privilégiée, si chère aux Tahitiens.*

Étoffes et toiles

La femme polynésienne, la *vahine* occupe une place
privilégiée dans l'œuvre de Paul Gauguin. Ainsi,
Femmes sur la plage, une toile que l'artiste peignit
en 1891 et que l'on peut admirer au musée d'Orsay,
présente deux physionomies massives empreintes
de mélancolie qui occupent magistralement l'espace.
Le bras puissant de l'une des femmes émerge
d'un corsage blanc. Son *pareu* décoré de fleurs
et de feuillages blancs sur un fond rouge sang
est négligemment noué autour de sa taille. Le rouge
de l'étoffe souligne le regard des visages perdus
dans cette attitude mélancolique, un tantinet
boudeuse. Les couleurs vives et les motifs voyants
du *pareu* contrastent fortement avec les tonalités
rose pâle de la robe-mission de la seconde *vahine*.

Le pareu joue un rôle tout aussi fondamental
dans *Je vous salue Marie* : la Vierge et l'enfant Jésus
tahitiens émergent d'une composition très réaliste,
où chaque détail du paysage polynésien a été
minutieusement observé. Le vert, le mauve, l'ocre
et le bleu dominent et la Vierge à l'enfant, habillée
d'un *pareu* rouge à motifs blancs, contribue à détacher
le personnage principal de son environnement.

Autre chef-d'œuvre de l'artiste, *L'Esprit des morts
veille* montre une jeune fille nue allongée à plat ventre
sur son lit, terrorisée par la silhouette d'une vieille
femme, le *tupapau* (revenant), toute de noir vêtue.
*« Le pareu orange et bleu foncé et le drap, baigné
d'une délicate lumière jaune, donnent l'impression
d'une scène nocturne, de même que l'expression de la
jeune femme révèle sa terreur »*, dit Paul Gauguin
dans une Lettre à Monfreid.

À la mode polynésienne

Le *pareu*, si prisé par le peintre, se retrouve presque
inchangé aujourd'hui, dans les décors polynésiens
qui se veulent traditionnels. Le plus classique
des *pareu* est décoré de fleurs et de feuillages
se détachant en blanc sur un fond uniforme rouge
vif. En même temps, la palette des artistes qui créent
les tissus s'est enrichie d'une multitude de motifs
et de teintes, qui présente pourtant un point commun :
l'emploi de représentations stylisées et répétitives,
qui trouvent leur source d'inspiration dans
l'environnement d'une nature privilégiée chère au

Pratique et léger, le *pareu*
offre des tenues élégantes…
si l'on sait joliment le nouer !

Conception moderne avec
motifs géométriques ou plus
traditionnelle avec
omniprésence de la flore, le
pareu se fait paysage.

Le groupe vocal des
Mammas de Bora Bora
en tenue de spectacle.
Lorsque le pareu se vend
au mètre, il n'est plus
une simple pièce d'étoffe
que l'on noue autour du corps,
mais entre dans la confection
des robes ou d'autres
vêtements.

cœur des Tahitiens, ainsi que dans le cadre de vie traditionnel des îles : lagon, *fare*, pirogue, cocotiers.

Les motifs de base du *pareu* comprennent des fleurs (hibiscus, tiare), des fruits *(uru)*, des feuillages ou feuilles isolées, des coquillages ou des oiseaux… Les décors marquisiens à base de *tiki* ou à frises symboliques sont aussi très en vogue. Ils s'inspirent directement des plus authentiques *tapa* marquisiens. Le thème décoratif du *pareu* associe en général plusieurs motifs élémentaires harmonieusement agencés, dont le blanc ressort sur un fond monochrome rouge, vert, bleu ou violet.
Les petits rectangles de cotonnade décorée sont devenus le fer de lance d'une mode d'inspiration strictement polynésienne. Ils sont largement utilisés par les femmes qui s'en entourent savamment et simplement le corps. On retrouve le coton léger du *pareu* dans la confection des chemises, robes, jupes tahitiennes qui sont les vêtements les plus agréables à porter et à dénouer sous la chaleur humide des tropiques.

Comment nouer son pareu ?

Madame, il existe une multitude de façons de s'envelopper de ce petit rectangle de coton imprimé, que l'on fixe toujours avec un nœud judicieusement placé. La manière la plus facile et la plus rapide est de croiser le *pareu* à l'avant du buste et de faire un grand nœud au-dessus de la poitrine. Variante aisée, croiser le *pareu* devant la poitrine et faire un nœud à l'arrière du cou. Plus élaboré et élégant, on peut se draper du *pareu* en tirant deux extrémités nouées sur une épaule. Une autre solution consiste à s'enserrer la taille dans le pareu, que l'on noue dans le dos, le buste restant libre, à moins de faire du *pareu* un artistique maillot de corps. On peut enfin laisser libre cours à son imagination créatrice, toujours récompensée par l'effet produit. Le charme des étoffes fait le reste…

mer, et les meilleurs groupes de danse de la Polynésie. VISA, AE, DC, MC. **Motu Iti Bar**, sublimes cocktails au soleil couchant. VISA, AE, DC, MC.

▲▲▲ **Bali Hai**, à Maharepa, à 12 km de l'aéroport de Moorea, en bordure d'une très belle plage de sable blanc, BP 26 Moorea ☎56.13.59, fax 56.19.22. VISA, AE, DC, MC. Grand hôtel au caractère polynésien très accentué, cette vaste demeure est le plus ancien établissement de prestige de Moorea, et a déjà une histoire. Un immense hall couvert de niau vous accueille et se prolonge en une grande galerie. *63 unités d'habitation, dont 9 bungalows sur pilotis, 8 bungalows plage, 38 bungalows sur jardin et mer, et 5 ch.* Vaste plage de sable blanc, piscine, *fare*, bar avec sièges dans la piscine, etc. Bar, ♦♦ restaurant, boutiques, sports nautiques, programme très complet d'excursions dans l'île, *tamaaraa* le dim. Une bonne adresse pour vivre « à la polynésienne » dans une ambiance décontractée.

▲▲▲ **Club Bali Hai**, dans la baie de Cook, à 14 km de l'aéroport, BP 26, Temae ☎56.13.68, fax 56.13.27. VISA, AE, DC, MC. *21 bungalows sur pilotis et 18 ch.* Plage de sable blanc, piscine, tennis, windsurf, pirogue, ski nautique, bateau à fond de verre, pique-nique sur *motu*, croisière au coucher du soleil, pêche au gros, etc. Soirées tahitiennes le sam. soir, *tamaaraa* le mer. soir.

▲▲▲ **Club Méditerranée** ♥, BP 575, Papeete ☎56.15.00, fax 56.19.51. VISA, AE, DC, MC. En bordure d'une superbe plage de sable blanc, au cœur d'une immense cocoteraie, face aux deux plus grands *motu* de Moorea, accessibles en pirogue à moteur. *350 fare doubles* équipés de salle d'eau et ventilateur, habitations très simples mais fonctionnelles, qui peuvent accueillir 700 personnes et leur fournir des prestations de haut niveau. Multiples activités : plongées de jour et de nuit, sports nautiques, gymnastique, 5 tennis dont 4 éclairés, survol en hélicoptère, croisière « coucher de soleil », promenade à cheval, croisière « langouste », pêche au gros, excursions, etc. Combinés possibles avec le Club de Bora Bora (Jardin de Corail) ♦♦♦ **Le Tiki**, restaurant en bord de mer, dégustation de poissons à la tahitienne, spécialités locales, discothèque. VISA, AE, DC, MC.

▲▲▲ **Cook's Bay Resort**, à l'entrée de la baie de Cook (ancien hôtel Ibis), BP 30 ☎56.10.50, fax 56.29.18. VISA, AE, DC, MC. *76 ch. et 24 bungalows.* Architecture de style colonial, très belle piscine avec vue sur la mer. Ambiance conviviale et décontractée, plutôt américaine. ♦♦ Cuisine simple de qualité, snack près de la piscine qui sert de bonnes pizzas et hamburgers. ♦♦♦ **Le Jardin** et ♦♦**Yacht Club**, avec de très bonnes spécialités à la carte.

▲▲▲ **Sofitel Kia Ora**, entre l'aéroport de Temae et Teavaro, face à l'île de Tahiti, BP 28, Temae ☎56.12.90, fax 56.12.91. VISA, AE, DC, MC. Dans une vaste cocoteraie de 14 ha, *80 bungalows (33 sur plage, 42 sur cocoteraie), 1 suite et 4 villas.* Style traditionnel polynésien, s.d.b., tél. Sports nau-

---

Bali Hai's Story

Dans les années 60, un jeune navigateur américain, Hugh Kelley, arrivé à Moorea en voilier, tomba immédiatement sous le charme de l'île ; il dit avoir « découvert son paradis ». Il fit l'acquisition d'une plantation de vanille située en bord de mer et demanda à deux de ses amis, Jay Carlisle et Muk Mc. Callum, de le rejoindre. Ils abandonnèrent rapidement leur projet initial de culture de la vanille pour se consacrer à la construction de l'hôtel qui connut immédiatement un remarquable succès. Le nom de Bali Hai provient de l'île qu'imagina James Michener dans *Les Contes du Pacifique Sud*. Deux autres Bali Hai furent construits ensuite, à Raiatea puis à Huahine, dans les années 70.

tiques, sorties de pêche au gros, sorties sur le récif, tours de l'île en pirogue, pique-nique sur *motu*, visites en bateau à fond de verre, etc. Deux restaurants de style polynésien. ♦♦♦ **La Pérouse**, cuisine internationale raffinée et spécialités locales. Grande nuit tahitienne le ven. Chaque semaine *tamaaraa, pareu show*, danses, chants, etc. Excellents groupes folkloriques. VISA, AE, DC, MC. ♦♦ **Molokai**, restaurant sur l'eau, remarquables petits déjeuners, restauration légère à midi. VISA, AE, DC, MC.

▲▲ **Linareva Résidence**, Haapiti, BP 205, Temae ☎et fax 56.15.35, en bordure de lagon. VISA, AE, MC. *7 unités d'habitation dont 2 bungalows en front de mer, un avec vue sur la mer, et 4 sur jardin.* Chaque unité peut accueillir 2 à 7 personnes et dispose d'une kitchenette aménagée. S.d.b. avec douche, TV. L'une des originalités de cette résidence est le bar-restaurant flottant ♦♦♦♦, aménagé sur une ancienne goélette, l'une des meilleures tables de l'île (voir p. 156). Accueil aussi chaleureux que sympathique par une direction jeune et enthousiaste. Club de plongée.

▲▲ **Moorea Beach Club**, chaîne TRH (Tahiti Resorts Hôtels), Papetoai, BP 1017 ☎56.15.48, fax 41.09.28. VISA, AE, DC, MC. Dans un grand jardin, au bord d'une plage de sable blanc. *40 ch. équipées*, s.d.b., brasseur d'air ou air cond. Piscine, bar, *coffee-shop*, restaurant de style traditionnel, en bordure de plage. ♦♦ Cuisine internationale et formule snack à midi. Sports nautiques, jet ski, pirogue, excursions, bateau à fond de verre, etc. Spectacle polynésien chaque dim. soir, *pareu show.*

▲▲ **Moorea Fare Condominiums**, Papetoai, BP 1052 ☎56.26.69, fax 56.26.22. VISA, MC. Dans une belle cocoteraie en bordure d'une plage de sable blanc. *43 bungalows modernes côté mer avec kitchenette.* Piscine, tennis, boutiques, spectacles de danses tahitiennes. ♦♦ 2 restaurants.

▲▲ **Moorea Lagoon**, BP 11, Temae ☎56.14.68, fax 56.26.25. Entre les baies de Cook et d'Opunohu, au pied du mont Rotui. VISA, AE, DC, MC. *45 bungalows sur plage et jardin.* Le restaurant-bar donne sur une jolie plage de sable blanc. Le lagon est idéal pour la baignade ou les balades en pirogue. Piscine. Tennis. Ambiance décontractée. Night-club.

▲▲ **Moorea Village**, Papetoai, BP 1008 ☎56.10.02, fax 56.22.11. VISA, AE, MC. En bordure de lagon, sur une très belle plage de sable blanc, à 20 km de l'aéroport. *50 bungalows de style polynésien dont 15 avec kitchenette.* Très beau site ; les fare prévus pour 2 personnes éparpillés dans une vaste cocoteraie en bordure d'une plage de sable blanc. Ambiance polynésienne, sports nautiques, pêche au gros, piscine. Tennis et équitation à proximité. Bar et restaurant sympathiques. ♦♦ Cuisine française polynésienne et chinoise. Sam. soir, barbecue avec pareu show et danse du feu. Dim. *tamaaraa* avec groupe de danse local.

▲▲ **Résidence Les Tipaniers**, Papetoai, BP 1002 ☎56.12.67, fax 56.29.25. VISA, AE, DC, MC. À 25 km de l'aéroport. Dans une cocoteraie bordée d'une plage de sable blanc. *20 bungalows, dont 9 avec cuisine.* Restaurant, bar, boutiques. Sports nautiques, promenades en pirogue. Centre nautique Moorea Aquasports.

▲ **Billy Ruta**, district de Haapiti, côté mer ☎56.12.54. *12 bungalows dont 5 avec kitchenette.* Plage de sable blanc.

▲ **Chez Pauline** ♥, district d'Afareaitu, à 8 km de l'aéroport, côté montagne ☎56.11.26. Maison ancienne de *7 ch.* avec 6 lits supplémentaires installés sous une véranda. Lavabo dans chaque ch. et 2 s.d.b. communes. ♦♦♦ Restaurant-bar, cuisine familiale très réputée, spécialités polynésiennes sur réservation.

▲ **Hibiscus**, Papetoai, BP 1009 ☎56.12.20, fax 56.20.69. VISA, AE, MC. À 27 km de l'aéroport, hôtel typiquement polynésien dans une belle cocoteraie, au bord d'une plage de sable blanc, *29 fare.* Douche, brasseur d'air, kitchenette. Piscine, sports nautiques.

▲ **Fare Matotea**, district de Haapiti, Papetoai, PK 28,7, BP 1111 ☎56.14.36. *8 bungalows*. Plage de sable blanc. Cuisine.

▲ **Motel Albert**, baie de Cook, Paopao (face au *Club Bali Hai*) ☎56.12.76. *18 bungalows*. Kitchenette et s.d.b.

▲ **Polynesian Bungalows**, Papetoai, BP 1234, près du *Tiki Village Théâtre* ☎56.30.20, fax 56.32.15. *10 bungalows dont 6 avec cuisine et 4 jumelés* qui se partagent une cuisine.

Logement chez l'habitant

Chez Dina, situé côté montagne, district de Paopao, à 3 km de l'aéroport ☎56.10.39. *3 bungalows*, salle d'eau commune et accès à la mer.

Chez Francine, district de Papetoai, près du *Moorea Lagoon* ☎56.13.24. *Bungalow de 2 ch*. S.d.b., cuisine.

Chez Nelson et Josiane, Tiahura, PK 27, Haapiti, côté mer ☎56.15.18. *4 fare, 5 beach-cabines et 3 bungalows* avec cuisine, s.d.b. commune.

Fare Manu, à Afareaitu, BP 34 ☎56.29.82. *Fare de 2 ch*. Cuisine.

Fare Manuia, PK 30, Haapiti ☎56.26.17. *5 bungalows*. Cuisine.

Fare Nani, district de Papetoai, PK 14, à 100 m du *Moorea Lagoon*. BP 117, Papeete ☎56.19.99. *3 bungalows* de style traditionnel dont 2 avec cuisine et 2 s.d.b. communes.

M.U.S.T. Hébergement, centre de plongée dans la vallée de Paopao. BP 336, Moorea ☎56.15.83, fax 56.15.83. Logement réservé aux plongeurs.

Moorea Fun Dive, BP 737 ☎ et fax 56.40.74.

Restaurants

◆◆◆◆ **Linareva** ♥, Haapiti ☎56.15.35. Visa, AE, MC. À bord de la première goélette en fonction, entre Tahiti et Moorea, la *Tamarii Moorea*, amarrée au ponton de l'hôtel. Seule la structure de l'embarcation a été conservée, les aménagements sont très réussis, belles boiseries d'acajou. Cuisine française et internationale de qualité, bons produits de la mer. Mérite le détour. *Ouv. t.l.j., midi et soir*.

◆◆◆ **L'Escargot**, restaurant de l'hôtel *Hibiscus*, à Haapiti, BP 31 ☎56.26.00. Visa, AE, MC. Cuisine française. Spécialités de fruits de mer.

◆◆◆ **Fare Manava**, Paopao, dans la baie de Cook ☎56.14.24. Visa, AE. Décoration soignée, cadre typique, cuisines française et chinoise de très bonne qualité. Bons fruits de mer.

◆◆◆ **Tropical Iceberg** ☎56.29.53. Visa, AE. Remarquable glacier, snack.

◆◆ **Billy Ruta**, à Haapiti, près du *Club Méditerranée* ☎56.12.54. Organisation de *tamaaraa* sur demande.

◆◆ **Chez Coco**, Papetoai ☎56.10.03. Spécialités tahitiennes.

◆◆ **Chez Michel et Jackie**, Maharepa, à côté du *Bali Hai* ☎56.11.08. Visa, AE, MC. Cuisine française soignée avec quelques recettes qui sentent bon le terroir, de bons poissons et des pizzas.

◆◆ **Le Cocotier**, Maharepa ☎56.12.10. Visa. Déj. et dîners, *f. le dim*. Style local, bonne cuisine avec spécialités de poissons.

◆◆ **Manava Nui**, Paopao ☎56.22.00. Visa. Cuisine chinoise, *f. le lun*.

◆◆ **Le Papayer**, restaurant du *Tiki Théâtre Village* ☎56.10.86. Visa, AE, MC. *Ouv. t.l.j.* Fête tahitienne et *tamaaraa* les mar., jeu., ven. et sam. soirs.

◆◆ **Tiahura**, Haapiti ☎56.15.45. Spécialités de poissons.

◆ **Te Honu Iti**, Paopao ☎56.19.84. Snack.

Loisirs et culture

Excursions en 4x4. Moorea est un jardin luxuriant où se développe une incroyable diversité d'agrumes, d'arbres de tous ordres, y compris les merveilleux *mape* que l'on découvre au détour d'un gué. On passe sans transition des champs d'ananas du domaine d'Opunohu aux plantations de vanille et de café puis aux bambous géants. Et surtout, on découvre avec enchantement l'extraordinaire richesse de l'intérieur de l'île, de la montagne inaccessible, avec l'arrière-goût de l'exploration de régions inviolées… ou presque ! Ajoutons à cela un magnifique bain de culture polynésienne, dispensée par de vrais guides professionnels. Choisissez de préférence la formule longue qui inclut la visite de l'intérieur. **Painapo** 4x4, BP 1097 Papetoai ☎ et fax 56.10.29. **Inner Island Safari Tours**, BP 339 Temae ☎ 56.20.09, fax 56.34.43. **Tefaarahi Adventure Tours**, BP 55 Haapiti ☎ 56.41.24, fax 56.31.91. **Tiki Théâtre Village*****, PK 31, après le Club Méditerranée et le Moorea Village, BP 1016 ☎56.10.86, fax 43.20 06. Nul autre qu'Olivier Briac ne mérite mieux le qualificatif de « pionnier ». Le Tiki Village est la reconstitution d'un village polynésien d'antan, avec ses *fare* typiques que l'on ne découvre qu'à l'occasion de cette visite. On vient vous chercher à votre hôtel en pirogue, vous êtes accueilli sur la plage par les villageois, les vahinés, les guitares et les *tamure* endiablés. À 11h30, chaque jour, très beau spectacle polynésien dans un cadre naturel, idéal pour la photo et la vidéo. Sortie en pirogue et pêche sur la barrière de corail. Au retour, vous pouvez cuire vos poissons ou ceux qu'on a pêchés pour vous. Déjeuner à l'ancienne. Lieu aussi intéressant que sympathique où vous pouvez également vous marier (voir p. 150) !

Galeries d'art. Galerie Aad Van der Heyde, à l'entrée de la baie de Cook à Paopao, BP 772 ☎56.14.22. Vous y verrez des œuvres du peintre hollandais, des tableaux d'artistes locaux, des pièces artisanales du Pacifique Sud. Aad Van der Heyde possède une très belle collection personnelle d'objets d'art primitif et antique. L'artiste représentant l'Office diamantaire du Pacifique, il vous est possible d'acheter des bijoux locaux et plus particulièrement des perles noires. Galerie Api, BP 1039, Papetoai ☎56.13.57, fax 58.28.27. Dans un très beau site à Haapiti, au bord du lagon, face à deux *motu*. Le chemin d'accès est orné par des *tiki* en bois de cocotier réalisés par les jeunes artisans de Moorea. Patrice Bredel est un connaisseur : commissaire-priseur à Paris pendant plusieurs années, spécialisé dans les objets d'art et la peinture, il a choisi de regrouper à Moorea les œuvres de plusieurs peintres locaux (Sylvain Vaea, Michèle Dallet, Ravello, Michel N'Guyen, etc.). Les bijoux d'Alain Kerebel associant l'or et les perles noires sont également présents, côtoyant les colliers ou ceintures d'inspiration primitive de Jean-Marie Thomas, les bijoux en coquillages multicolores de Michel Salmon, les tissus peints à la main de Mireille Ravello et de Juliette Mati. Refusant les produits de l'artisanat des Philippines et de Taïwan, il a ouvert un secteur d'antiquités où vous pouvez acheter d'authentiques objets polynésiens primitifs ainsi que des gravures des XVIIIe et XIXe s. sur l'Océanie. **Galerie de la Baie de Cook**, BP 103 ☎56.25.67. Aménagée très artistiquement dans un *fare* polynésien traditionnel, décoré de pirogues en bois et de beaux objets d'art sculptés, cette élégante galerie présente de très beaux tableaux de peintres locaux renommés. Parmi les œuvres exposées, quelques remarquables portraits et scènes polynésiennes. Belle collection de poteries de l'artiste local Peter Owen.

Pêche au gros. Guymar, c/o Hôtel Linareva, BP 1234 Papetoai ☎56.30.20, fax 56.32.15. **Tea Nui Charter**, BP 51069, Pirae ☎42.75.42, fax 41.32.97. Port d'attache : Hôtel Moorea Beachcomber Parkroyal.

Tour en hélicoptère. Réservation dans les hôtels. Plusieurs hélico-tours sont proposés au départ de Tahiti ou de Moorea, à partir de l'aéroport de Temae ou des hôtels équipés d'une plate-forme pour hélicoptères : Moorea Beachcomber Parkroyal, Club Med et Cook's Bay Resort Hôtel.

Tour de Moorea, survol de Moorea et de l'intérieur de Tahiti, survol de Moorea et tour circulaire de Tahiti, etc. **Héli-Pacific**, BP 6109, Papeete ☎85.68.00, fax 85.68.08. **Héli-Inter Polynésie**, BP 424 Papeete ☎81.99.00, fax 81.99.99.

Voile, charters. Multiples formes d'activités nautiques proposées à Moorea comme à Tahiti. **Moorea Boat Tours**, Haapiti ☎ et fax 56.28.44. **What to do on Moorea Tours**, Maharepa ☎56.13.59, fax 56.19.22. **Moana Lagoon Safari**, Temae ☎56.20.44, fax 56.10.42 et 56.40.58. **Mahana Tours**, Haapiti ☎56.20.44 et 56.19.19, poste 1138. **Ma'o Excursions**, Maharepa ☎56.36.05, fax 56.29.18. C'est en catamaran à voile et à moteur que vous pourrez admirer les petits espaces lagunaires les plus remarquables de Moorea et découvrir, depuis la mer, les admirables sommets de l'île. Croisières au coucher du soleil.

Activités sportives

La plupart des activités nautiques sont accessibles de votre hôtel.

Équitation. Rupe Rupe Ranch, à 150 m du *Club Méditerranée* ☎56.26.52, vous propose des promenades à cheval, des pique-niques en montagne à Haapiti. **Tiahura Ranch**, Haapiti ☎56.28.55. Promenades en montagne et découverte de l'intérieur de l'île à cheval avec ses magnifiques points de vue sur le lagon et le récif.

Parachute ascensionnel. Polynesian Parasail, BP 373, Temae ☎56.19.19, fax 56.18.88. Basé à l'hôtel *Beachcomber Parkroyal*.

Plongée. Moorea est un centre actif pour la plongée sous-marine. Une occasion à ne pas manquer, même si vous débutez. **Bathy's Club**, hôtel *Moorea Beachcomber Parkroyal*, BP 1019, Papetoai ☎56.31.44, fax 56.38.10. **M.U.S.T.** (Moorea Underwater Scuba Diving Tahiti), BP 336 ☎56.17.32, fax 56.15.83. **Scubapiti**, hôtel *Les Tipaniers*, BP 1072, Papetoai ☎56.12.67, fax 56.20.38. **Moorea Fun Dive**, hôtel Moorea Lagoon, BP 737, Maharepa ☎56.40.74.

Jet ski. Mahana Wave Runner, à l'hôtel Moorea Beachcomber Parkroyal ☎56.19.19, fax 56.18.88.

Shopping

Moorea n'a pas d'exclusivités. Vous trouvez dans quelques boutiques les plus classiques souvenirs polynésiens. La vocation de centre artistique et de refuge de nombreux artistes se retrouve dans la qualité de quelques boutiques de bijouterie, joaillerie, vente de perles noires et aussi dans les galeries d'art.

Boutiques. Une multitude de boutiques, plus attrayantes les unes que les autres, distraient le regard et ponctuent le paysage du tour de l'île de touches colorées. Vous ne résisterez pas à faire de multiples arrêts. Les articles proposés sont empreints de l'élégance naturelle qui caractérise Moorea, et cela à des prix généralement très raisonnables. La plupart de ces maisons proposent les mêmes articles, chacune conservant sa touche d'originalité : les artistes qui peignent les *pareu* décorés à la main ont une interprétation personnelle des motifs traditionnels polynésiens qui font de chaque boutique une petite galerie d'art dont les œuvres richement colorées flottent au gré du *maramu*. Hormis les *pareu,* on vous proposera des articles de prêt-à-porter local, des objets d'artisanat, des bijoux fantaisie, des livres, de très belles cartes postales et aussi des sculptures sur bois, des perles noires, etc. Toutes les boutiques du tour de l'île méritent un détour, arrêtez-vous chaque fois que vous en avez envie, l'accueil y est toujours cordial.

Perles noires, joaillerie. Chic Moorea, hôtel *Moorea Beachcomber Parkroyal* à Papetoai ☎56.20.68. Splendides créations de haute joaillerie. Ces créations n'ont aucune peine à mettre en valeur des perles qui comptent au nombre des plus belles. Vente de perles noires, toutes les qualités et tous les prix. **Lagon Bleu**, Haapiti, en face du *Club Méditerranée* ☎56.14.62, fax 56.20.53. Belle bijouterie, décoration et cadre très soignés, on vous y propose des perles noires de qualité à des prix raisonnables, des bijoux variés et des créations aussi intéressantes qu'originales. Le propriétaire est aussi un spécialiste des coquillages de collection. **Moorea Pearl Center**, baie de Cook, Paopao, Moorea ☎56.13.13. Des perles noires pour toutes les bourses, quelques bijoux simples et bon marché. Vente de nombreux autres articles dans cette grande boutique qu'on ne peut manquer à l'occasion d'un tour de l'île. **Tahitian South Sea Pearl Co.**, Sofitel Kia Ora, Moorea ☎56.11.85. Filiale de l'élégante boutique du Centre Vaima de Papeete. Les créations de haute joaillerie et les perles noires qui vous sont proposées sont de grande qualité. **Maohi Pearls**, Haapiti ☎56.17.70. **Tiki Pearls**, face au *Club Méditerranée*, Haapiti ☎56.20.53.

Adresses utiles

Banques. Banque de Polynésie, Paopao ☎56.14.59. *Ouv. de 7h45 à 12h et de 13h15 à 15h45 du lun. au ven.* **Banque de Tahiti**, Maharepa ☎56.13.29. *Ouv. de 8h à 12h et de 13h30 à 16h30 du lun. au ven.* **Socredo**, Maharepa ☎56.13.06. *Ouv. de 8h à 12h et de 13h30 à 16h30 du lun. au ven.* **Westpac**, Maharepa ☎56.14.90. *Ouv. de 9h à 12h et de 13h30 à 16h30 du lun. au ven.* Agence de Tiuhura ☎56.12.02. *Ouv. de 9h à 12h et de 13h30 à 16h30 du lun. au ven.*

Compagnie aérienne. Air Moorea, aéroport de Moorea-Temae ☎56.10.34.

Catamaran et ferries. Tamarii Moorea Ferry, BP 118 Moorea ☎43.76.50, fax 42.10.49. **Tamahine Moorea II**, BP 3917, Papeete ☎43.76.50, fax 42.10.49. **Aremiti**, BP 9254, Papeete ☎42.88.88.

Locations de véhicules. Louer une voiture ou un scooter à la journée, à l'aéroport ou au comptoir de voyage de votre hôtel, est l'une des meilleures solutions pour visiter l'île. Location de bicyclettes très pratiquée également. **Arii** ☎56.12.86, fax 56.25.52. **Avis**, aéroport ☎56.12.48, Vairae ☎56.12.58, Temae ☎56.12.58 et grands hôtels. **Pacificar**, aéroport ☎56.11.03, agences dans les grands hôtels. Prix approximatif de location à la journée, kilométrage illimité et assurance incluse catégorie économique : env. 8 000 CFP/jour (440 F).

Poste. Temae ☎56.10.12. *Ouv. du lun. au jeu. de 7h à 15h et le ven. de 7h à 14h.* **Papetoai** ☎56.13.15. *Ouv. du lun. au jeu. de 7h30 à 15h30 et le ven. de 7h30 à 14h30.*

Urgences. Police secours ☎17. Gendarmerie ☎56.13.44. Police de Temae/Afareaitu ☎56.10.36. Police de Haapiti ☎56.10.84. Hôpital de Moorea ☎56.24.24. Dispensaire de Paopao ☎56.12.03. Dispensaire de Papetoai ☎56.14.78. Pharmacie de Moorea ☎56.10.51.

Tetiaroa**

➤ *En avion : un vol régulier journalier d'une durée de 20 mn est assuré au départ de Tahiti-Faaa. Renseignements auprès des agences de voyages et à l'aéroport de Tahiti-Faaa (☎82.63.02). En catamaran : excursion quotidienne sur l'Aremiti I, un catamaran à moteur tout confort et climatisé. Il ne vous faudra que 75 mn pour rallier Tetiaroa. Départ le matin à 8h et retour dans la journée à 18h.*

Atoll le plus proche de Tahiti, à 42 km au N, l'île est composée d'un anneau corallien dont les parties émergées forment 13 *motu* dont un seul, *Tiaraunu,* est habité, alors que l'hôtel *Tetiaroa Village* est installé sur un îlot privé, le *motu* Onetahi. Tetiaroa reste un havre de paix. Bien que minuscule (7,5 km dans sa partie la plus large), l'île est à elle seule un monde à part.

Dans les temps anciens, Tetiaroa fut tantôt résidence d'été occasionnelle, tantôt île-refuge de la famille Pomaré lors de ses démêlés avec les Tahitiens. Achetée en 1966 par Marlon Brando, farouche protecteur de la nature et de l'environnement, Tetiaroa a conservé son charme primitif. Certains îlots abritent des colonies d'oiseaux de mer, les plus riches de la Polynésie, tant en diversité d'espèces qu'en volume de population ; c'est le cas de ♥ **Tahuna Rahi**, l'île aux oiseaux**, au S-E de l'atoll. Le lagon est aussi d'une grande richesse et cet environnement privilégié conduit les scientifiques écologistes, océanographes, à s'intéresser de près à Tetiaroa, cela avec l'aide de Marlon Brando.

Une piste d'atterrissage a été aménagée sur le *motu* Tiaraunu. Tetiaroa, c'est une vie simple, en totale osmose avec les éléments, l'espace, le sable corallien, le lagon, plus protecteur et plus tiède que partout et les cocotiers, nonchalamment balancés par les alizés. Vous y vivez le temps d'un rêve de quelques heures ou de quelques jours, libre, loin de toutes les contraintes et du stress entre ciel et mer sur des kilomètres de plage de sable blanc, en admirant le vol majestueux des frégates…

Toutes les agences de Tahiti proposent des visites à Tetiaroa. La formule la plus souvent adoptée est celle de l'excursion d'une journée, avec repas local simple à l'hôtel. À ne pas manquer si votre séjour en Polynésie ne comprend pas la visite d'un atoll. Possibilité d'un tour en hélicoptère avec visite de l'île ; *day tour* en yacht à voile ou à moteur au départ de Tahiti ou de Moorea, visite de l'île avec pique-nique sur un *motu* ou repas à l'hôtel de Marlon Brando. Si le temps le permet, promenade sur le récif corallien où l'on peut aussi admirer d'imposantes plaques basaltiques, et surtout voir des îlots de rêve comme l'« île aux oiseaux », Tahuna Rahi, un enchantement pour tous les amateurs de nature et de vie sauvage.

Les bonnes adresses

Circuit maritime. Tetiaroa Loisirs propose une mini-croisière en voilier catamaran de 3 jours pour un circuit Tahiti, Tetiaroa, Moorea. Un départ hebdomadaire s'il y a au minimum 4 passagers.

Hébergement. Hôtel de Tetiaroa, sur le *motu* Onetahi, au S-O de l'atoll. BP 2418, Papeete ☎82.63.02, fax 85.00.51. VISA, AE, DC. 10 *bungalows* de style traditionnel.

Informations touristiques, réservations. Tahiti Nui Travel, centre Vaima, Papeete ☎42.68.03, fax 42.74.35. **GIE Mer et Loisir**, *fare* flottant, Papeete ☎43.97.99, fax 43.33.68. **Ron's Tours**, Papetoai ☎56.35.80, fax 56.10.66.

Les autres îles du Vent

Trois petits îlots forment les sommets d'un triangle océanique qui inclut Tahiti et Moorea. La pointe N est occupée par l'atoll de Tetiaroa. L'angle O est marqué par une île caractéristique avec deux grands lacs internes, d'accès difficile donc très peu visitée : c'est Maiao. Enfin Mehetia, à l'E, est le dernier sommet. Cette île, qui possède le cône volcanique le mieux conservé de toute la Polynésie, n'a pas de véritable récif. Son apparition relativement récente explique ces deux particularités.

Ron's tours, Papetoai ☎56.35.80, fax 56.10.66, propose une excursion d'une journée à Maiao. D'après Ron, le patron, « la population de Maiao vous accueille sur son île restée *tabu* (interdite) aux étrangers. Vous serez parmi les premiers à découvrir la solitude de ses plages de sable blanc, le mode de vie de ses habitants resté typiquement polynésien. Visite guidée des *marae*, pique-nique préparé par les habitants, profusion de fruits de mer ».

Huahine**

➤ **En avion.** *2 à 3 vols quotidiens assurés par **Air Tahiti** à partir de Tahiti-Faaa. Durée du voyage : 35 mn. Les vols continuent sur Raiatea (15 mn de vol) et sur Bora Bora (25 mn de vol) ou Maupiti après une escale à Raiatea ou à Bora Bora. Trucks et taxis entre l'aéroport et les hôtels. Achat des billets d'avion dans toutes les agences de voyages ou directement à **Air Tahiti**, bd Pomaré, Papeete, ☎86.42.42.*

Desserte rapide. *Le Ono Ono est un bateau récent et de grand confort ;* ☎ *et fax 68.85.85.*

En goélette. *Le Taporo-IV effectue 3 A/R par semaine, au départ de Papeete. Départs les lun., mer. et ven. vers 16h. Durée du voyage : env. 11h. 38 couchettes sur le pont, 2 cabines à 4 couchettes. Le Temehani-II effectue 2 A/R par semaine, au départ de Papeete. Départ les mar. et jeu. vers 17h. Durée du voyage : env. 9h. 27 couchettes. 116 passagers au total. Le **Raromatai Ferry** effectue 2 A/R hebdomadaires au départ de Papeete. Départ les mar. à 18h et ven. à 16h30. Durée du voyage : env. 9h. 326 fauteuils et 18 cabines. **Vaianu**, 3 voyages hebdomadaires. Départs de Papeete lun., mer. et ven. à 17h. 19 cabines climatisées et 40 couchettes sur le pont.*

Si vous demandez à un Tahitien : « Quelle île préfères-tu ? », il y a de grandes chances pour qu'il vous réponde : « Huahine ! ». Huahine est l'une des îles qui incarnent le mieux la Polynésie de jadis, l'île où l'on rencontre des Polynésiens qui vivent comme autrefois. Peut-être sent-on à Huahine mieux qu'ailleurs toute l'importance et la présence des « vraies valeurs » polynésiennes. Nommée dans les temps anciens *Mataïrea* (« peu de vent »), son nom actuel signifie « fruit gris ». Ce nom dérivé de *Hua-Huatearu* (« corail brisé ») est lié à la légende du dieu Hiro (dieu des voleurs) qui coupa l'île en deux avec sa pirogue.

L'un des principaux attraits de l'île réside dans la beauté sauvage des sites que vous traversez, des villages polynésiens typiques disséminés le long de la route de ceinture qui s'enfonce par endroits dans une végétation tropicale foisonnante. Enfin, l'exceptionnelle richesse du patrimoine archéologique de Huahine en fait une destination privilé-

Huahine

giée pour les amateurs de cultures anciennes. L'île est riche en *marae* tous plus intéressants les uns que les autres.

Huahine est une île très agréable, son architecture naturelle lui donne une physionomie particulière et elle peut sans peine rivaliser avec Moorea ou Bora Bora.

C'est l'île Sous-le-Vent la plus proche de Tahiti. Elle est formée par deux masses volcaniques : Huahine Nui « la grande Huahine », dominée par le mont Turi (669 m), les monts Tapu au N et les monts Pa'eo et Vahi au S, et Huahine Iti « la petite Huahine », coiffée par le mont Pohuerahi (462 m) et le Mou'a Toru, la « montagne à trois pics ». Les deux masses volcaniques de Huahine Nui et Huahine Iti sont séparées par un bras de mer formant la baie de Maroe (à l'E) communiquant avec la baie de Bourayne (à l'O). Ces deux baies que l'on surplombe de l'intérieur sont splendides quand la surface du lagon étincelle de mille feux. Un pont relie les deux îles. Un récif-barrière corallien, élargi par endroits de vastes *motu* couverts de cocotiers, enserre les deux îles dans un même lagon dont l'éclatant vert turquoise inonde de reflets les montagnes de l'intérieur. Le lagon se prolonge dans les terres par de multiples bras de mer, qui confèrent aux villages de pêcheurs une physionomie de cités lacustres, composées de *fare* sur pilotis. Ces sites grandioses s'accommodent mal de la superficie réduite de l'île : 73 km² ! Le village de **Fare***, centre administratif, se trouve au N-O de Huahine Nui.

Le tour de Huahine Nui

Partez de **Fare***, pittoresque village de bord de mer et centre administratif de Huahine avec la mairie. Comme dans tous les ports, vous découvrirez un quai de débarquement des goélettes, qui effectuent les liaisons inter-îles, une halle à coprah qui sert plutôt d'abri ombragé, de sympathiques boutiques, épiceries-bars et bazars chinois devenus supermarchés (heureusement l'ambiance décontractée et conviviale demeure inchangée), quelques boutiques de marchands de tissus, *pareu,* articles de plage aux enseignes pittoresques, quelques maisons alignées. Le nom ancien de Fare était *Fare nui atea,* qui signifie « la grande maison éloignée ». Son rôle prépondérant fut lié à l'installation de Pascal Marcantoni qui domina l'île. Les récits historiques relatent aussi que Fare avait, dès 1830, un rôle important de « port de relâche » pour les baleiniers qui croisaient en direction du nord pour leurs campagnes de pêche.

De Fare, vous pouvez vous diriger vers le S de Huahine Nui dans la direction du petit village de **Fitii**. À env. 1,5 km de Fitii, un premier embranchement mène, à g., à la route traversière, que vous laissez pour le moment de côté. Vous trouvez env. 500 m plus loin un embranchement qui conduit, à dr. vers la baie de Bourayne ; belles ouvertures sur le lagon et le *motu* Vaiorea, alors tout proche et, au-delà du *motu,* la silhouette montagneuse de l'île jumelle, Huahine Iti, avec, au premier plan, le promontoire boisé abritant le site exceptionnel de l'hôtel *Hana Iti.*

En retournant sur vos pas, vous empruntez la route traversière qui vous mène au village de Faie et à la côte E de Huahine Nui. Vous gravissez la montagne dans le prolongement des contreforts du mont Turi au milieu des plantations de vanilliers, de bananiers et de bois d'acacias, d'amandiers et d'essences tropicales variées. On arrive ensuite au **belvédère**** d'où l'on a une vue admirable sur la grande baie de Maroe et sur celle de Port-Bourayne avec le *motu* Vaiorea au milieu de l'entrée de la baie, telle une sentinelle défiant les intrépides navigateurs. En face, l'imposante masse de Huahine Iti, dominée par les « trois montagnes » du Moua Toru et, dans le lointain, du mont Pohuerahi. En bordure du bras de mer, vous distinguez les maisons côtières du village de Maroe, formant de minuscules taches claires. La route plonge ensuite vers la baie de Faie avec de beaux panoramas sur le lagon, le *motu* Mahara et la passe. Après avoir traversé le village, la route s'incline vers le N en longeant un étroit bras de mer qui s'élargit légèrement avant d'atteindre le village de **Maeva**.

Maeva* est un village pittoresque avec ses maisons de pêcheurs sur pilotis, son allure typique de village lacustre et ses pièges à poissons. Le lac de Maeva est formé par la fermeture du lagon à la suite du soulèvement de cette partie de l'île. Maeva possède un **Musée archéologique de plein air*****, situé pour l'essentiel aux alentours de la colline Matairea.

Le *marae* de **Matairea Rahi**, le plus proche de la colline, est le plus ancien ; ses origines sont antérieures à 1300. Il est consacré au culte du dieu Tane. *Marae* principal, c'est le « père » des nombreux *marae* qui s'alignent au pied de la colline et en bordure du lac de Maeva. Le *marae* de Matairea Rahi était le *marae* communautaire de l'île qui portait son nom avant qu'elle fut nommée Huahine au XIXe s.

Le site archéologique de Maeva a fait l'objet de nombreuses études de la part du Dr Emory (1925), puis du Dr Sinoto, du Bishop Museum de Honolulu qui dirigea des fouilles archéologiques et la mise en valeur du site à de nombreuses reprises, entre 1967 et 1968 et à partir de 1979 pendant environ 5 ans.

L'Office du tourisme de Huahine, en collaboration avec les chercheurs, a mis au point un circuit de randonnée de 2h. Il débute près du mur de fortification historique situé au voisinage du *marae Fare Ro'i*, mur de fortification qui fut probablement construit en 1846, lorsque les troupes de marine françaises attaquèrent Maeva. En suivant la piste, on trouve, après avoir dépassé le mur préhistorique, le site de **Te Ana** qui regroupe plusieurs *marae*. La piste mène ensuite jusqu'au *marae* **Tefano**, qui se trouve à l'abri des ombrages d'un énorme banyan.

Du *marae* Tefano, la piste vous conduit, par le chemin de g., au *marae* Matairea Rahi, le plus important de Huahine ; il n'en reste de nos jours qu'une vaste aire dallée, l'emplacement de l'*ahu* est marqué par huit pierres dressées. La piste, promenade agréable et facile à travers la forêt et les terres agricoles, vous conduit ensuite au *marae* **Paepae Ofata**, sur une colline couverte de fougères, de l'autre côté de la colline de *Matairea*. On découvre alors une vue exceptionnelle sur le récif, le lagon et Huahine Iti.

Un chemin traversier passe sur le *motu* qui ferme le lac. Il court sous les cocotiers, entre les plantations de melons et de pastèques et mène à l'hôtel *Sofitel Heiva*. Quand on repart dans la direction opposée, en continuant sur le chemin qui longe le *motu*, on atteint rapidement le très beau *marae* **Manunu**** qui succéda au *marae Matairea Rahi* comme *marae* communautaire de l'île de Huahine. Édifié vers 1500, il comprend un *ahu* allongé formé de pierres plates dressées, comme le *marae* Anini, mais à deux niveaux superposés.

Le tour de Huahine Iti

On accède à l'île de Huahine Iti par le pont qui la relie à Huahine Nui. Cet ouvrage, d'une centaine de mètres de long, traverse le magnifique chenal entre les deux îles. À marée basse, il est possible de franchir celui-ci à pied. Sur Huahine Iti, la route bifurque. À dr., c'est la côte O avec ses belles plages de sable blanc qui incitent à la baignade. Vous pouvez revenir par la côte E en traversant les villages de Parea, Tefarerii et Maroe.

Le principal centre d'intérêt est le *marae* **Anini**** situé à l'extrémité S de Huahine Iti, sur la presqu'île de Tiva. Une magnifique cocoteraie de bord de mer abrite ce *marae* très facilement accessible en voiture depuis la route de ceinture (accès signalé par un panneau comme pour tous les sites importants de l'île). Édifié avec des pierres dressées, ce très beau *marae* comprend un vaste *ahu*, de forme allongée, situé en bordure du littoral. Construit aux alentours de 1300, il faisait office de *marae* communautaire de l'île de Huahine Iti consacré au culte du dieu Oro, le dieu de la guerre. Les récits anciens relatent qu'un nombre très important de sacrifices humains y furent pratiqués. On citera pour mémoire, en continuant sur la route côtière, la visite du site exceptionnel de l'**hôtel *Hana Iti*****.

LES BONNES ADRESSES

Informations touristiques. Comité du tourisme de Huahine, BP 54, Fare ☎68.86.34, fax 68.87.34.

Hébergement

▲▲▲▲ **Hana Iti** ♥, BP 185, Fare ☎68.85.05, fax 68.88.53. VISA, AE, DC, MC. Dans la baie de Haapu, il s'étend à flanc de montagne sur des pentes boisées couvrant 18 ha, au bord d'une superbe plage de sable blanc. *26 unités d'habitation,* chacune formée de *3 fare* de style local à l'ancienne qu'on croirait perchés dans les arbres. Chaque ensemble de résidences comprend un *fare* réception-s.d.b., un *fare* bar-living et un *fare* chambre à coucher, reliés selon la configuration du site par des escaliers taillés dans la roche ou des passerelles suspendues en branches et cordages. Chaque groupe de *fare* possède une architecture originale, les poutres sont en général des troncs et branches d'arbres à la forme tourmentée. Mobilier en bois orné de motifs polynésiens, lavabos formés de vastes bénitiers, porcelaines et troca en guise de robinetterie. Lits à baldaquin, moustiquaires décorées de feuillages de bambous, etc. Tout est fait pour le dépaysement ! De larges pans de la toiture en *niau* sont, dans tel *fare,* largement ouverts sur les cimes feuillues des acacias, des tulipiers ou des flamboyants et, la nuit venue, sur la voûte céleste des mers du Sud que vous contemplerez de votre lit avant de vous endormir d'un profond sommeil, rafraîchi par le souffle du *hupe,* la brise de terre. Le retour à l'état de « Robinson de luxe » implique quelques concessions à la vie traditionnelle polynésienne, notamment l'absence de serrure aux portes. Indispensable concession aux temps modernes, vous devrez conserver vos objets de valeur dans le coffre-fort aménagé dans le *fare* réception-douche. Le temps s'arrête dès qu'on s'installe au Hana Iti. Les déplacements dans l'hôtel s'effectuent à pied ou en 4x4. ♦♦♦ **Restaurant** dans un *fare* en bord de plage, la carafe qui verse une eau limpide dans votre verre est ici encore un coquillage tenu avec grâce par une charmante hôtesse. Bar et artistiques installations en bord de plage. Correspondant à Papeete: Tahiti Nui Travel, BP 718 ☎42.68.03, fax 42.74.35.

▲▲▲▲ **Sofitel Heiva**, BP 38, Fare ☎68.86.86, fax 68.85.25. VISA, AE, DC, MC. À 6 km de l'aéroport de Huahine. Au cœur d'une cocoteraie, en bordure d'une belle plage de sable blanc sur le *motu* qui fait face au district de Maeva. *37 bungalows dont 6 sur pilotis, 11 en bord de plage, 20 sur jardin, 24 ch. sur jardin et 1 suite.* Bar, boutiques, piscine. Nombreuses activités : windsurf, plongée, ski nautique, pirogue, bateau à fond de verre, possibilité de location de voiture. Excellent hôtel de détente au bord de l'eau avec toutes les possibilités de visite de l'île. ♦♦♦♦ **Restaurant Omai**, très bonne cuisine française ou continentale, repas tahitien avec four traditionnel, spectacle de danses avec les meilleurs groupes locaux, le sam. soir.

▲▲▲ **Bali Hai Huahine** ♥, BP 2, Fare ☎68.84.77, fax 68.82.77. VISA, AE, MC. Plus ancien hôtel de l'île, une véritable institution. Sa cure de jouvence l'a remis au premier plan. À l'entrée de Fare, en bordure de lagon, belle plage de sable blanc aménagée pour l'hôtel, vaste piscine avec pool-bar. En style polynésien traditionnel, *fare* à toit en *niau,* etc. *25 unités d'habitation* composées de *fare* traditionnels très spacieux, la plupart sur pilotis surplombant une belle pièce d'eau agrémentée de nénuphars. Clientèle cosmopolite attirée par le caractère polynésien affirmé et élégant de l'établissement. ♦♦♦ **Restaurant**, cuisine continentale et locale, buffet et spectacle de danses le sam. soir.

▲▲ **Huahine Beach Club**, chaîne T.R.H. (Tahiti Resort Hôtels), BP 39, Fare ☎68.81.46, fax 41.09.28. VISA, AE, DC, MC. Au S de Huahine Iti, au bord d'une petite plage de sable blanc. *17 fare* très spacieux dans le style local, toit en *niau,* récemment refaits à neuf. *9 fare* confortables et agréablement décorés, côté plage, les *8 autres*, côté montagne, sont proches d'une petite piscine. Belle architecture polynésienne pour les *fare* réception et restaurant. ♦♦♦ **Restaurant** avec très bonne cuisine française et spécialités locales. Animations danses le week-end, *pareu show*, grimper au cocotier, sports nautiques.

▲▲ **Relais Mahana**, BP 30, Fare ☎68.81.54, fax 68.85.08. VISA, AE, DC, MC. À Parea, en bordure d'une très belle plage de sable blanc. *12 bungalows* sur plage, équipés. Nombreuses activités nautiques gratuites pour les clients : pédalos, hobby-cats, planches à voile, aquacycles, tennis. ♦♦♦ **Relais Mahana**, cuisine française et locale.

▲▲ **Huahine Village**, BP 295 Fare ☎68.87.00, fax 68.86.99. VISA. À 4 km de l'aéroport en bord de mer. *28 bungalows* dont *6* en bord de plage et *22* côté jardin.

▲ **Bellevue**, BP 21, Fare ☎68.82.76. VISA. À 5 km du centre-ville, sur la colline de *Fetii* et à 7 km de l'aéroport. *15 bungalows* avec 1 lit double et 1 lit simple, s.d.b., terrasse, parking. *8 ch.* à 1 lit double et 1 lit simple. Piscine. ♦♦ Restaurant-bar, cuisine chinoise et locale.

▲ **Villa Saint-Mandrianus**, baie de Maroe, BP 121, Fare ☎82.49.65. *2 appartements de 1 à 5 personnes*. Voiture à disposition.

Logement chez l'habitant

▲ **Pension Énite**, BP 37, Fare ☎68.82.37. Centre de Fare, en bord de mer. Une maison de *8 ch.*, avec s.d.b. commune. Demi-pension ou pension complète.

▲ **Pension Guynette**, BP 87, Fare ☎68.83.75. Dans le centre de Fare. *7 ch.* avec 1 lit double et s.d.b. individuelle et *1 dortoir* de 8 personnes avec s.d.b. commune.

▲ **Chez Henriette**, BP 73, Fare ☎68.83.71. Dans la baie de Haamene, en bord de mer. *4 bungalows*. Cuisine à disposition.

▲ **Chez Lovina**, BP 173, Fare ☎68.88.06, fax 68.88.06. *12 bungalows* près de Fare. *Dortoir de 15 personnes. Camping pour 20 tentes.*

▲ **Pension Meri**, BP 35, Fare ☎68.82.44, fax 68.85.96. Entre Fare et Fitii, côté montagne. *1 maison de 2 ch.* Tout le confort.

▲ **Pension Te Moana**, BP 195, Fare ☎68.88.63. Proche de Bali Hai. Belle plage. *3 fare et 1 bungalow familial.*

▲ **Résidence Loisirs Maroe**, BP 121, Fare ☎42.96.09. Dans le village de Maroe. *1 maison coloniale de 4 ch.* En bord de mer. Piscine, courts de tennis. Voiture à disposition.

Restaurants

Tous ces petits établissements disposent d'un restaurant où vous pouvez déjeuner même si vous n'êtes pas client. Vous y mangerez une cuisine familiale française, tahitienne ou chinoise. Nous vous recommandons les crustacés et les palourdes de Huahine.

Énite, Fare ☎68.82.37. Poissons et fruits de mer.

Te Marara, embarcadère de Fare ☎68.86.61. Spécialités tahitiennes et chinoises.

Tipaniers, Fare ☎68.80.52. Cuisine française.

Sports et loisirs

Croisières en voilier catamaran (luxe). Archipels Croisières, BP 1160, Papetoai, Moorea ☎56.36.39, fax 56.35.87. Toutes les 2 semaines, au départ de Huahine, quai d'embarquement de Fare, vous avez la possibilité d'effectuer une croisière de luxe à bord d'un catamaran à voile et moteur *Archipels 57 Fountaine-Pajot* de 17,50 m avec un équipage de 2 personnes pour 4 cabines et 8 passagers au maximum. Un grand confort, prestations de luxe, croisière en pension complète avec une restauration très soignée, détente, farniente, mais aussi, une véritable navigation à la voile et au moteur, et les visites des sites intéressants. Pratique de nombreux sports nautiques. En 7 jours, au départ de Huahine, vous visiterez les principales îles Sous-le-Vent de l'archipel de la Société : Raiatea, Tahaa et Bora Bora. Débarquement à Bora Bora une semaine après votre départ. **Maraamu II**, BP 318, Bora Bora ☎67.72.37. Croisière haut de gamme de 4 jours dans les îles de Huahine, Raiatea, Bora Bora et Tahaa, à bord d'un luxueux ketch de 20 m conçu spécialement pour accueillir 8 hôtes. Il s'agit d'un moyen idéal pour visiter ces îles.

Équitation. La Petite Ferme, BP 12, Fare ☎68.82.98. Le centre équestre propose un large éventail allant de la simple promenade à cheval à la véritable randonnée pouvant durer une ou plusieurs journées. Balades aussi bien en bord de mer qu'en montagne. Un excellent moyen de découvrir, dans le calme, les merveilleux paysages de l'intérieur de l'île.

Excursions. Les hôtels et pensions organisent des excursions « tour de l'île » en minibus, bus ou truck. Vous pouvez visiter les sites archéologiques de Maeva, les splendides *marae* situés en bord de mer, qui comptent parmi les plus beaux de Polynésie, le *marae* Anini au S de l'île, les plantations de vanille où l'on peut acheter la meilleure vanille de Polynésie. Énite excursions ☎68.82.37 propose un tour de Huahine avec visite des principaux sites archéologiques du bord de mer en minibus. Réservation directement ou dans les hôtels. Également : tour de l'île en bateau, pêche à la traîne ou pêche de coquillages, marche sur le récif, pique-nique, etc. **Lovina excursions** ☎68.88.06. Tour de l'île, visite des sites archéologiques de Maeva, parc à anguilles, sorties sur le lagon, pique-nique sur un motu, pêche.

Excursions sur le lagon. Le très vaste lagon de Huahine se prête à de très belles excursions et activités dont les sites sont accessibles par la mer. Au menu des différentes formules qui vous sont proposées : promenade sur le lagon, tour de l'île en pirogue à moteur, visite aux raies manta, arrêt sur plage, pique-nique sur *motu*, marche sur le récif, pêche en haute mer... **Moana Tropical**, BP 15 ☎68.87.05, fax 68.88.10. **Mataira Excursions**, District de Maeva ☎68.86.21. **Vaipua Cruises**, BP 113, Fare ☎68.86.42, fax 68.84.22.

Plongée sous-marine. L'île de Huahine possède entre autres merveilles des sites sous-marins très attrayants, destinés en priorité aux plongeurs confirmés. On leur proposera des plongées dans les passes et à l'extérieur du récif pour admirer les plus beaux exemplaires de la faune sous-marine sur de beaux tombants coralliens peuplés de poissons tropicaux multicolores : murènes, requins, raies manta, barracudas, carangues, napoléons. École de plongée tous niveaux. **Pacific Blue Adventure**, BP 193 ☎68.87.21, fax 68.80.71. **Huahine Plongée**, BP 167, Fare ☎68.70.68, fax 68.71.68.

Safaris en 4x4. Visite de l'intérieur de Huahine avec découverte de sites sauvages qui sont au nombre des plus beaux des îles de la Société. Panoramas exceptionnels, végétation tropicale luxuriante, sites archéologiques de l'intérieur, jardins et paysages botaniques mémorables ne peuvent qu'émerveiller l'amateur d'authenticité. Safaris photo. Réservation dans les hôtels. **Huahine Land**, BP 140 ☎68.89.21. **Local Motion Farm**, BP 75, Fare ☎68.86.58, fax 68.84.04.

Shopping

On trouve à Huahine des articles d'artisanat local tels que les sculptures sur bois ou sur nacre, de très beaux tissus décorés à la main, des *pareu* et d'authentiques *tifaifai* très artistiques utilisés comme lingerie de maison ou pour réaliser des housses de coussins très décoratives. Également, des articles en vannerie, coquillages... On peut visiter des **centres artisanaux** dans les villages de l'île : Maeva, Fitii, Haapu, Faie, Fare, Tefarerii. Voici aussi quelques adresses de boutiques ou de galeries d'art intéressantes :

Galerie de Dorothy Levy, route de l'aéroport de Fare, *motu* Maeva ☎68.81.56. Dorothy Levy était l'amie du célèbre artiste et chanteur polynésien d'origine hawaïenne Bobby Holcomb qui vécut à Maeva pendant quinze ans. Figure locale incontournable, Dorothy connaît tout mieux que quiconque à Huahine. Une visite à sa galerie d'art s'impose.

Quelques autres boutiques méritent également le détour : Galerie Meherio, quai de Fare ☎68.85.59. **Boutique Denise**, Faie ☎68.81.97. **Boutique Te Mata**, Fare ☎68.88.02. **Boutique Blanche Bellais**, Maeva ☎68.83.97

Adresses utiles

Banques. Socredo, Fare ☎68.82.71. *Ouv. du lun. au ven. de 8h à 11h et de 14h à 16h.* **Banque de Tahiti**, Fare ☎68.82.46. *Ouv. du lun. au ven. de 7h30 à 12h et de 13h30 à 16h.* **Westpac**, Fare ☎68.82.31. *Ouv. du lun. au ven. de 7h30 à 11h30 et de 14h à 16h et sam. mat. de 7h30 à 11h30.*

Compagnie aérienne. Air Tahiti, bd Pomaré, Papeete ☎86.42.42. À Huahine ☎68.82.89.

Goélettes. *Taporo-IV*, Compagnie française maritime de Tahiti, BP 368, Papeete ☎42.63.93, fax 42.06.17. *Temehani-II*, Société de navigation Temehani, BP 9015, Papeete ☎42.98.83, fax 42.98.83. *Raromatai Ferry*, BP 50712, Papeete ☎43.19.88, fax 43.19.99. **Vaianu**, BP 9062, Motu Uta ☎41.25.35, fax 41.24.34.

Informations touristiques. Aéroport, BP 11, Temae ☎56.26.48. **Haapiti** ☎56.29.09.

Location de voitures. Kake Rent-a-Car, à *200 m* de l'hôtel *Balihai*, BP 34, Fare ☎68.82.59. Location de voitures, de scooters et de vélos. Agence à l'aéroport. **Pacificars**, BP 5, Fare ☎68.81.81. Agence à Parea ☎68.83.83 et à l'aéroport ☎68.89.39.

Poste. Fare ☎68.82.70. *Ouv. du lun. au jeu. de 7h à 15h et ven. de 7h à 14h.*

Urgences. Infirmerie de Fare ☎68.82.48. **Gendarmerie de Fare** ☎68.82.61.

Raiatea**

➤ **En avion.** *Au départ de Tahiti-Faaa, 3 ou 4 vols quotidiens, soit directs, soit avec escale à Huahine. Durée du trajet sans escale : 40 mn. L'aéroport de Raiatea est tout proche d'Uturoa, chef-lieu administratif de l'archipel des îles Sous-le-Vent. Il est facile de se procurer un taxi. Le tarif de la course est fixe. Il existe aussi un service de trucks ou de bus.*

Desserte rapide. *Le Ono Ono est un bateau récent et de grand confort ; ☎ et fax 66.35.35 à Raiatea.*

En goélette. *Le Taporo-IV : 3 A/R par semaine, au départ de Papeete. Départs les lun., mer. et ven., vers 16h. Durée du voyage : env. 11h. 38 couchettes sur le pont, 2 cabines à 4 couchettes. Le **Temehani-II** : 2 A/R par semaine, au départ de Papeete. Départ les mar. et jeu. vers 17h. Durée du voyage : env. 11h. 27 couchettes, 116 passagers au total. Raromatai Ferry : 2 A/R hebdomadaires au départ de Papeete. Départ les mar. à 18h. et ven. à 16h30. Durée du voyage : env. 11h. 326 fauteuils et 18 cabines. Vaianu : 3 voyages hebdomadaires. Départs de Papeete lun., mer. et ven. à 17h. 19 cabines climatisées et 40 couchettes sur le pont.*

À 220 km au N-O de Papeete, Raiatea, avec ses 195 km^2 de superficie, est la plus grande des îles Sous-le-Vent et aussi la plus peuplée, avec près de 9 000 habitants. Elle est comprise avec Tahaa, sa voisine, dans un même anneau formé par un récif-barrière interrompu par 9 passes principales. Cet ensemble jouit du plus vaste lagon des îles de la Société, un atout mis à profit pour faire de Raiatea la base de départ idéale pour les croisières en voilier vers les autres îles Sous-le-Vent, Tahaa en premier lieu, puis Bora Bora, Huahine et Maupiti.

Le complexe volcanique qui forme Raiatea, au S de Tahaa, présente un aspect massif. Les points culminants sont répartis suivant une orientation approximative S/N dont les principaux sont le **mont Tefatua** (1 017 m), le **mont Temehani**** (792 m) et, au N, le **mont Taipioi**** (294 m) qui domine **Uturoa*** et l'aéroport de Raiatea. Sur le mont Temehani s'épanouit une plante endémique, le *tiare apetahi*, dont la belle fleur blanche à corolle dissymétrique est unique au monde puisqu'elle ne peut pousser et s'épanouir, au lever du jour, que sur sa montagne d'origine. Raiatea aurait été la première île de l'archipel de la Société à être peuplée de Maoris. C'est à partir de cet endroit qu'aurait eu lieu l'essaimage maori à travers tout le Pacifique, ce qui lui vaut son caractère sacré. Pour les Polynésiens, Raiatea est une île mythique qui fut le principal centre religieux, culturel et politique de la Polynésie d'antan. Ce rôle prépondérant joué dans le passé par « l'île sacrée » se retrouve naturellement dans l'inépuisable mythologie qui lui accorde une place de tout premier plan, et dans la richesse de l'île en sites archéologiques parmi lesquels on trouve les *marae* les plus vastes de Polynésie.

Le tour de l'île

« L'île sacrée » est d'un grand intérêt pour l'archéologue et l'historien. La route de ceinture, en partie asphaltée, longe la côte très découpée. Des trucks relient Uturoa aux villages des côtes E et O. Quelques taxis circulent dans l'île, les routes sont goudronnées, quand elles existent ; il ne vous sera donc pas possible de faire le tour complet de l'île (82 km).

La ville d'**Uturoa*** s'allonge sur 2 km, son centre est constitué par une vaste place où l'on trouve plusieurs bâtiments administratifs. Vers la dr., en regardant le lagon, on parvient dans le quartier commerçant, au **port** et enfin au **marché**. Cette vaste halle jouit d'une animation et d'une atmosphère particulières avec l'arrivée des goélettes et des bateaux en provenance de Tahaa, dont les cultivateurs viennent vendre leurs produits. Le marché principal, très populaire, a lieu tous les jours à Uturoa, et en particulier le ven. matin où il est le plus important.

Uturoa est une petite ville à l'ambiance de sous-préfecture, gaie, colorée et vivante dont l'activité s'organise principalement autour du port, le plus fréquenté de Polynésie après celui de Papeete. La ville possède également deux lycées importants et un grand centre hospitalier.

Près d'Uturoa, une piste de 3,5 km, accessible aux 4x4, permet d'atteindre le sommet du **Tapioi**** (294 m). Très belle vue sur les montagnes, la ville d'Uturoa, le vaste lagon, le récif-barrière, l'océan et les îles Sous-le-Vent, Bora Bora, Tahaa, Huahine.

D'Uturoa* **à Opoa par la côte E** (34 km). Bonne route d'où vous pourrez admirer ce que le littoral de l'île a de plus beau : son lagon et l'harmonie des *motu* qui l'entourent, comme **Ofetaro** et **Taoru**, sentinelles avancées gardant l'accès de la **passe de Teavarua**. Au-delà, ce sont les silhouettes de Huahine et de Tahaa que l'on distingue parfois dans le lointain. On dépasse bientôt le village d'**Avera**, situé en bord de mer – on y retrouve les classiques maisons de pêcheurs et un *marae* – avant d'atteindre la très profonde baie de Faaroa. Très belle excursion possible en bateau pour découvrir le site paisible et sauvage des berges de la rivière Faaroa, un voyage dans une petite jungle verdoyante qui devrait ravir les plus exigeants. Arrêt possible à la marina où mouille la flotte de ATM Stardust. La route, extrêmement découpée, franchit une succession de très belles baies et caps avant d'atteindre **Opoa**. Ce village était la résidence originelle des rois *ari'i* et le centre de toute activité spirituelle. Il faut quitter le village et faire encore 1 km env. pour arriver à la **pointe Faatiaapiti** où se trouve, dans un site sauvage le célèbre *marae* **Taputapuatea*****, haut lieu et sanctuaire de la royauté maorie. Il fut après un certain temps dédié au culte du dieu Hiro, le plus populaire dans les légendes de l'île où il avait élu domicile. Une place aux dimensions imposantes, couverte de grandes dalles de pierre, conduit à l'*ahu*, autel qui mesure env. 10 m sur 10. Il comporte une cinquantaine de plaques de corail ou de rocher dont certaines atteignent 3 m de haut sur 2 m de large. Au bord de la mer subsistent quelques vestiges du mur de pierre qui entourait et interdisait l'accès de l'enceinte sacrée du *marae*. Celui-ci se trouve juste en face de la passe Te Ava Moa par laquelle pénétraient, autrefois, les grandes pirogues venues des îles lointaines. Il est impossible de continuer au-delà. La route asphaltée ne fait pas le tour complet de l'île. Pour visiter la côte O, il est préférable de revenir à Uturoa.

D'Uturoa* à Tautira par la côte O *(43 km que l'on peut facilement effectuer dans la demi-journée)*. Comme pour la côte E, vous aurez de très belles vues sur le lagon, les *motu* et les îles avoisinantes Tahaa et Bora Bora. En quittant Uturoa par la côte O, vous retrouvez à 2 km l'aéroport de Raiatea et, 2 km plus loin, la baie d'Apooiti avec sa très belle marina où mouille l'imposante flotte de voiliers The Moorings et les unités de Tahiti Yachts Charters. La route littorale, sauvage, très découpée, se prolonge jusqu'au S de l'île. On découvrira des points de vue intéressants sur les panoramas montagneux de l'intérieur, les baies, les *motu*, les passes… Dans le petit village de **Tevaitoa**, se trouve le *marae* de Tainuu, fait d'immenses dalles, mais dont le site a été défiguré par la construction d'un temple.

LES BONNES ADRESSES

Informations touristiques. Comité du tourisme de Raiatea, BP 707, Uturoa ☎66.23.33, fax 66.23.19.

Hébergement

▲▲ **Hawaiki Nui Noa Noa**, BP 43 Uturoa ☎66.20.23, fax 66.20.20. Visa, ae, dc, mc. À 10 km de l'aéroport en bordure de lagon. L'hôtel, de construction nouvelle, est composé de *32 unités d'habitation : 12 chambres* côté jardin, *8 bungalows* donnant sur jardin, *3 bungalows* au bord du lagon et *9 bungalows* sur pilotis.

▲▲ **Raiatea Village**, BP 282, Uturoa ☎66.31.62, fax 66.10.65. Visa. À Avera, à l'entrée de la baie de la rivière Faaroa, à 11 km d'Uturoa, en bordure de lagon. *12 unités d'habitation* composées de bungalows modernes. Aménagement soigné, s.d.b., cuisine, brasseur d'air. 7 bungalows au bord du lagon et 5 côté jardin. Plage de sable blanc. ♦ **Restaurant**, cuisine locale.

▲▲ **Sunset Beach Motel**, Apooiti, BP 397, Uturoa ☎66.33.47, fax 66.33.08. En bordure de lagon, à 2 km de l'aéroport d'Uturoa et 5 km du quai des ferries. Vue sur l'île de Tahaa. *16 bungalows* au milieu d'un grand jardin. S.d.b., salon-living, cuisine équipée, terrasse et garage individuel (type motel). Terrain de camping attenant au motel.

▲▲ **Hinano**, BP 196, Uturoa ☎66.13.13, fax 66.14.14. VISA. *10 ch.* L'hôtel se trouve en centre-ville.

▲▲ **Te Moana Iti**, BP 724, Uturoa ☎66.21.82, fax 66.28.60. VISA, MC. Face au *marae* de Taputapuatea. *7 bungalows* modernes et confortables, en bord de mer. ♦♦ **Restaurant**, cuisine locale et continentale, bar.

▲▲ **Tenape**, BP 717, Raiatea ☎ et fax 66.14.50. L'hôtel se trouve côté montagne, en bord de lagon. *15 ch.*

▲ **Pension Marie-France**, BP 272 ☎66.37.10, fax 66.26.25, VISA, MC. En bord de mer avec ponton, adresse pour les plongeurs. *4 bungalows* jumelés, cuisine commune, *4 ch.* Gîte rural, capacité d'accueil de 6 personnes. Ambiance sportive. Centre de plongée sous-marine. ♦ **Restaurant-bar**, cuisine française, tahitienne et chinoise.

Logement chez l'habitant

Les hôtes se proposent de vous préparer vos repas si vous le désirez. Il existe généralement un bar. Des excursions en pirogue à moteur ou en voiture sont organisées.

Pension Greenhill, BP 598, Uturoa, ☎ et fax 66.37.64. Située dans la baie de Faaroa, à 12 km de l'aéroport. *6 ch.* S.d.b. individuelle, piscine.

Pension Manava, Avera, BP 559, Uturoa ☎66.28.26. Location de bungalow, chambre et dortoir.

Peter's Place, Taputapuatea ☎66.20.01. *8 ch.* Cuisine à disposition. *Camping pour 10 tentes.*

Pension Yolande, BP 298, Uturoa ☎66.35.28. *4 bungalows* + cuisine situés à Avera, en bord de mer. Restaurant familial sur demande.

Restaurants

♦♦♦ **Temehani**, aéroport d'Uturoa ☎66.36.86. VISA, MC. Cuisine gastronomique française, soirées tahitiennes ven. et sam. soir.

♦♦ **Le Gourmet**, Uturoa ☎66.21.51. Cuisine traditionnelle française, pâtissier, service traiteur.

♦♦ **Jade Garden**, Uturoa, dans la rue principale ☎66.34.40. VISA. Cuisine chinoise raffinée et spécialités cantonaises. Un bon chinois.

♦♦ **Moana**, BP 30, Uturoa ☎66.27.49. Cuisine chinoise et plats à emporter.

♦♦ **Le Quai des Pêcheurs**, sur le port d'Uturoa ☎66.36.83. VISA. Bons poissons, la pêche du jour.

Loisirs

Raiatea est avant tout le plus grand centre nautique de la Polynésie pour la location des voiliers. Le port d'Uturoa était – et reste – particulièrement apprécié des marins et des skippers du monde entier. Il y a en permanence un trafic maritime important dans le petit port. Les **marinas d'**Apooiti** et de **Faaroa** ont connu une croissance exponentielle et offrent toutes les possibilités de croisières à la voile ou de croisières-plongée imaginables. Pour les excursions, adressez-vous à votre hôtel ou à votre hôte ; tous proposent des sorties ou vous mettront en rapport avec un organisateur.

Croisières en voilier. Location avec ou sans équipage. On peut ainsi se rendre dans le vaste lagon de Raiatea-Tahaa, aller à Bora Bora et à Huahine et, sur demande spéciale, à Maupiti. Les prestations fournies sont très professionnelles : accueil à l'aéroport, transfert, voilier préparé à l'arrivée, dinghy (petite coque à moteur), moteur hors-bord. Liaison radio et téléphone en permanence avec tous les voiliers, cartes nautiques fournies. En option : approvisionnement en nourriture, repas, boissons, planches à voile et matériel de plongée. **ATM Stardust**, marina de Faaroa (côte E), BP 331, Uturoa ☎66.23.18, fax 66.23.19. Flotte de 23 voiliers monocoques et catamarans de 36 à 51 pieds. **The Moorings**, marina d'Apooiti (N-O), BP 165, Uturoa ☎66.35.93, fax 66 20 94. La marina est située à 2 km de l'aéroport et 4 km du quai d'Uturoa. La flotte Moorings se compose de 23 voiliers monocoques et catamarans de 38 à 51 pieds. **Tahiti Yachts charters**, marina d'Apooiti ☎66.28.86, fax 66.28.85. Flotte de 9 voiliers monocoques et un catamaran.

Croisières-plongée. Croisières Danae, BP 251, Uturoa ☎66.12.50, fax 66.39.37. Deux types d'embarcations : le *Danae III* est un gros voilier de 22 m qui réalise un circuit hebdomadaire de 6 jours dans les îles Sous-le-Vent. Le *Danae IV*, « trawler » de 15 m, effectue des croisières à la carte. Plongée sous-marine. **Raiatea Plongée**, BP 272, Uturoa ☎66.37.10, fax 66.26.25. **Raiatea Sub**, BP 272, Uturoa ☎66.37.10, fax 66.26.25. Organisation de tous les types de plongées « à la carte » : exploration, lagon, passe, extérieur du récif et plongées de nuit. École de plongée, délivrance des brevets internationaux. **Hémisphère**, marina d'Apooiti, BP 985 Uturoa ☎66.12.49, fax 66.33.08.

Discothèque. Le Zénith, dans le centre-ville.

Équitation. Centre équestre Kaoha Nui, BP 568, Uturoa ☎ et fax 66.25.46.

Excursions à pied. Au départ des quais d'Uturoa. Pour les bons marcheurs, ascension du **mont Tapioi****. Durée : env. 3 heures, retour compris. Itinéraire : au départ de l'embarcadère, longer le quai, tourner à g. après les entrepôts, face au petit port, passer devant l'église, tourner à dr., passer devant la poste, tourner à g., passer devant la gendarmerie et s'engager dans le chemin qui mène au Taipioi à dr. On passe une première porte, on arrive bientôt à un embranchement. Ne pas s'engager à dr., poursuivre tout droit, on arrive à une seconde porte, passer au-dessus ou au-dessous et continuer tout droit jusqu'au sommet. Le plus beau point de vue panoramique sur l'île de Tahaa et, par temps clair, les autres îles Sous-le-Vent.

Excursions en 4x4. Le tour de l'île en 4x4 vous guide à la découverte des vallées luxuriantes de l'intérieur de l'île, de ses plantations d'ananas et des sites de culture de la vanille. On passe des gués, en sous-bois, on franchit des crêtes, et au gré d'un détour, on admire une cascade dévalant de la montagne en flots brisés de rocher en rocher… Visite du *marae* de Taputapuatea, qui est le plus vaste temple ancien de Polynésie. Le tour prévoit également une montée au **mont Temehani**** pour y admirer le *tiare Apetahi*, la fleur emblème de Raiatea qui ne s'ouvre qu'à l'aube. **Raiatea Safari Tours**, BP 272 ☎66.37.10, fax 66.26.25. **Almost Paradise Tours**, BP 290 ☎66.23.64. **Raiatea 4x4**, BP 705 Uturoa ☎ et fax 66.24.16.

Excursions en pirogues à balancier et à moteur. À partir de Raiatea, vous pourrez effectuer en pirogue à balancier propulsée à moteur différentes excursions, toutes plus remarquables les unes que les autres, comme celle de la **rivière Faaroa**. Vous partez pour un long périple sur le lagon avant de remonter le cours de la rivière, ce qui donne ainsi un bon aperçu du lagon, du littoral et d'une rivière (elles sont rares en Polynésie à être navigables). Intéressante découverte de la végétation tropicale luxuriante du bord des eaux. La rivière Faaroa est un havre de paix frais et vert, bordé d'hibiscus sauvages et de *purau*. Vous découvrirez aussi des sites historiques d'où sont partis, dans les temps anciens, les extraordinaires navigateurs maoris pour émigrer vers la Nouvelle-Zélande, en pirogues à voile. **Tour de l'île de Tahaa**, enfermée dans le même lagon que l'île de Raiatea (journée) ; promenade sur le lagon et visite de *motu* (1/2 journée ou journée complète avec pique-nique et baignade). **Havai'i Tours**, BP 300 ☎66.27.98. **Raiatea Safari Tours**, BP 272 ☎66.37.10, fax 66.26.25. **Manava excursions**, BP 559 Uturoa ☎66.28.26, fax 66.16.66.

Excusions en voiture ou en truck. Tour de l'île de Raiatea et visite du *marae* de Taputapuatea (possibilité de visites guidées). Truck ☎66.23.33.

Pêche au gros. Te Manu Ata, BP 5 Uturoa, ☎66.32.14, fax 66.24.28. Sakario, BP 70, Raiatea ☎66.35.54, fax 66.24.77.

Musée de la Mer. (*Na Te Ara Museum*). *Ouv. de 9h à 12h et de 14h à 17h30, f. le dim.* Un véritable museum, avec une impressionnante collection de coquillages marins, de crustacés, de poissons, de coraux et d'algues, crabes, fossiles, mais aussi des reptiles et des insectes naturalisés originaires des îles du Pacifique. **Marina d'Apooiti**, BP 540, Uturoa ☎ et fax 66.27.00.

Adresses utiles

Banques. Banque de Polynésie, Uturoa ☎66.34.42. *Ouv. du lun. au ven. de 7h45 à 12h et de 13h à 15h45.* **Socredo**, Uturoa ☎66.30.64. *Ouv. du lun. au ven. de 7h30 à 15h.* **Banque de Tahiti**, Uturoa ☎66.35.68. *Ouv. du lun. au ven. de 7h45 à 11h45 et de 13h30 à 16h.* **Westpac**, Uturoa ☎66.32.48. *Ouv. du lun. au ven. de 7h45 à 15h30.*

Compagnie aérienne. Air Tahiti Raiatea ☎66.32.50.

Compagnies maritimes. Taporo-IV, Compagnie française maritime de Tahiti, BP 368, Papeete ☎42.63.93, fax 42.06.17. **Temehani-II**, Société de navigation Temehani, BP 9015, Papeete ☎42.98.83, fax 42.98.83. **Raromatai Ferry**, BP 50712, Papeete ☎43.19.88, fax 43.19.99. **Vaianu**, BP 9062, Motu Uta, Tahiti ☎41.25.35, fax 41.24.34.

Location de voitures ou de deux-roues. Europcar, Raiatea, BP 549 Uturoa ☎ et fax 66.34.06. **Pacificar**, BP 492 Uturoa ☎66.11.66, fax 66.11.67. **Garage Motu Tapu**, BP 139 Uturoa ☎66.33.09, fax 66.29.11. **Opeha Location**, BP 282 Uturoa ☎66.31.62, fax 66.10.65.

Poste. Uturoa ☎96.03.80. *Ouv. du lun. au ven. de 7h à 15h, le w.e. service restreint le matin.*

Taxis. Au marché d'Uturoa ☎66.20.60.

Urgences. Gendarmerie ☎66.31.07. Police ☎66.38.97. Hôpital ☎66.35.03.

Tahaa**

➤ **En goélette ou ferry-boat.** *Les goélettes qui desservent Raiatea, le Taporo-IV et le Temehani-II, font ensuite escale à Tahaa. Le ferry-boat Raromatai en route pour Bora Bora fait, lui aussi, escale à Tahaa.*

En navette. *Liaisons régulières entre Raiatea (quai d'Uturoa) et les différents villages du littoral de Tahaa. Rens. au port d'Uturoa pour les jours et horaires de départ. Il y a généralement une navette quotidienne entre Uturoa et Tahaa. Les départs se font vers 10h. On peut ensuite accéder aux villages de l'île par transport routier, fourgon ou truck, ou par mer avec des bateaux-navettes. Attention, les services changent fréquemment.*

En bateau-taxi. *Liaisons Raiatea-Tahaa sur demande.*

Tahaa se trouve au N de Raiatea, dans un lagon limité par un récif-barrière corallien commun. L'île, nettement plus petite que sa voisine (90 km²), ne se trouve qu'à 3,2 km à vol d'oiseau. La physionomie de Tahaa est très simple : un volcan dont les sommets coiffent le centre de l'île, le mont Ohiri, 590 m et le mont Puurauti, 550 m. Les flancs de la montagne sont couverts d'une végétation luxuriante et, comme il se doit, entaillée de profondes vallées d'érosion. La moitié N de l'île est approximativement hémisphérique ; la côte, sinueuse, est agrémentée d'une alternance de pointes et de jolies baies peu encaissées. La moitié S de Tahaa présente un relief très accidenté. Les anciennes vallées, en raison de la subsidence qui s'est manifestée au cours des temps, ont été fortement envahies par les eaux du lagon. La côte, très sinueuse, est découpée de 4 profondes baies : d'O en E, les baies de **Hurepiti, Apu, Haamene** et **Faaaha.** La baie de Haamene pénètre au cœur de la montagne jusqu'au pied des monts Ohiri et Puurauti.

Appelée dans les temps anciens Uporu, Tahaa est l'une des îles particulièrement chéries des Polynésiens. Elle a un charme fou en raison d'un site naturel exceptionnel, des panoramas qu'offre la route du littoral qui serpente entre baies et crêtes, et traverse des villages restés authentiques. Tahaa n'a pas changé depuis des décennies, et l'on ne peut encore y accéder qu'en bateau… Des petits villages dont les habitants se consacrent traditionnellement à la pêche et aux cultures – dont celle de la vanille qui rivalise avec celle de Huahine – sont répartis le long de la route côtière. Les plus importants sont **Patio*** au N, le centre administratif, et **Tiva**, situé à l'entrée de la baie de Hurepiti.

Longtemps endormies, les activités touristiques sont en régulière progression. Les fêtes de Tahaa ont un éclat exceptionnel et la pêche aux cailloux, organisée chaque année à leur occasion, mobilise les habitants de l'île entière.

Le tour de l'île

La route côtière vous permet d'effectuer un rapide tour de l'île. Compter une demi-journée pour parcourir 67 km. Tahaa est une île-jardin aux paysages adoucis par une végétation où abondent les cocotiers en bordure du littoral. L'un de ses charmes – et non des moindres – est la paix qui y règne.

Le centre administratif est le petit village de **Patio*** traversé par la route bordée de maisons en bois peint de couleurs vives où les magasins chinois, devenus supermarchés, n'ont heureusement pas changé et continuent à « tout vendre » dans une ambiance bon enfant.

Une dizaine de km après Patio, la route s'enfonce dans les profondes baies qui confèrent aux villages de pêcheurs et de cultivateurs cet aspect déjà connu et si charmant de minuscules cités lacustres. Vous découvrirez successivement les baies de Faaaha, de Haamene, d'Apu et d'Hurepiti qui sont toutes les quatre très belles. Vous les admirerez

---

La pêche aux cailloux ♥

Qui n'a pas entendu parler de la fameuse pêche aux cailloux ? Telle qu'elle est pratiquée à certaines occasions exceptionnelles dans les îles Sous-le-Vent et, à Tahaa en particulier, elle apparaît comme un vestige rappelant, si besoin était, l'extraordinaire connaissance de la mer, privilège ancestral des Polynésiens.

La pêche aux cailloux offre l'occasion d'une grande fête populaire de la mer à laquelle participent tous les habitants du village et des environs. Lorsque d'importants bancs de poissons s'approchent du littoral, toutes les pirogues prennent la mer, contournant le banc de poissons ; c'est alors que les pêcheurs frappent la surface de l'eau avec des pierres, émettant des vibrations affolant les poissons qui se rabattent vers le rivage. Les poissons sont encerclés et enfermés dans un immense piège constitué de feuilles de cocotier maintenues à la verticale par les piroguiers. Le piège se referme vers le rivage, où les poissons sont ramassés et capturés. Cette pratique requiert une excellente connaissance des mœurs des poissons.

Informations auprès du Comité des fêtes de Tahaa (p. 175).

avec de magnifiques points de vue dominants en prenant la route traversière de Haamene-Tiva et celle de Haamene-Faaaha. On peut également visiter une bonne partie de l'île en pirogue à moteur puisqu'on trouve dans le très vaste lagon de Tahaa deux chenaux navigables.

Quelques centres d'intérêt à découvrir : Hipu, sur le motu, la maison du requin du célèbre dieu polynésien Hiro ; **Tiva**, les parcs à poissons ; **Vaitoare**, la tombe de Rarahu, la petite Tahitienne, compagne de Loti ; **Faaaha,** empreinte du dieu Hiro.

LES BONNES ADRESSES

Informations touristiques. Comité du Tourisme et des fêtes de Tahaa, BP 1, Patio ☎65.63.00, fax 65.62.37.

Hébergement

▲▲▲ **Vahine Island** ♥, sur le *motu* Tu'uvahine, un petit îlot privé sur le récif-barrière au N-E de Tahaa. BP 510, Uturoa ☎65.67.38, fax 65.67.70. VISA, AE, DC, MC. *9 bungalows* dont 3 sur pilotis et 6 donnant sur une magnifique plage de sable corallien. Une adresse rare. Ravissant petit hôtel, de style traditionnel à toit de *niau*, mobilier en rotin et décoration de *pareu* bleu. Tous les sports et activités nautiques, pêche, etc. ♦♦ **Restaurant**, cuisine classique, spécialités, produits de la mer.

▲▲ **Marina Iti**, BP 888, Uturoa ☎65.61.01, fax 65.63.87. VISA, AE, DC, MC. À 10 mn de la marina d'Apooiti. *7 unités d'habitation* dont 1 bungalow simple et 3 doubles en bordure de lagon. Activités nautiques, base nautique de voile, possibilités de croisières à la demande sur Bora Bora, Raiatea ou Huahine. ♦♦ **Restaurant**, 1/2 pension ou pension complète.

Hibiscus, BP 184, Haamene ☎65.61.06, fax 65.65.65. VISA. *2 petits bungalows de style traditionnel, 2 bungalows familiaux et 1 dortoir.*

▲▲ **Mareva Village**, BP 214, Haamene ☎ et fax 65.68.67. VISA, MC. L'hôtel se trouve en bordure de lagon à Tahaa et possède *6 bungalows* en bordure de plage.

♦♦ **Restaurant-bar**, bons poissons.

Chez Pascal, Tapuamu ☎65.60.42. *Maison en dur avec 4 ch.* Cuisine à disposition.

Restaurants

♦ **Chez Mélanie**, Patio ☎65.63.06. Cuisine locale.

♦ **Ti'a Amahana**, baie de Hurepiti ☎65.67.29. Cuisine locale et chinoise.

Loisirs

Pêche et excursions. Excursions proposées par tous les établissements d'hébergement de l'île. Pêche au gros, avec guide, pique-nique et boissons. Croisières à la voile d'une journée avec pique-nique sur un *motu* désert. Tour de l'île *(1 journée)* en pirogue à moteur et visite des parcs à poissons. Tour de l'île *(1 journée)* en vedette. Excursion avec visite du *marae* de Taputapuatea à Raiatea *(1 journée)*. Excursion à Bora Bora ou à Huahine. **Fun Club Marina Iti** ☎65.61.01, fax 65.63.87. **Hibiscus Activités** ☎65.61.06, fax 65.65.65.

Plongée sous-marine. Avec moniteur international, bouteilles et équipements de plongée fournis. Pour 2 plongées dans la journée, le pique-nique est inclus. **Tahaa Plongée** ☎65.61.06, fax 65.65.65.

Safari en montagne. Vanilla Tours, BP 124, Haamene ☎65.62.46. Visite de l'intérieur de l'île en 4x4, visite des exploitations de vanille (ici et à Huahine, la meilleure vanille de Polynésie à des prix défiant toute concurrence).

Voile, bateaux. Latitude 16 Sud, Marina Iti, BP 888, Uturoa, Raiatea ☎65.61.01, fax 65.63.87. Tous les genres de bateaux y sont proposés ainsi que la location de voiliers avec ou sans skipper. **Hibiscus Yacht Club**, BP 184, Haamene ☎65.61.06, fax 65.65.65.

Shopping

Vous trouverez les traditionnels articles d'artisanat local, sculptures sur bois et sur nacre, tissus peints, *pareu*, vannerie, petits bijoux, dans les centres artisanaux répartis dans quelques villages de l'île : **Fahaa** ☎65.60.50, **Patio** ☎65.63.48, **Tiva** ☎65.62.55, **Chez Sophie** ☎65.62.56 et **Belloune** ☎65.62.52 pour les foulards, *pareu* et vêtements peints à la main.
Vanille. Tahaa n'usurpe pas son surnom « d'île vanille » ; l'arôme subtil et douceâtre flotte partout. La vanille est en vente chez les petits producteurs que vous rencontrerez au gré de vos promenades ou à la **Coopérative de la vanille** à Tapuamu ☎65.64.55.

Adresses utiles

Banques. Socredo, agence de Tapuamu ☎65.66.55.
Bateaux-taxis. *Targa II*, Marina Iti ☎65.61.01. *Raimana II*, Uturoa ☎66.37.91.
Location de voitures. Chez Etere, Haamene ☎65.61.91.
Urgences. Centre médical de Patio ☎65.63.31. Dispensaire de Haamene ☎65.61.03. Gendarmerie ☎65.64.07.

Bora Bora***

Aucun superlatif ne suffit à dépeindre l'extravagante et insolente beauté de Bora Bora. L'île mythique, découverte par Cook en 1777, est la plus « réaliste » incarnation du paradis sur terre. À Bora Bora, tout est plus beau, plus bleu, plus blanc, plus riche, plus mystérieux, plus ensorcelant que partout ailleurs. La « perle des îles Sous-le-Vent » est un vaste anneau de corail cernant un lagon éblouissant de lumière et de couleurs. Au centre, la masse obscure du mont **Otemanu** met en valeur l'exceptionnelle luminosité du lagon émeraude et turquoise considéré comme le plus beau du monde. Ici la mer intérieure n'est pas prisonnière, mais seulement harmonieusement soulignée du blanc éclatant des innombrables plages et de ses *motu* piquetés de vert tendre. Les panaches des cocotiers animés par les alizés rythment la vie de cette île hors du temps. « Perle du Pacifique », telle la perle noire lovée dans son écrin de nacre, Bora Bora, arrogante et sculpturale, surgit de son ♥ **lagon de rêve***.
En tahitien Bora Bora signifie « né le premier ». Selon la légende, Bora Bora (prononcer « Pora Pora ») aurait été la première à surgir des eaux après l'île sacrée, Raiatea. Aujourd'hui, les géologues confirment cette ancienneté. Avec ses 38 km², Bora Bora est la plus exiguë des îles de la Société, exception faite de Maupiti et des atolls mineurs. Les massifs basaltiques des monts **Pahia** (661 m), **Otemanu** (727 m), **Mata Pupu** (235 m) et **Rufau** (139 m) forment, avec les îlots basaltiques **Toopua** et **Toopua Iti**, les limites visibles de la ligne de crêtes de la caldeira du volcan, effondrée dans sa moitié E et envahie par les eaux du lagon qui occupent la baie de Povai, ce que l'on pourrait aussi nommer le **lagon de Vaitape** ; Vaitape est le principal village et le centre administratif de Bora Bora. La ligne de crêtes se prolonge au N par le **mont Mataihua** (314 m) et, au N-E, par le **mont Tereia** (123 m). La côte, déchiquetée par le lagon envahissant, s'étend sur une trentaine de km. Au détour d'un virage, d'un promontoire, d'un

Du capitaine Cook à Paul-Émile Victor : quelques jalons historiques

Cook visite Bora Bora pour la première fois en 1769, puis y fait à nouveau escale en 1777. Au début des années 1800, Bora Bora, Raiatea et Tahaa sont sous la dépendance d'un chef suprême, Tapoa. Dix-huit ans plus tard arrive à Bora Bora le Rév. Orsmond, le premier missionnaire qui met en place l'évangélisation. Entre 1820 et 1860, l'île vit une période mouvementée, sous la domination des familles guerrières Mai et Tefaaora et de Tapoa II qui meurt en 1860. Le protectorat français s'établit de 1880 à 1887, et en 1880 le gouverneur français Lacascade proclame la souveraineté de la France sur les îles, dont Bora Bora.

Si l'île n'est pas concernée par la guerre de 14-18, au cours de la Seconde Guerre mondiale, une importante base militaire américaine y est installée. Les deux canons, destinés à contrôler l'accès de la passe de Teavanui, se dressent encore sur la pointe Patiua. Durant cette période, cinq mille hommes séjournent à Bora Bora et, pour l'anecdote, de jolies petites têtes blondes voient bientôt le jour ! La présence des Américains va de pair avec la richesse et la prospérité de l'île. Par la suite, le déséquilibre entraîné par leur départ est en partie compensé par l'agriculture, alors florissante, puis par le tourisme qui fait de Bora Bora l'île la plus privilégiée de toute la Polynésie française. De nombreux artistes, écrivains, voyageurs ou hommes de science y ont séjourné : Jack London, Alain Gerbault, Bernard Villaret. Longtemps, Paul-Émile Victor a été l'un des plus ardents défenseurs des lettres et surtout des arts à Bora Bora.

cap ou d'une baie, on aperçoit, se profilant à l'arrière d'un rideau de cocotiers, la silhouette massive du mont Otemanu, fiché au centre de l'île. Côté mer, la beauté des sites naturels est renforcée par la présence d'un anneau presque continu de nombreux *motu*, caractérisés par leur frange de cocotiers. Seule la partie S de l'île et l'espace marin bordant la vaste passe de Teavanui en sont dépourvus.

Parmi les plus célèbres *motu* de Polynésie figurent celui de **Tapu** ♥ à bâbord et celui d'**Ahuna** à tribord qui gardent l'entrée de la passe de Teavanui. Le *motu* **Mute** où est édifié l'aéroport, le *motu* Tevairoa, le plus large face au mont Tereiroa, le *motu* Piti Aau, le plus long, au S-O de l'île et le *motu* Tane (situé à 500 m de *motu* Mute), qui a appartenu à Paul-Émile Victor, sont également magnifiques.

Les cyclones qui ont ravagé Bora Bora à plusieurs reprises ont parfois altéré la physionomie de certains paysages qui nous étaient devenus familiers, ce qui était le cas du *motu* Tapu, dont la silhouette célèbre, marquée par un artistique bouquet de cocotiers a subitement changé… Mais la nature, toujours prodigue sous ces cieux tropicaux privilégiés, a bien vite effacé ou atténué les méfaits de ces « accidents ».

Bora Bora : un rendez-vous cosmopolite

Bora Bora est très prisée par les touristes du monde entier ; elle draine une clientèle cosmopolite où Américains, Japonais, Français, Italiens, Allemands, Anglais se côtoient dans la bonne humeur avec une gaieté parfois enfantine pour jouir au maximum de ces tropiques de rêve. Bon nombre d'hôtels affichent « complet » pendant une grande partie de l'année bien que les prix soient, en règle générale, plus élevés qu'ailleurs. Depuis quelques temps, les Japonais y ont beaucoup investi, attirant ainsi beaucoup de leurs ressortissants.

Les deux vols hebdomadaires d'Air France Tokyo-Papeete canalisent leur contingent de passagers presque exclusivement sur Bora Bora où les voyages de type *Honey moon* remportent un grand succès. Ce sang neuf est une manne pour l'île et pour la Polynésie qui ne demande qu'à développer son taux d'occupation des établissements d'accueil. Le développement du tourisme est une nécessité économique indiscutable.

■ BORA BORA MODE D'EMPLOI

Accès

En avion. Avec Air Tahiti, 4 à 5 vols par jour d'env. 45 mn si le vol est direct, le double si l'avion fait escale à Huahine et à Raiatea. L'aéroport ne se trouve pas sur l'île même, mais sur l'anneau corallien qui sépare le lagon de l'océan, sur le *motu* Mute. Le voyage jusqu'au quai de Vaitape se poursuit en vedette rapide.

En goélette et en ferry. Après Huahine, Raiatea et Tahaa, les goélettes *Taporo-IV*, *Temehani-II*, *Raromatai Ferry* et *Vaieanu* desservent Bora Bora (voir p. 161).

Desserte rapide. Par le *Ono Ono*, ☎ et fax 67.78.00, à Bora Bora.

Circuler

Faire le tour de l'île est un enchantement. 32 km de route en dur et en « soupe de corail » (polypiers coralliens broyés), d'un blanc parfois éclatant, serpentent le long de la côte découpée de Bora Bora, traversant les cocoteraies au feuillage parfois dense. La meilleure solution pour découvrir les richesses de l'île reste la location d'une voiture ou d'un deux-roues.

Fêtes et manifestations

Pendant les festivités de **Heiva I Tahiti**, en juillet, toute l'île est en fête et les groupes se produisent sur l'estrade d'un théâtre en plein air dressé sur la

---

L'atelier d'art Paul-Émile Victor

… « *Les Polynésiens sont des artistes nés, leurs pulsions artistiques se traduisent depuis des millénaires par la danse et le chant. Grâce à l'Atelier d'art de Bora Bora, des artistes locaux se sont exprimés par d'autres formes d'art, typiques d'ailleurs du génie polynésien.* » (Paul-Émile Victor, Bora Bora, 1993). Né d'une idée de Paul-Émile Victor, qui le présente pour la première fois en 1991, l'Atelier d'art Paul-Émile Victor à Bora Bora recueille le soutien immédiat des autorités locales et du ministère de l'Éducation et de la Culture. Il répond à un besoin d'expression de la jeunesse de Bora Bora et de la Polynésie. Cet Atelier propose aux jeunes des activités dans tous les domaines des arts plastiques, dans le respect de leurs savoirs acquis et de leur patrimoine artisanal et culturel. L'Atelier s'intègre et s'adapte parfaitement à la réalité sociale polynésienne. Il incite ses participants à des projets ambitieux, en leur donnant le sens de l'autonomie et le goût de l'entreprise. Il a aussi vocation à recevoir tout apport extérieur susceptible d'enrichir le patrimoine culturel polynésien. En permettant aux jeunes d'accéder à des démarches artistiques reconnues, l'Atelier suscite l'émergence de vocations nouvelles ouvertes sur le monde extérieur. Siège social à la Mairie de Bora Bora.

D'après MM. P.-E. Victor et G. Tong Sang, maire de Vaitape.

Atelier d'art Paul-Émile Victor, embarcadère de Vaitape (à côté du Centre artisanal), information à la mairie de Vaitape ☎67.75.19.

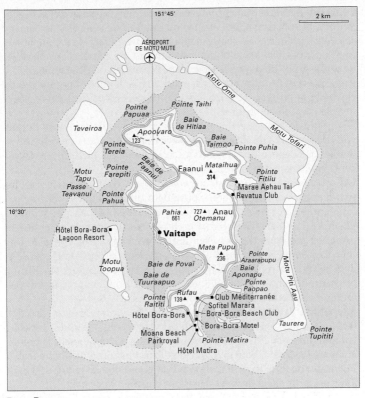

Bora Bora

place de Vaitape. Si vous vous trouvez à Bora Bora à cette période, ne manquez surtout pas ces remarquables représentations. De grandes baraques de style local, très bien décorées de palmes et de plantes vertes, sont dressées près des quais de Vaitape. On y trouve des *pareu*, des coquillages, des sculptures, différents objets d'artisanat local.

Pendant toute l'année, des *tamaaraa* sont organisés un peu partout le dim., soirées dansantes dans certains hôtels ; se renseigner sur place.

♥ Le tour de l'île**

Vaitape**, le centre administratif de l'île de Bora Bora, est un coquet petit village dominé par le mont Pahia. Vous accéderez au village par le quai des vedettes rapides qui assurent un service régulier avec l'aéroport situé sur le *motu* Mute. En bordure de l'allée principale, dans le prolongement du quai, se trouvent les banques, puis, dans l'angle à dr., la mairie. En face, à g. de l'allée, l'atelier d'Art Paul-Émile Victor et le centre artisanal de Bora Bora.

Le **tombeau d'Alain Gerbault**, le grand navigateur français, né en 1893 à Laval et mort à Timor en 1941, est proche du centre artisanal. Les cendres du défunt furent ramenées à Bora Bora en 1946, selon sa volonté. Sur le tombeau se trouve une plaque commémorative, où un médaillon en bronze montre un très beau portrait du navigateur, avec l'inscription « Alain Gerbault, seul sur le *Fire Crest*, a fait le tour du monde, 25 avril 1923-26 juillet 1929 ».

De l'autre côté de la route principale se succèdent la gendarmerie, le petit *fare* très bien décoré d'une officine de location de véhicules, la blanche église évangélique et un magasin chinois. Juste en face du « chinois », le centre commercial Pahia abrite notamment une galerie d'art, un salon de coiffure, une boutique de vente de perles noires, un dentiste, etc.

Face au *wharf* (ponton) de Vaitape, se dresse le *motu* **Toopua** avec la cloche et la pirogue de **Hiro**, chef de Bora Bora et dieu des Voleurs dans la mythologie maorie.

Une demi-journée suffit à un rapide tour de l'île au cours duquel vous découvrirez de magnifiques panoramas. La route de ceinture se faufile en bordure des cocoteraies avec de larges ouvertures, tantôt sur la montagne, tantôt sur les *motu* et le lagon.

Un peu plus d'une vingtaine de *marae*** ont été répertoriés. La plupart d'entre eux sont côtiers et possèdent un *ahu* allongé, disposé parallèlement au rivage, comme dans d'autres îles, en particulier à Huahine. Les dalles dressées sont en pierre calcaire d'origine madréporique ; plusieurs d'entre elles sont ornées de pétroglyphes de tortues. Les *marae* de Bora Bora sont postérieurs à ceux de Huahine et de Maupiti ; la mission dirigée par le professeur Emory du Bishop Museum d'Honolulu en 1963, en repéra 42 dont certains furent restaurés. Les plus importants se trouvent dans le N de l'île.

En quittant Vaitape et en prenant la route de ceinture dans la direction du N, vous trouverez le **Yacht Club** sur votre g., et, peu après, la pointe Farepiti qui garde l'entrée de la baie de Faanui. On trouve sur la pointe, le *marae* **Farerua****, côté mer, qui était le *marae* communautaire le plus important de Bora Bora. Il comprend un grand *ahu* de presque 50 m de long, bordé de dalles dressées dépassant parfois 3 m de haut.

Au fond de la baie de Faanui, côté montagne, le *marae* Taianapa, plus petit que le précédent, se trouve dans une cocoteraie envahie par la végétation ; un peu plus loin, du côté de la baie, en front de mer, se dresse un nouveau *marae*, **Fare Opu****, où l'on peut observer des dalles de madrépores avec des pétroglyphes représentant des tortues marines. La route de ceinture, non goudronnée dans la partie N de l'île, est tout de même praticable. On longe une côte sinueuse et découpée bordant la baie de Hitiaa. Après un arrêt à l'intéressant petit **musée de la Marine***, vous dépasserez l'hôtel-restaurant *Revatua Club*, et continuerez jusqu'à la baie de Vairao, toute proche, abritée par la pointe Fitiiu.

Un chemin longe la pointe jusqu'au rocher de Hiro. Sur le promontoire se dressent des canons datant de la Seconde Guerre mondiale. Le long du littoral de la baie de Vairao, trois autres *marae* méritent un détour : Aeautai, Fare Rai et Nonohaura. On atteint la partie S de l'île, très animée et touristique, après avoir dépassé le village d'Anau. Les principaux hôtels, boutiques d'art et d'artisanat de Bora Bora sont regroupés avant et au-delà de la somptueuse plage de sable blanc de la **pointe Matira**** et se poursuivent le long de la baie de Povai, jusqu'à Vaitape.

De 1942 à 1946, Bora Bora fut une base navale américaine, dont il reste quelques vestiges intéressants, telle la piste d'aviation du *motu* Mute, ainsi qu'un blockhaus abritant deux pièces d'artillerie lourde. Vous pourrez y accéder au cours d'une promenade en 4x4 ou après 15 mn d'ascension par un petit sentier proche de la boutique d'art Alain et Linda (baie de Povai), avec une vue magnifique sur le **lagon*****.

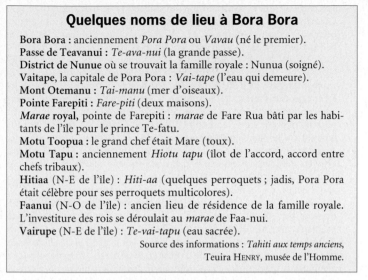

Quelques noms de lieu à Bora Bora

Bora Bora : anciennement *Pora Pora* ou *Vavau* (né le premier).
Passe de Teavanui : *Te-ava-nui* (la grande passe).
District de Nunue où se trouvait la famille royale : Nunua (soigné).
Vaitape, la capitale de Pora Pora : *Vai-tape* (l'eau qui demeure).
Mont Otemanu : *Tai-manu* (mer d'oiseaux).
Pointe Farepiti : *Fare-piti* (deux maisons).
Marae **royal,** pointe de Farepiti : *marae* de Fare Rua bâti par les habitants de l'île pour le prince Te-fatu.
Motu Toopua : le grand chef était Mare (toux).
Motu Tapu : anciennement *Hiotu tapu* (îlot de l'accord, accord entre chefs tribaux).
Hitiaa (N-E de l'île) : *Hiti-aa* (quelques perroquets ; jadis, Pora Pora était célèbre pour ses perroquets multicolores).
Faanui (N-O de l'île) : ancien lieu de résidence de la famille royale. L'investiture des rois se déroulait au *marae* de Faa-nui.
Vairupe (N-E de l'île) : *Te-vai-tapu* (eau sacrée).

Source des informations : *Tahiti aux temps anciens*,
Teuira HENRY, musée de l'Homme.

Pour les amateurs de **randonnées** pédestres, 3h de marche conduisent au sommet du **mont Pahia** (661 m). La vue panoramique y est splendide. Un guide local vous accompagnera au départ de Vaitape. Avant de quitter Bora Bora, vous pourrez aussi visiter le *motu* **Tapu***, à dr. de la passe de Teavanui. C'est dans ce site que Murnau tourna en 1928 *Tabou*, premier film sur la Polynésie.
Une autre curiosité ne manquera pas d'intéresser les noctambules : la nuit, on peut voir surgir sur la route de gros crabes haut perchés sur leurs pattes. Ce sont des *tupa*, crabes végétariens qui sortent de leurs terriers, creusés à même le sable des bas-côtés.

LES BONNES ADRESSES
Informations touristiques. Comité du tourisme de Bora Bora, BP 144, Vaitape ☎67.70.31.

Hébergement
▲▲▲▲ **Bora Bora** ♥, BP 1, Nunue ☎60.44.60, fax 60.44.66. VISA, AE, DC, MC. Au S de l'île sur le promontoire rocheux de la pointe Raititi et en bordure d'une belle plage de sable blanc. *15 bungalows sur pilotis, 21 villas sur jardin et 19 suites sur jardin ou sur mer.* S.d.b., tél., minibar. Le plus ancien hôtel de luxe de l'île. Site exceptionnel, architecture luxueuse et fonctionnelle, alliant tradition et modernité. Bungalows en boiseries nobles, confort maximal. Petite piscine ou spa (bains à remous) privé. Tous les sports nautiques et les animations proposés sur l'île (voir p. 183). ♦♦♦ **Matira terrasse**, cuisine française et continentale de grande qualité. Remarquables barbecues sur la plage avec d'excellents poissons les jeu. soirs, buffet le dim. soir avec danses polynésiennes. ♦♦ **Pofai Beach** en bord de plage.
▲▲▲▲ **Bora Bora Lagoon Resort** ♥, BP 175, Vaitape ☎60.40.00, fax 60.40.01. VISA, AE, DC, MC. Sur le *motu* Toopua, en face de Vaitape sur une magnifique plage de sable blanc. *70 bungalows dont 50 sur pilotis et 30 sur plage.* Style polynésien traditionnel, décoration inspirée de motifs naturels. Une table vitrée offre, depuis le salon des bungalows sur pilotis, le

spectacle animé et multicolore des habitants du récif corallien. ♦♦♦ **Otemanu**, vue exceptionnelle sur le mont du même nom. Cuisine européenne, américaine et asiatique. ♦♦ **Cafe Fare**, grillades et restauration rapide. Ballets tahitiens deux fois par sem. Toutes les activités disponibles sur l'île.

▲▲▲▲ **Moana Beach Parkroyal**, BP 156, Nunue ☎60.49.00, fax 60.49.99. Visa, AE, DC, MC. Site exceptionnel, en bordure de la somptueuse plage de sable blanc de la pointe Matira. *20 vastes bungalows sur pilotis*. Décoration raffinée. Architecture traditionnelle recherchée, grand confort. Terrasse individuelle, seconde terrasse-ponton proche de l'eau pour les bains de soleil, accès direct à la mer. Coin salon avec table vitrée ouvrant sur le plancher évidé pour admirer le lagon et, le soir, les poissons attirés par les projecteurs placés sous le bungalow. Restaurant, bar, activités marines, soirées sur la plage, shows, excursions, etc. Toutes les activités disponibles sur l'île. ♦♦♦ **Noa-Noa**, cuisine internationale et continentale, spécialités locales. ♦♦ **La plage**, restauration rapide.

▲▲▲ **Le Jardin de Corail, Club Méditerranée de Bora Bora**, BP 575, Papeete ☎42.96.99, fax 42.16.83. Visa, AE, DC, MC. Dans la baie de Faaopore, au cœur d'une magnifique cocoteraie, en bordure d'une plage de sable blanc. *78 fare* roses, bleus et jaunes sur la plage et *72 ch.* réparties dans de petits bâtiments de 2 étages dissimulés dans la verdure. Habitations spacieuses et fonctionnelles, décoration moderne. Activités sportives et animations. Ce qui se fait de mieux sur l'île. ♦♦♦ **Restaurant** de spécialités locales, françaises et japonaises. Très bonne cuisine, comme toujours au Club Med. Somptueux petits déjeuners.

▲▲▲ **Sofitel Marara**, BP 6, Nunue ☎67.70.46, fax 67.74.03. Visa, AE, DC, MC. En bordure de la très belle plage de sable blanc qui prolonge celle de la pointe Matira. *64 bungalows* dont 21 sur pilotis, 11 en bordure de plage et 32 sur jardin. Personnel polynésien résidant dans un petit village de l'autre côté de la route. Ambiance familiale et animations de qualité. Très belles soirées et spectacles polynésiens (voir p. 184). ♦♦♦ **La Pérouse**, cuisine française et continentale.

▲▲ **Bora Bora Beach Club**, BP 252, Nunue ☎67.71.16, fax 41.09.28. Visa, AE, DC, MC. Sur la face N de la plage de sable blanc de la pointe Matira. Classique dans un style néopolynésien. *36 ch.* dont 20 sur plage et 16 sur jardin, toutes en r.d.c. S.d.b., terrasse. Activités nautiques. ♦♦ **Restaurant** de cuisine française, simple ; soirées barbecue, pique-nique motu, etc.

▲▲ **Bora Bora Condo's**, BP 98, Vaitape ☎67.71.33. À Faanui, du côté montagne. *11 bungalows sur pilotis* dont 8 sur la colline et 3 les pieds dans l'eau. 2 ch. par bungalow, séjour, cuisine équipée, salle à manger, s.d.b. et terrasse.

▲▲ **Bora Bora Motel**, BP 180, Vaitape ☎67.78.21, fax 67.77.57. Visa, MC. En bordure de la grande plage de sable blanc de Matira. *7 bungalows, studios et appartements*. Style polynésien. Terrasse privée, cuisine équipée, s.d.b., vue sur le lagon. Ensemble soigné et très bien tenu.

▲▲ **Matira**, BP 31, Vaitape ☎67.50.51, fax 67.77.02. Visa, AE DC, MC. Très belle cocoteraie en bordure de la plus grande plage de sable blanc de Bora Bora. *25 bungalows* dont 9 sur plage et 16 sur jardin. Style polynésien. Animations avec la participation des groupes locaux, sorties de pêche en mer, *tamaaraa*, etc. ♦ **Restaurant chinois.**

▲▲ **Revatua Club**, BP 159, Vaitape ☎67.71.67, fax 67.76.59. Visa, MC. Récent, style colonial, à l'opposé de Vaitape, à proximité de la baie d'Anau. *16 ch.* Terrasse, s.d.b. individuelle. Bar, boutique. Malgré son isolement, l'hôtel propose de nombreuses activités nautiques, excursions en bateau à fond de verre, aquarium marin, promenades en bateau, visite de *motu*, etc.

▲▲ **Vairupe Villas**, BP 195, Bora Bora ☎67.62.66, fax 67.62.79. Visa, AE, MC. *10 bungalows* côté montagne avec accès à la plage.

▲▲ **Yacht Club**, BP 17, Vaitape ☎67.70.69. VISA, MC. En bordure de lagon près de Vaitape, pas de plage mais un ponton pour les yachts. *13 bungalows* dont 3 sur pilotis et 10 flottants en liaison radio permanente avec l'hôtel. S.d.b. Hôtel simple mais confortable. **Restaurant-bar-terrasse** sur pilotis, en bordure de lagon et d'un enclos marin où l'on peut admirer des requins et des tortues de mer.

Logement chez l'habitant

Fare Corail, BP 77, Vaitape, *motu* Tane ☎67.74.50. VISA, AE, MC. Sur ce *motu* ayant appartenu à Paul-Émile Victor, à 5 mn en bateau de l'aéroport. *Maison* entièrement en corail blanc avec ch., salle à manger, cuisine, s.d.b. à l'extérieur. Très belle plage de sable blanc.

Chez Nono, BP 282, Vaitape ☎67.71.38. *Grand fare familial avec 6 ch., 2 bungalows jumelés et un bungalow familial.* Style polynésien. Cuisine à disposition.

L'Oasis du lagon, *motu* Oa, BP 6, Vaitape ☎ et fax 67.74.03. Dans une cocoteraie. *3 fare.*

Chez Pauline, BP 215, Vaitape ☎67.72.16, fax 67.78.14. Entre les hôtels *Matira* et *Marara*. *6 bungalows avec cuisine, 1 bungalow familial et 8 petits fare, 1 dortoir et 1 camping* avec cuisine à disposition.

Chez Rosina, BP 51, Vaitape ☎67.70.91. Sur la baie de Pofai, Nunue, côté montagne. *Maison avec 4 ch.* S.d.b. et cuisine à disposition.

Camping

Chez Pauline, pointe Matira, BP 215, Vaitape ☎67.72.16. *Camping d'une vingtaine de tentes.* En supplément, 4 cabines de plage de style polynésien. Toilettes, sanitaires (3 w.c. et 3 douches) à disposition des campeurs. Cuisine commune.

Restaurants

♦♦♦♦ **Le Bloody Mary**, Pahonu (baie de Povai) ☎67.72.86. *Ouv. t.l.j. sf dim.* VISA, AE, DC, MC. Un authentique cadre polynésien ; tables en bois tropical massif, chaises en troncs de cocotier. Accueil sympathique et surtout une excellente cuisine de fruits de mer, poissons, langoustes grillées, crabes, mixed grill de poissons. Transport gratuit de votre hôtel au restaurant en minibus. Réserver.

♦♦♦♦ **Chez Christian**, VISA, AE, DC, MC. Restaurant gastronomique, cuisine française raffinée. L'un des meilleurs restaurants de l'île.

♦♦♦♦ **Le Yacht Club** ♥, ☎67.70.69. VISA, MC. Cuisine gastronomique française, spécialités de poissons et fruits de mer. Activités nautiques. L'un des meilleurs restaurants de l'île.

♦♦♦ **Bamboo House**, baie de Pofai. *Ouv. t.l.j.* ☎67.76.24. VISA, AE, DC, MC. Cuisine française et spécialités de poissons.

♦♦♦ **Blue Lagoon**, près de Vaitape ☎67.70.54. VISA, AE, MC. Terrasse avec vue sur le lagon. L'une des spécialités du chef est la paella aux fruits de mer. Service de minibus pour vous prendre à votre hôtel. *F. le jeu.*

♦ **Snack Restaurant Ben's**, plage de Matira ☎67.74.54.

♦ **Snack Bounty**, Matira.

Sports et loisirs

Activités nautiques. Toutes les activités nautiques se pratiquent à Bora Bora. Les structures d'animation sont en place depuis de nombreuses années dans les grands hôtels et chez quelques opérateurs spécialisés. On vous proposera : sortie en pirogue, ski nautique, parachute ascensionnel, location de petits catamarans ou de planches à voile, pratique de la voile, excursion en bateau à fond de verre sur le lagon, tour de l'île en pirogue à moteur, minicroisière au coucher du soleil, etc. Les formules proposées sont multiples. Rens. et rés. auprès du comptoir des activités de votre hôtel.

Croisière en catamaran. Tous les grands hôtels de Bora Bora proposent des mini-croisières à la carte pour admirer les magnifiques panoramas de l'île, et tout particulièrement contempler les *motu*, le lagon et l'océan au soleil couchant. Rés. dans le bureau des activités de votre hôtel. **Coup de Cœur**, BP 237 Vaitape ☎ Mahina Radio 3698. Sun Fizz Jeannot 40 feet. *Epicurien II*, BP 71 ☎43.79.67, fax 67.72.00. Yacht 65 feet. *Maraamu II*, BP 318 ☎67.72.37. Luxueux ketch de 62 feet.

Croisière organisée. En 7 jours, au départ de Bora Bora, une sem. sur deux, vous pouvez visiter les principales îles Sous-le-Vent de l'archipel de la Société : Raiatea, Tahaa et Huahine. Débarquement à Huahine une sem. après votre départ. **Archipels Croisières**, BP 1160, Papetoai, Moorea ☎56.36.39, fax 56.35.87.

Équitation. Ranch Reva Reva ☎ et fax 67.63.63.

Excursion sur le récif et repas des requins. Le tour de l'île en bateau permet de découvrir tous les paysages propres à Bora Bora et le repas des requins. Équipé d'un masque de plongée, vous entrez dans l'eau tiède du lagon, un Polynésien agite la dépouille d'un thon. Les requins arrivent alors de leur nage ondulante, décrivent devant vous des cercles de plus en plus restreints. Le requin s'éloigne ensuite pour laisser la place à de nouveaux arrivants. Hallucinant et vrai ! Le grand frisson… sans danger ! Rens. dans tous les hôtels et auprès de : **Bora Bora Poe Iti Tours**, Vaitape ☎67.78.21. **Bora Bora Exotic Lagoonarium** ☎67.71.34. **Moana Adventure Tours**, BP 220 Vaitape ☎67.61.41, fax 67.61.26. **Teremoana Tours** ☎67.71.38. **Shark Boy of Bora Bora**, BP 119 Vaitape ☎ et fax 67.78.59.

L'intérieur de l'île en 4x4. Visite de l'intérieur de l'île, des panoramas inédits, des paysages grandioses. Le tour le plus complet inclut une découverte de la colline Pahonu qui offre une vue spectaculaire sur la baie de Povai, laissant apparaître l'unique cratère de Bora Bora. De ce point panoramique, on distingue, par temps clair, Maupiti, Tahaa et Raiatea. L'excursion se poursuit à travers le village d'Anau pour la visite du *marae* Eahautai. En contournant le N de l'île, vous pénétrez dans la vallée de Faanui traversant une végétation tropicale dense, pour vous arrêter dans l'unique champ d'ananas de l'île. Puis, au cœur de Faanui, vous arrivez dans une plantation en hauteur et surplombant la magnifique baie de Faanui. Vous aurez la possibilité de déguster les fruits de saison. Retour à l'hôtel. Optez pour l'excursion la plus complète. Rens. auprès des grands hôtels et organisateurs de tours. **Tupuna Mountain Expeditions**, BP 234, Vaitape ☎ et fax 67.75.06. **Bora Bora Jeep Safari**, BP 264 ☎67.70.34.

Pêche sportive en haute mer. Des sorties de pêche au gros sont organisées à bord d'unités parfaitement équipées pour une journée complète ou une demi-journée. **Jessie L**, BP 31 ☎67.70.59. **Lady C**, BP 216 ☎67.72.12. **Mokalei**, BP 1 ☎67.74.93.

Plongée. Très belles plongées dans le lagon de Bora Bora, dans la passe de Teavanui ou à l'extérieur du récif. Location du matériel et accompagnement. **Calypso-Club**, BP 259 ☎67.77.85, fax 67.63.33. **Bora Diving Center**, BP 182 ☎67.71.84, fax 67.74.83.

Soirées. Les soirées tahitiennes, spectacles de ballets et de chants polynésiens organisés par les grands hôtels de l'île, comptent parmi les meilleures de Polynésie. Les hôtels *Bora Bora, Bora Bora Lagoon Resort* et le *Sofitel Marara* proposent des spectacles de grande qualité. Le groupe des « mamas » recueille chaque fois qu'il se produit un très vif succès.

Tours en hélicoptère ♥. Les panoramas exceptionnels qu'offre Bora Bora se prêtent très bien à un survol en hélicoptère. Les amateurs de photos ou de vidéo apprécieront l'absence de portes latérales qui leur assurera de très bonnes prises de vues. Chaque tour est prévu pour 4 personnes. Rés. à votre hôtel. **Héli-Inter Polynésie**, BP 424 Papeete ☎ et fax 67.62.59.

Musée. Hitiaa Faanui ☎67.75.24. Cet intéressant petit musée de la Marine présente des maquettes de bateaux célèbres utilisés par des découvreurs et des navigateurs qui ont marqué l'histoire de Bora Bora et de la Polynésie française.

Shopping

Le tour de l'île regorge d'une multitude de boutiques toutes plus charmantes les unes que les autres. Elles proposent des articles d'artisanat, des vêtements de plage, des chapeaux, du monoï, etc. mais surtout des tissus peints et des *pareu*. Certaines boutiques, ainsi que les grands hôtels, assurent la vente des bijoux réalisés par des joailliers locaux et des perles noires. Le Centre artisanal de Bora Bora propose de nombreuses pièces d'artisanat, que vous trouverez sur la dr. du quai de Vaitape, à proximité du monument dédié au navigateur Alain Gerbault.

Adresses utiles

Banques. Banque de Polynésie, Vaitape ☎67.70.71. *Ouv. du lun. au ven. de 7h30 à 11h30 et de 13h30 à 16h et sam. matin.* **Socredo**, Vaitape ☎67.71.11. *Ouv. lun. à ven. de 7h30 à 11h30 et de 13h30 à 16h.* **Banque de Tahiti**, Vaitape ☎67.70.37. *Ouv. du lun. au ven. de 7h30 à 12h et de 13h30 à 16h.* **Westpac**, Nunue. ☎67.70.72. *Ouv. du lun. au ven. de 7h30 à 11h15 et de 14h à 16h30. et sam. matin.*

Compagnie aérienne. Air Tahiti ☎67.70.35.

Location de voitures ou deux-roues. Alfredo, Vaitape ☎67.70.31. **Mautara**, Vaitape ☎67.73.16. **Europcar Bora Bora**, BP 246 Vaitape ☎67.70.15, fax 67.79.95.

Poste. Vaitape ☎67.70.42.

Urgences. Gendarmerie ☎67.70.58. **Police** ☎67.70.41. **Infirmerie**, Vaitape ☎67.70.77. **Pharmacie**, Nunue ☎67.70.30.

Maupiti**

➤ **En avion.** *Trois vols par sem. avec Air Tahiti, au départ de Papeete, les mar., ven. et dim.*

En bateau. *Une goélette par sem., au départ de Raiatea, dessert Maupiti : Meherio II. Dates de départ variant en fonction des conditions de voyage, notamment la prise en charge du fret. Rens. sur place, au quai d'Uturoa. 80 passagers sur le pont, pas de repas servi à bord.*

Circuler. *En règle générale, on circule à pied, sinon on « rame la pirogue » pour se déplacer. Les activités nautiques se sont beaucoup développées, des excursions en bateau à moteur sont régulièrement organisées pour accéder aux motu : visite des sites archéologiques du* **motu Paeao**, *au N de l'île, tour de l'île en pirogue à moteur, excursion et pique-nique sur des motu déserts, sorties de pêche.*

Avec ses 14 km^2, Maupiti (*Maurua* dans les temps anciens) est la plus petite des îles Sous-le-Vent et aussi la mieux préservée, en raison de son isolement géographique et de son éloignement de Tahiti (310 km). Elle ne se trouve pourtant, à vol d'oiseau, qu'à une quarantaine de km de Bora Bora.

Maupiti, c'est un peu « l'île oubliée » de la Polynésie car elle est restée longtemps loin de tout. Les bateaux ne peuvent en effet pénétrer dans la magnifique mer intérieure que forme le lagon de Maupiti que par la redoutable **passe d'Onoiau** (« espadon qui nage ») encadrée par deux *motu*, **Pitihahei** et **Tiapaa**. Les violents courants marins rendent la passe totalement infranchissable à certaines heures de la journée. L'aménagement d'un petit aéroport sur le *motu* Tunai, au N-E de l'île a grandement contribué à désenclaver Maupiti et à améliorer le confort de ses habitants, mais des habitudes profondément ancrées dans les traditions font toujours de Maupiti une « île à part ». Le volcan qui domine l'île de sa masse élancée culmine au mont Nuupure (380 m).

Vaiea est situé au pied d'une falaise basaltique abrupte et s'étend le long du littoral, de part et d'autre de sa petite église blanche à clocheton pointu rouge qui donne, au plus grand des quatre petits villages de l'île, l'aspect d'une charmante bourgade provinciale. L'immense lagon central est encadré, au N, par de vastes *motu* dont les plages s'étendent à perte de vue. Les immenses plages de sable corallien et l'un des très beaux lagons de Polynésie font de Maupiti la petite rivale de Bora Bora. La spontanéité de ses 800 habitants, la beauté des sites, la richesse du patrimoine archéologique, le lagon exceptionnel et la grande barrière de corail donnent tout son charme à cette petite île.

Le tour de l'île**

À partir de **Vaiea**, village principal de Maupiti situé au pied de la falaise de la pointe Patito, on peut sans effort faire le tour de l'île à pied en empruntant la petite route littorale (9,6 km). Prévoir 3h de marche. La côte longe les pentes du volcan et se fraye un passage dans la végétation luxuriante de l'étroite plaine côtière.

Le nord de l'île abrite de nombreux vestiges archéologiques sous la forme de dallages de *marae*, de murs de pierre et de petits dolmens. La côte O est bordée de plages de sable blanc.

Maupiti possède également de belles pierres grises, les trachytes, qui ont servi à façonner les *penu*, des pilons et des plats utilisés pour malaxer la pâte du fruit de l'arbre à pain ou du *taro*. On trouve un artisanat dont la spécialité est la fabrication d'hameçons en nacre.

Les sites archéologiques**. Maupiti, bien que très petite, était considérée dans la mythologie polynésienne comme un centre religieux de première importance au même titre que Raiatea et Huahine. C'est pourquoi on n'y trouve pas moins d'une soixantaine de *marae*. Le plus important est le *marae* **royal de Vaiahu****, en bordure du lagon. On y reconnaît l'architecture des *ahu* de bord de mer. Comme à Huahine, dans le site archéologique de Maeva, les *marae* se succèdent le long du littoral de la côte N de Maupiti. La **vallée de Haranae**** présente, elle aussi, un grand intérêt archéologique avec la présence de pétroglyphes de tortues marines. On pourra également vous conduire sur les *motu* qui bordent la passe. L'un d'entre eux, le *motu* **Paeao****, recèle un site archéologique daté du Ve s. qui semble être le plus ancien des îles Sous-le-Vent. On y trouve d'anciennes sépultures de style mélanésien.

LES BONNES ADRESSES

Hébergement chez l'habitant

Auira, BP 2, Vaiea ☎67.80.26. *7 bungalows* de style traditionnel dont 3 sur la plage avec s.d.b. individuelle et 4 sur jardin avec s.d.b. commune à l'extérieur. Très belle plage de sable blanc. Restaurant-bar, linge fourni, eau potable courante. Pirogue, pêche aux langoustes, tour de l'île (en voiture ou en pirogue à moteur).

Fare Pae'ao, BP 33 ☎67.81.01. Sur le *motu* Pae'ao. *3 bungalows*.

Chez Floriette, BP 43, Vaiea ☎67.80.85. Au centre de Vaiea. *4 ch*. avec douche commune.

Chez Mareta, Vaiea ☎67.80.25. Situé au centre du village de Vaiea. Maison en dur avec *9 ch*., salon, terrasse, cuisine, s.d.b. commune.

Kuriri Village, BP 23, fax 67.82.00. Sur le *motu* Tiapaa à 30 mn par bateau de l'aéroport. *3 bungalows* de style polynésien. Très belle plage.

Pension Eri, Vaiea ☎67.81.29. Située dans le village de Vaiea à 1 km du quai. *4 ch*. avec cuisine à disposition.

Pension Marau, Vaiea ☎67.81.19. Dans le village de Vaiea à 200 m de la mairie. *3 ch*. avec cuisine et douche commune.

Pension Papahani, BP 1, Vaiea ☎67.81.58. Sur le *motu* Tiapaa. *8 ch*. avec douche commune.

Pension Tamati, Vaiea ☎67.80.10. Dans le village de Vaiea à 600 m du quai. *9 ch*., cuisine à disposition.

Adresses utiles

Compagnie aérienne. Air Tahiti, aéroport de Tuanai ☎67.80.20.

Accès par mer. Inter-Island boat Transportation, Maupiti Tou Ai'A, Fare Ute à Papeete ☎42.44.92, fax 43.32.69.

Urgences. Infirmerie ☎67.80.18.

Les autres îles Sous-le-Vent

Ce sont des atolls d'accès difficile. À l'inverse de **Tupai**, très beau petit atoll, mais propriété privée au N-O de Bora Bora, **Mopelia**, **Scilly** et **Bellinghausen** sont rarement visitées par les goélettes car elles ne sont habitées que temporairement. **Scilly** est devenue une réserve naturelle, les tortues et les nacres y sont protégées.

L'ARCHIPEL DES TUAMOTU

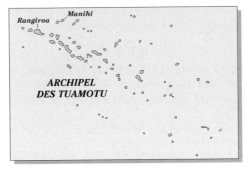

À l'E des îles de la Société, l'archipel des Tuamotu est composé de 78 îles couvrant une superficie totale de 900 km^2, disséminées sur plus de 20 000 km^2 d'aire marine entre 14° et 24° de latitude S. Cet éparpillement dans l'immensité du Pacifique a pour conséquence naturelle l'isolement de certaines îles, parfois inhabitées. Composé principalement d'îles basses coralliennes, l'archipel possède aussi quelques petites îles hautes. La plus importante, Makatea, fut jadis connue pour l'exploitation de phosphates.

Le réveil des Tuamotu est lié à plusieurs facteurs, dont l'installation des sites d'expérimentation nucléaire du CEP (Centre d'expérimentation du Pacifique) à Mururoa, Hao, Fangataufa. L'avènement de l'industrie perlière et la formidable expansion des fermes ont créé une dynamique génératrice d'emplois et un véritable bouleversement économique d'îles jadis somnolentes, sauf lors de la récolte du coprah. L'expansion, certes limitée à Rangiroa, Manihi et Tikehau, d'un tourisme « du bout du monde » qu'affectionnent les amoureux d'une nature unique faite de mers immenses et d'horizons infinis, joue également son rôle. L'univers naturel des Tuamotu est d'une insoupçonnable richesse où se marient le sable blanc et l'eau limpide.

Près de 12 000 Polynésiens, les Paumotu, peuplent l'archipel des Tuamotu. Ils sont généralement plus grands et plus basanés que les Tahitiens et mènent une vie plus rude que celle des habitants des îles hautes. Des cyclones, très dévastateurs en raison de la faible altitude des terres émergées, ont fréquemment causé de graves dégâts aux installations précaires de certains îliens. Le manque de relief rend les pluies rares et le sol, perméable, ne retient pas l'eau. N'ayant ni sources, ni rivières, les îles doivent se contenter de citernes stockant l'eau de pluie ou encore de puits aux eaux saumâtres, mais toujours alimentés. Les hôtels et certains particuliers possèdent des stations de purification des eaux. Le manque de terre végétale associé au manque d'eau rend les cultures difficiles. Seules poussent, dans de bonnes conditions, les plantes adaptées aux terrains calcaires et aux milieux saumâtres. Les cocoteraies s'épanouissent ainsi à merveille sous ces cieux qu'affectionne l'« arbre providence », de même que les essences végétales qui embaument, comme le *tiare*, emblème de Tahiti.

Traditionnellement, les Paumotu vivaient des maigres ressources de la récolte du coprah et de la pêche. Certains ont émigré vers la capitale et sont venus grossir les rangs des déshérités de Papeete, s'entassant dans les faubourgs périphériques. Cependant, sous l'impact du développement touristique et de l'industrie perlière, une partie croissante de la population tend à se sédentariser.

Rangiroa***

➤ **En avion.** *Au départ de l'aéroport de Tahiti-Faaa, un à plusieurs vols quotidiens. Possibilité d'effectuer l'A/R dans la journée les lun. et les mer. Les mer., ven. et dim., un vol au départ de Rangiroa afin de poursuivre vers Manihi.*

En goélette. *Plusieurs goélettes desservent Rangiroa au départ de Papeete. Il n'y a pas de jours fixes pour le départ, qui se fait toutes les 2 sem. ou tous les mois au quai de Motu Uta à Papeete. Les distances à parcourir étant beaucoup plus importantes que pour les îles Sous-le-Vent et les escales nombreuses, la durée du voyage est nettement plus longue, env. 23h. Se renseigner sur place pour connaître les dates et horaires des départs. À recommander aux touristes aventureux et peu pressés qui recherchent une expérience originale. En empruntant les goélettes qui ramassent le coprah et ravitaillent les atolls, vous ferez un tour plus complet de l'archipel mais dans des conditions de confort aléatoires.*

Dans l'archipel des Tuamotu, à Rangiroa, le plus grand des atolls polynésiens, rochers et sable corallien s'étendent à perte de vue entre ciel et mer.

Circuler. *Les hôteliers vous accueillent à l'aéroport et vous conduisent à votre hôtel en truck privé (Kia Ora) ou en minibus (Rangiroa Beach Club). Ensuite, vous n'avez que l'embarras du choix : bicyclette, pirogue, bateau, ou marche à pied.*

Rai'roa signifie en tahitien, le « grand ciel ». Rangiroa, à 350 km au N-E de Papeete, est le plus grand de tous les atolls polynésiens. La bande corallienne émergée, large de 300 m en moyenne, se déroule sur environ 230 km, entourant un lagon de 77 km de long sur 26 km. L'espace marin encerclé par l'anneau corallien est immense et pourrait contenir l'île et la presqu'île de Tahiti. Une route goudronnée relie le village d'**Avatoru*** à l'aéroport et se prolonge en direction de **Tiputa***. Rangiroa est aussi l'un des atolls les plus accessibles, disposant d'une piste d'atterrissage et de deux « passes », Avatoru et Tiputa, en bordure desquelles se trouvent les villages du même nom. La population actuelle est d'environ 1 700 personnes.

Le tour de l'île

Rangiroa a de multiples attraits : **lagon**** profond aux eaux turquoise exceptionnellement limpides, nombreuses plages, faune marine dense, colonies d'oiseaux sur les *motu*. Sa végétation ne manque pas non plus de charme avec ses cocotiers échevelés et son cortège d'arbres typiques tels que les *aito* (arbre de fer), *purau*, pandanus, ainsi que des plantes arbustives ou des buissons comme le tiare ou le frangipanier qui ornent et embaument les jardins et toute la côte.

Une promenade dans le village d'**Avatoru** vous permettra d'admirer les coquettes maisons Paumotu en bois, simples mais toujours d'une méticuleuse netteté, peintes en rose, vert ou bleu pastel et partiellement masquées par un artistique décor de cocotiers ou de frangipaniers. Les rideaux ou les nappes en *pareu* flottent au vent. Une grande sérénité règne à Avatoru.

Rangiroa est faite pour la détente, la baignade, la pratique de tous les sports nautiques et, surtout, la contemplation du plus fabuleux aquarium du monde, le lagon et ses patates de corail illuminées du ballet multicolore des habitants des récifs. De l'initiation dans quelques mètres d'eau à l'exploration sous-marine en compagnie des plongeurs du **Raie Manta Club**, le même enthousiasme est présent face à l'un des plus beaux spectacles que la nature puisse offrir.

LES BONNES ADRESSES
Hébergement

▲▲▲ **Kia Ora Village** ♥, BP 1 ☎96.03.84, fax 96.04.93 et bureau à Papeete BP 706, Papeete ☎42.86.72, rés. au 43.04.98, fax 41.30.40. VISA, AE, DC, MC. Hôtel de rêve, dans une splendide cocoteraie parfaitement entretenue, avec une magnifique plage de sable blanc très fin. Si le paradis peut avoir une représentation terrestre, elle n'est certainement pas très éloignée de celle-ci. *35 bungalows* situés le long de la plage, en bordure de lagon dont 5 suites de luxe espacées dans la cocoteraie et 10 *fare* sur pilotis. Bungalows confortables et spacieux, entièrement équipés. Ambiance décontractée, service de qualité, attentionné et spontané. Toutes les activités nautiques. ♦♦♦ **Restaurant** dans un beau *fare* traditionnel sur la plage, cuisine gastronomique, excellentes préparations de poissons pêchés le jour même. Bar installé dans un *fare* sur pilotis, snacks à midi et musique le soir. Boutique, *fare* repos et jeux…

▲▲▲ **Kia Ora Sauvage** ♥, BP 1 ☎96.03.84, fax 96.04.93. VISA, AE, DC, MC. *5 bungalows polynésiens* sur un îlot privé, le *motu* Averahi, qui se trouve dans la partie S de l'atoll, à 1 h de bateau du Kia Ora Village. Le Kia Ora Sauvage propose l'« aventure Robinson » dans un cadre enchanteur, confort compris ! Réservé aux « Robinson de luxe » ! Pension complète, très bons poissons.

▲▲ **Rangiroa Beach Club**, BP 17, Avatoru ☎96.03.34, fax 41.09.28. VISA, AE, DC, MC. En bordure de lagon, le long d'une plage de débris coralliens (pas de sable fin), site magnifique. *20 bungalows* en bord de plage et dans une petite cocoteraie très bien entretenue, plantée de tiare. Tous les bungalows ont une s.d.b. avec douche, une terrasse et un brasseur d'air. ♦♦♦ **Restaurant-bar** dans un *fare* en bord de plage, cuisine très soignée, excellents poissons très bien préparés, pêche du jour. Boutiques, bicyclettes et nombreuses activités.

▲ **Rangiroa Village**, BP 5, Avatoru ☎96.03.83, fax 96.03.83. VISA, MC. Composé de *9 bungalows* au bord de l'eau (s.d.b., brasseur d'air). Plage. Ambiance polynésienne, nombreuses activités. ♦ **Restaurant**, bar.

▲ **Village Sans Souci**, BP 22, Avatoru ☎96.83.72. VISA, AE. Sur le *motu* Mahuta, à env. 30 mn de bateau du village d'Avatoru. *14 bungalows traditionnels*, entièrement équipés. ♦♦ **Restaurant**, spécialités de poissons et fruits de mer.

Logement chez l'habitant

Pension Estall, BP 15, Tiputa ☎96.73.16. *4 bungalows traditionnels* avec s.d.b. individuelle et *3 ch*. Transfert assuré.

Chez Felix et Judith, BP 18, Avatoru ☎96.04.41. *6 bungalows* à 500 m de l'aéroport.

Chez Glorine, Avatoru ☎96.03.58. *6 bungalows* avec s.d.b. individuelle.

Chez Henriette, Avatoru ☎96.85.85. *4 bungalows* à 5 km de l'aéroport.

Pension Herenui, BP 31, Avatoru ☎96.84.71. *5 bungalows* proches du centre de plongée de Raie Manta.

Pension Hinanui, BP 16, Avatoru ☎96.84.61. *2 bungalows* à 3 km de l'aéroport en bord de lagon.

Chez Lucien, BP 69, Tiputa ☎96.73.55. Dans le village, à 500 m de l'embarcadère. *3 bungalows traditionnels*, face à la passe de Tiputa. S.d.b. privée. Transfert assuré.

Chez Martine, BP 68, Avatoru ☎96.02.53. *3 bungalows* situés à 500 m de l'aéroport.

Chez Mata, BP 33, Avatoru ☎96.83.78. *2 bungalows* à 5 km de l'aéroport, côté océan.

Chez Nanua, BP 54, Avatoru ☎96.83.88. *4 bungalows* à Avatoru et *8 bungalows* sur le *motu* Tevahia. Camping.

Chez Punua et Moana, BP 54, Avatoru ☎96.84.73. *9 petits bungalows* en bordure de lagon, s.d.b. commune et *6 bungalows* sur le *motu* Teavatia. Eau froide.

Chez Raira Lagon, BP 87, Avatoru ☎96.04.23, fax 96.05.86. *4 bungalows* en bordure de lagon.

Rangiroa Lodge, Avatoru ☎96.82.13. *6 ch.*, douche commune en bord de lagon.

Pension Teina et Marie, BP 36 Avatoru ☎96.03.94, fax 96.84.44. Situé à 9 km de l'aéroport. *7 bungalows* avec s.d.b. individuelle et *3 ch*. Restaurant-bar pour les clients de la pension. Activités, excursions.

Sports et loisirs

Toutes les activités sont possibles depuis les hôtels et les centres d'hébergement : sports nautiques, balades en pirogues, promenades sur le lagon,

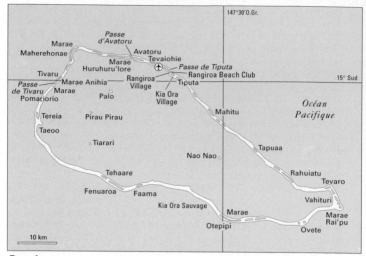

Rangiroa

pique-nique sur un motu, pêche à la ligne (palangrotte), visites des villages d'Avatoru et de Tiputa, pirogue à balancier, sports de plage, prêt gratuit ou location de bicyclette.

Croisière-découverte en catamaran. Croisière en catamaran de luxe *Archipels 57,* à la découverte des plus beaux sites des lagons des atolls de Rangiroa et de Tikehau. Le « bain de mer » le plus extraordinaire que l'on puisse imaginer, dans un environnement grandiose, et avec le luxe et le confort maximal. Visite de villages de pêcheurs, excursions en bateau à fond de verre, visite de parcs à poissons, pique-nique sur *motu,* soirée barbecue. Croisière d'une sem., départ de Rangiroa chaque sam. et retour le ven. **Archipels Croisières,** BP 1160, Papetoai, Moorea ☎56.36.39, fax 56.35.87.

Croisières-plongée. Des plongées dans les sites exceptionnels des passes de Rangiroa et de Tikehau, mais aussi à Apataki, Toau, Fakarava, Kauehi, Aratika pour finir à Manihi, l'île aux perles noires. Une aventure au-delà du rêve, en toute sécurité, avec au programme des plongées inédites, y compris de nuit, dans des sites déserts qui comptent parmi les plus poissonneux du monde. On s'immerge dans le « bleu » le temps d'une croisière de 11 jours (10 nuits) à bord d'un catamaran de luxe à voile et à moteur de 17,5 m. **Archipels Croisières,** BP 1160, Papetoai, Moorea ☎56.36.39, fax 56.35.87.

Excursions. D'innombrables îlots déserts s'étendent le long de l'atoll de Rangiroa. On vous y dépose en bateau à des dizaines de kilomètres de toute vie humaine : l'**Aventure Robinson** vous attend. Une machette pour couper les noix de coco et boire leur jus, manger du coprah et les poissons que vous aurez capturés à la main, couper du bois pour faire du feu (un tesson de bouteille providentiel abandonné par quelque ramasseur de coprah fera l'affaire pour l'allumer…). On vient vous chercher 2, 3, 4 jours après (au choix !). Informations à la direction de votre hôtel. Pour les « Robinson de luxe », l'aventure existe aussi : rens. à l'hôtel *Kia Ora Sauvage.* **Autres excursions :** croisière à bord d'un ketch à voile, location de voiliers avec équipage, excursion à l'île des Oiseaux, promenade en bateau à fond de verre, excursion au **Lagon Bleu****, un splendide petit atoll à l'intérieur du récif-barrière, pêche en haute mer, etc. Informations à l'hôtel *Kia Ora Village.*

Plongée ♥. La plongée sous-marine fait partie des activités de l'atoll de Rangiroa. Les clubs de plongée proposent, dans l'environnement exceptionnel du lagon de Rangiroa, des leçons de plongée et d'initiation directe en milieu subaquatique, des plongées de réadaptation (pas plus de 15 m). On peut déjà, à de telles profondeurs, sans sortir du lagon, admirer les massifs coralliens, les poissons exotiques multicolores et les nourrir à la main. Réputées dans le monde entier, ce sont les plongées les plus profondes effectuées dans les passes d'Avatoru et de Tiputa et à l'extérieur du récif corallien.

Pour les plongeurs confirmés, plongées dans la passe et dans l'océan (25 à 30 m). À marée basse, dans les passes, on peut y observer l'extraordinaire faune du lagon qui rejette ses eaux. À marée haute, on peut plonger dans l'océan, puis se laisser dériver à travers les passes jusqu'au lagon (spectacle hallucinant à la grotte de Tiputa : repas des requins !).

Autre possibilité : exploration des alentours du *motu* Mahuta, à côté de la passe d'Avatoru, où vivent les requins gris, les napoléons et les très gros mérous.

Les experts comptent ces plongées au nombre des plus belles au monde. **Raie Manta Club**, animé par Yves Lefèvre, moniteur international. BP 55, Avatoru ☎96.84.80, fax 96.85.60. Hébergement dans les hôtels *Kia Ora* et *Beach Club*. **Rangiroa Paradive**, c/o Pension Glorine, BP 75, Avatoru ☎96.05.55, fax 96.04.92

Adresses utiles

Banques. Banque de Tahiti ☎96.05.52, banque itinérante présente tous les mer. et jeu. à Avatoru et à Tiputa. **Socredo** ☎96.05.63, banque itinérante qui effectue 2 tournées mensuelles à Avatoru et à Tiputa.

Compagnie aérienne. Air Tahiti, Rangiroa ☎96.03.41.

Goélettes. *Dory*, SNC Agniery & cie, BP 1816, Motu-Uta, Papeete ☎43.83.84, fax 42.25.53. 1 voyage par sem., départ le lun. 13h. Papeete, Tikehau, Rangiroa, Arutua, Kaukura, Papeete. Pas de couchette à bord. *Manava II*, BP 1816, Motu-Uta, Papeete ☎43.83.84, fax 42.25.53. 1 voyage tous les 10 jours. Manihi, Takapoto, Takaroa, Aratika, Kauehi, Fakarava, Toau, Apataki, Arutua, Kaukura, Papeete. Pas de couchette à bord. *Saint-Xavier-Marie-Stella*, BP 11366, Mahina, Papeete ☎42.23.58. 2 voyages par mois. Papeete, Rangiroa, Mataiva, Tikehau, Ahe, Manihi, Takapoto, Takaroa, Arutua, Apataki, Kaukura. Durée de la tournée complète : 8 jours. Pas de cabine, uniquement le pont. D'autre part, l'*Aranui II*, le *Taporo V* et le *Tamarii Tuamotu* effectuent des circuits Papeete-îles Marquises qui incluent aussi certains atolls des Tuamotu (voir p. 60-61).

Manihi**

➤ **En avion.** *5 vols par sem., départ de Tahiti-Faaa pour Manihi les mar., mer., ven., sam. et dim. ; vol Rangiroa-Manihi les mer., ven. et dim.*
En goélette. *Deux goélettes, la Manava II et la Saint-Xavier-Marie-Stella, desservent Rangiroa et font aussi escale à Manihi.*

À Manihi on circule principalement en pirogue à moteur et en speed-boat.
L'atoll de Manihi se trouve au N-E de Rangiroa mais il est nettement plus petit, son lagon ne fait que 30 km de long sur 5,6 km de large. Ces dimensions modestes en font une destination « mer » très agréable car le lagon y produit l'impression d'un espace clos. Vous verrez, d'un côté de l'anneau corallien, les rangées de cocotiers qui soulignent l'horizon, sur le bord opposé. Le lagon s'ouvre sur l'océan par une vaste passe bordée par l'unique village de l'île, **Turipaoa***. En quelques années, l'atoll est devenu une des destinations vedettes de la Polynésie. Vastes

espaces, ciels d'apocalypse, mers sans fin… nulle part mieux qu'ici vous n'aurez plus l'impression de vivre au bout du monde.

Mais l'essor de Manihi, son développement explosif, tiennent en une recette qui s'est avérée magique : l'industrie perlière. Peu à peu, les berges de l'anneau corallien de l'atoll se sont peuplées d'un nombre croissant de **fermes perlières**. Dès votre arrivée à Manihi, à proximité de l'embarcadère, règne une animation fébrile. Le frêt destiné aux îliens est rapidement chargé sur des embarcations à moteur qui, presque toutes, en même temps, s'éloignent en rang serré vers des destinations bien étranges… Les fermes de culture perlière réparties sur le pourtour de l'anneau corallien attendent leur approvisionnement.

Qu'est-ce qu'une ferme marine ?

Le récif-barrière qui limite le **lagon de Manihi**** comme dans la plupart des atolls s'élargit par endroits en langues de sable corallien de texture grossière appelées *motu* (îlots). On y retrouve la végétation buissonnante typique des Tuamotu et surtout des cocoteraies qui abritent les fermes de culture perlière. Depuis les débuts de l'industrie perlière, vers les années 70, les installations se sont modernisées mais les petits établissements restent encore souvent sommaires. Quelques constructions en bordure du lagon signalent l'emplacement de la ferme mais il ne s'agit là que d'une partie de l'établissement, le reste se trouvant sous l'eau.

Pourquoi ici ?

Les particularités du lagon sont déterminantes : pas trop grand, pour prévenir une trop forte agitation des eaux, une seule passe avec, pour conséquence, une réduction des courants lagunaires. Il faut aussi un bon renouvellement des eaux, une richesse suffisante en plancton, et un accès facile : Mahini a très tôt bénéficié d'un aérodrome…

Que verrez-vous dans une ferme ?

▲▲▲ Les installations extérieures comprennent un ou plusieurs laboratoires de greffe qui peuvent être édifiés sur pilotis, des bâtiments d'habitation, des locaux techniques, des entrepôts, des installations sanitaires et de production d'énergie. Isolées par nécessité afin de prévenir les risques de vols d'huîtres perlières, les fermes sont organisées pour vivre en « économie fermée ».

Des plates-formes sous-marines sont édifiées à des profondeurs relativement modestes (5 à 20 m), en bordure des patates de corail, de préférence sur un fond sablonneux. Il existe différentes techniques pour y suspendre les huîtres mises en élevage. On trouve encore des parcs en eau profonde, des parcs d'élevage… Vous découvrirez ce monde très particulier au cours de votre séjour à Manihi avec la visite guidée d'un établissement. Bien évidemment, l'accès individuel aux fermes de culture perlière est interdit.

Les bonnes adresses

Hébergement. ▲▲▲ Manihi Pearl Beach Resort ♥, Manihi, BP 2460, Papeete, Tahiti ☎96.42.73, fax 96.42.72. VISA, AE, DC, MC. *16 bungalows sur pilotis*, splendide restaurant aéré, décoré en style local, boutique, clubhouse, bar, salle de jeux… Mais le *Kaina-Village*, c'est avant tout la pêche en haute mer, la chasse sous-marine, l'exploration du lagon et des plongées parmi les plus belles de Polynésie.

Le Keshi, ☎ et fax 96.43.13. VISA. Sur le *motu* Taugaraufare à 1h de bateau de l'aéroport, *7 bungalows* en demi-pension ou pension complète.

Loisirs. Excursions : à partir du *Kaina-Village*, visite d'une ferme de culture perlière ; excursion sur un *motu*, baignade, pique-nique ; sortie de pêche au gros, pêche en mer à l'extérieur du récif, pêche à la traîne dans le lagon ; excursion sur le lagon au soleil couchant ; chasse sous-marine.

Plongée sous-marine : des plongées spectaculaires attendent les plongeurs confirmés à Manihi. Elles leur permettront de découvrir, dans un milieu exceptionnel, une faune sous-marine où abondent raies manta, barracudas, gros mérous, carangues, murènes et toutes sortes de requins. Manihi Blue Nui, BP 2460, Papeete ☎96.42.17, fax 96.42.72.

Shopping. Une seule boutique, le **Kaina-Village**, très intéressante pour les perles noires. En fonction des disponibilités, on y fait parfois d'excellentes affaires. Elle vend aussi de très belles coquilles d'huîtres perlières, de petits objets d'artisanat, des nacres sculptées.

Adresse utile. Air Tahiti, Manihi ☎96.42.71.

Tikehau**

➤ **En avion.** *Air Tahiti dessert Tikehau 3 fois par sem., les sam., lun. et mer.* **En goélette.** *Rairoa Nui assure 1 voyage hebdomadaire de Papeete à Tikehau. Durée du voyage : 2 jours. Ni couchette, ni repas servis à bord.*

À quelques km au N de Rangiroa, le récif corallien de Tikehau est de forme circulaire et enserre un lagon d'env. 26 km de diamètre, dans lequel s'est développé un écosystème lié à la faune des récifs, extrêmement poissonneux. On y trouve des *motu* sauvages couverts de cocotiers, de splendides plages de sable blanc, la vie en solitaire ou presque, au bout du monde… Tikehau s'est ouvert au tourisme avec la création d'un complexe hôtelier de luxe.

LES BONNES ADRESSES

Hébergement

▲▲▲ **Eden Beach** ♥, Tikehau ☎96.22.23. Bureau et rés., BP 608, Papeete ☎45.27.59, fax 45.27.60. VISA, AE, DC, MC. *22 bungalows sur pilotis et 18 bungalows* sur la plage. Les bungalows sont spacieux (60 m²) et luxueusement aménagés. Hôtel de grand luxe, isolé sur un atoll de rêve, tous les sports nautiques, pêche au gros au large et dans le lagon…
♦♦♦ **Restaurant** de poissons et de fruits de mer. Plongée sous-marine avec le **Raie Manta Club** de Tikehau ☎96.22.53, fax 96.85.60.

Chez Habanita, Tuherahera ☎96.22.48. *3 ch.*

Chez Isidore & Nini, Tuherahera ☎96.22.38. *3 ch.*

Chez Maxime, Tuherahera ☎96.22.38. *4 ch.*

Pension Panau Lagon, Tuherahera ☎96.22.34. *4 bungalows* avec restaurant.

Tikehau Village, Tuherahera ☎96.22.86. *6 bungalows* avec restaurant.

Adresses utiles

Compagnie aérienne. Air Tahiti, Tikehau ☎96.22.66.

Goélette. Rairoa Nui, BP 1187, Papeete ☎42.91.69, fax 41.04.33.

Les autres îles des Tuamotu

Anaa : atoll en forme d'ovale. Son lagon peu profond, au fond sableux, est l'un des plus beaux de Polynésie. Sa couronne corallienne, large de 700 m en moyenne, ne laisse aucun échange entre l'océan et les eaux intérieures. Possibilité de logement chez l'habitant. Desserte en avion et goélette.

Aratika : plus petit et au N du précédent. Le récif s'interrompt deux fois à l'E et à l'O. C'est un important centre de pêche d'huîtres nacrières.

Arutua : à l'E de Rangiroa. Circulaire, une seule passe, grand centre de pêche. Un *marae*, Ahu-Roa. Comme pour Aratika, **Air Tahiti** assure des vols charters à la demande.

Fakahina : atoll elliptique sans passe. Neuf petits *motu* encombrent le lagon. L'île était célèbre pour ses *marae*, en grande partie détruits. Le *marae* de Katipa à l'O de l'anneau corallien était le lieu de sacrifice des étrangers abordant l'île. Les têtes des victimes étaient placées dans une fosse, près du rivage.

Fakarava : l'un des plus grands atolls de l'archipel. L'anneau corallien se développe sur 150 km env. avec deux bonnes passes pour la navigation.

Hao : atoll elliptique, large à l'E où est concentrée la population. Toute une infrastructure servant aux organismes d'expériences nucléaires s'est développée plus au S. Desserte aérienne.

Hikueru : au centre de l'archipel, cet atoll présente des conditions particulièrement favorables à la production naturelle d'huîtres perlières. Son lagon est fermé, seuls quelques *hoa* (bras de mer) permettent de faibles échanges entre l'océan et les eaux intérieures. Ce même lagon est relativement profond, avec des pâtés coralliens qui atteignent presque la surface. De fait, Hikueru est l'un des plus importants centres de pêche d'huîtres nacrières.

Les huîtres appartiennent au genre *Pinctada* dont la taille peut atteindre 30 cm de diamètre. Elles sont récoltées par les plongeurs polynésiens qui peuvent descendre une centaine de fois par jour, de 40 à 45 m, en restant parfois deux minutes sous l'eau.

Hikueru n'est accessible que par mer. Sa population est faible hors de la période de plongée.

Kaukura : grand atoll de forme ovale, important centre de pêche. Accès par mer et par air. Un lieu de séjour : Patamure Village.

Makatea : île originale et inhospitalière. C'est probablement un ancien atoll soulevé à quelque 60 m au-dessus des flots. On y a longtemps exploité des phosphates d'excellente qualité. C'est à Makatea que se trouve la seule voie ferrée de Polynésie. Longue de 7 km, elle reliait les gisements à l'usine de séchage.

Makemo : bel atoll au centre de l'archipel. Accès par mer et par air.

Marutea Sud : proche des îles Gambier, cet atoll présente des conditions tout aussi favorables que Hikueru pour la production naturelle d'huîtres nacrières. Les récoltes sont abondantes. Des fermes perlières s'y sont aussi installées.

Napuka : petit atoll, le plus au N des Tuamotu. Desserte aérienne.

Puka-Puka : tout aussi isolé que le précédent. Son anneau corallien est large, le lagon, peu profond et réduit, est en voie d'assèchement. L'atoll fut la première terre polynésienne aperçue par le radeau *Kon*

Mururoa

L'atoll de Mururoa (« grand secret » en polynésien) fut cédé en pleine propriété à la France par l'assemblée territoriale de Polynésie en 1964. Avec l'atoll de Fangataufa, à 41 km au sud, Mururoa constitua le fer de lance des expérimentations nucléaires françaises.

Les premiers tirs atmosphériques débutèrent en 1966 et furent abandonnés en 1975, sous la pression des organisations écologiques. Les explosions ont ensuite eu lieu au fond de puits creusés en *off-shore* au centre du lagon, dans la couche basaltique de l'atoll. Les charges explosaient ainsi à 1 200 m de profondeur.

Autour de ces expériences abondaient les polémiques sur la résistance du basalte aux explosions. Deux missions, dont une menée par Haroun Tazieff, ont conclu à une radioactivité ambiante négligeable. Un transfert du Centre d'expérimentation sur Fangataufa, jugé plus résistant, était possible alors que les expérimentations nucléaires, en accord avec le contexte international, ont cessé définitivement en 1996.

Tiki le 30 juillet 1947, lors de sa traversée d'Amérique du Sud aux Tuamotu. Desservi par **Air Polynésie**.

Raroia : assemblage d'une centaine de *motu* formant un atoll elliptique de 40 km de long environ. C'est à Raroia que vint s'échouer le radeau *Kon Tiki*. Desservi uniquement par goélette.

Takapoto : c'est l'escale des avions d'**Air Tahiti** sur le chemin des Marquises. Cet atoll fermé est un important centre de pêche d'huîtres perlières et les perles en sont recherchées.

Takaroa : voisin du précédent, l'atoll sera prochainement desservi par avion. La production de nacre est la grande richesse de l'île.

Tatakoto : atoll sans passe, un des plus beaux et des mieux cultivés de l'archipel.

LES ÎLES GAMBIER

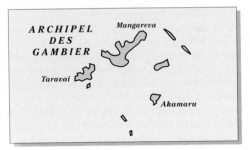

➤ **En avion.** *Air Tahiti relie 2 fois par mois Papeete aux Gambier. Possibilité de rester sur place 1 à 3 sem.* **En goélette.** *L'archipel est desservi env. 1 fois par mois par une goélette (Ruahatu) assurant le ravitaillement des îles. Durée du voyage : 20 jours.* ***Ruahatu,*** *BP 1291, Papeete ☎43.32.65, fax 41.31.65. 12 couchettes, repas à bord. Des autorisations de visite sont exigées. Rens. à la* ***Subdivision Tuamotu-Gambier,*** *BP 34, Papeete ☎42.20.00.*

Loin des sentiers touristiques habituels, ce petit archipel, situé à quelque 2 000 km au S-E de Tahiti, est constitué de quatre îles hautes principales, entourées d'une barrière de corail de 80 km, immergée au sud, ce qui rend la navigation très périlleuse. Le capitaine Wilson, à bord du *Duff*, découvrit l'archipel en 1797 et la baptisa « Gambier » en mémoire de l'amiral anglais, son protecteur.

Autour de l'île principale, **Mangareva*** (9 km de long), s'ordonnent, tels des satellites, les îles de **Taravai**, **Akamaru**, **Aukena**. La végétation est d'une variété inhabituelle : des sapins, évoquant des paysages des Vosges, côtoient la végétation tropicale des bords de mer (bananiers, cocotiers, pandanus). Les 600 Mangareviens, au caractère rude, vivent de la pêche, de la culture du caféier, des pastèques. Le climat est également propice aux orangers et à l'élevage des vaches et des porcs. Depuis peu, la culture perlière s'est fortement développée, les fermes sont regroupées dans les alentours du petit village de Rikitea à Mangareva. De nombreux voiliers font escale aux Gambier, premier mouillage abrité après le canal de Panama.

Sept siècles de présence sur l'archipel

Le premier peuplement sédentaire de cet archipel remonte probablement à 1250, avec l'arrivée des Maoris. À la fin du XVIIIe s., la grande prêtresse Taopare prédit la venue d'étrangers qui renverseraient les anciens dieux et les remplaceraient par les leurs. Cette prédiction devait se réaliser par l'arrivée, en 1832, d'un prêtre belge, le père Laval, accompagné d'un groupe de missionnaires français de la confrérie de Picpus. Après des débuts très difficiles, où le père Laval faillit mourir plusieurs fois, celui-ci imposa aux îles une véritable théocratie. Les Mangareviens, pratiquement réduits en esclavage, durent construire une église dans chaque île à l'aide de gros blocs de pierre ramenés des *motu* proches de la barrière de corail. L'archipel fut également unifié par la réduction des coutumes tribales, dont l'anthropophagie. En 1880, la France mettait fin au protectorat en annexant les Gambier.

Mangareva*

Mangareva, la « montagne flottante », est la plus grande île des Gambier et pratiquement la seule à être habitée. Une route goudronnée en fait le tour en 28 km. La végétation y est très diverse ; les sommets ont été reboisés de conifères pour stabiliser les terrains. Le mont Duff culmine à 450 m, protégeant le petit village de Rikitea des vents violents qui soufflent parfois. Le village est traversé par une unique route longeant la mer et aboutissant à la **cathédrale Saint-Michel**, construite par le père Laval sur l'emplacement de l'ancien *marae* de Mangareva. Saint-Michel est l'une des plus belles cathédrales de Polynésie, remarquable notamment par son autel entièrement décoré de nacres sculptées.

Les bonnes adresses

Hébergement. Chez Pierre et Mariette, Rikitea ☎97.82.87. Maison de *3 ch.* dans le village. En pension complète. **Chez Terii et Helene**, Rikitea ☎97.82.80. Maison de *2 ch.* dans le village. En pension complète.

Shopping. La culture perlière est plus développée ici que nulle part ailleurs et la visite d'une des coopératives ou de la plus grande ferme perlière de Polynésie (Tahiti Perles) est une expérience irremplaçable. **Henry Jacquot** vend de très beaux bijoux et des demi-perles ☎97.82.47. **Dominique Devaux** fabrique, de façon artisanale, un miel très recherché en Polynésie ☎97.82.48.

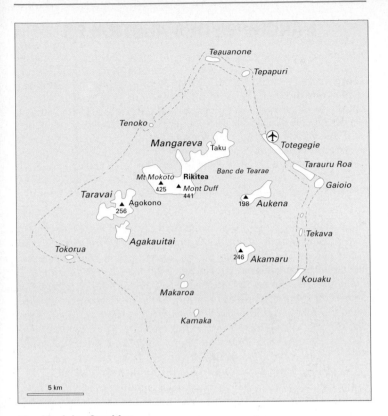

L'archipel des Gambier

Les autres îles des Gambier

Ces îles ont chacune leurs particularités et toutes recèlent des ruines d'églises, de couvents, d'écoles datant du père Laval (milieu du XIXe s.).

Aukena : magnifique plage de sable blanc (certainement l'une des plus belles de Polynésie) et un ancien belvédère, d'où le dernier roi déchu, Gregorio, venait contempler son royaume christianisé.

Akamaru : le bleu transparent du petit lagon évoque celui de sa célèbre sœur, Bora Bora. Le père Laval y vécut pendant plusieurs années. Une vieille église, Notre-Dame-de-la-Paix.

Taravai : deux couples de Mangaréviens y vivent actuellement. L'île déploie une végétation luxuriante, avec de nombreux caféiers. Une petite église le long du sentier verdoyant de l'ancien village.

De nombreux *motu* entourent également cet immense lagon et contribuent à la variété et à la beauté exceptionnelle du site. **Tauna**, avec sa grande lagune de sable blanc, situé derrière l'île d'Aukena, le long de la barrière de corail, et habité par de nombreux oiseaux, est certainement l'un des *motu* les plus étonnants. **Kamaka** est la propriété d'un Américain qui y vit, tel Robinson Crusoé, avec sa femme et ses deux enfants.

L'ARCHIPEL DES AUSTRALES

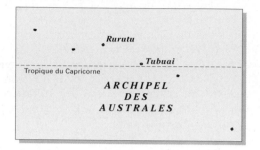

➤ **En avion.** *Air Tahiti assure des liaisons régulières entre l'aéroport de Papeete et les deux aéroports des Australes, situés à Rurutu et à Tubuai. 4 vols par sem., départs tous les lun., mer., ven. et sam. Retours les mêmes jours.* **En goélette.** *Un bateau confortable, équipé de cabines, le Tuhaapae-II, relie les îles Australes. La première île est atteinte en 2 jours, la rotation complète dure une semaine. Itinéraire : Rurutu, Tubuai, Rimatara et Raivavae. Fréquence : 3 voyages par mois. Rapa, plus éloignée, n'est desservie qu'une fois tous les 2 mois. La durée d'un tour circulaire incluant Rapa est d'environ 10 jours. Rens. : SA d'économie mixte de navigation des Australes, BP 1890, Papeete ☎42.93.67, fax 42.06.09. Le bureau se trouve à Motu Uta (quai de cabotage).*

Complexe de cinq îles hautes et de deux minuscules atolls, à cheval sur le tropique du Capricorne, cet archipel se développe au S de Tahiti à une distance variant entre 560 et 1 500 km. L'ensemble représente une superficie de 141 km². Les îles hautes, **Tubuai***, **Rimatara, Raivavae, Rurutu*** et **Rapa** sont d'anciens volcans entourés d'un récif-barrière, à l'exception de la dernière. Il semble que la situation très méridionale de cette île ait empêché la formation des colonies madréporiques, qui réclament une température comprise entre 20 et 30 °C toute l'année, alors que pendant l'hiver austral, la température de l'océan est inférieure à 20 °C dans ce secteur. L'érosion a fortement atténué les altitudes, et les points culminants dépassent à peine 400 m. Rapa fait là encore exception, son point culminant atteignant 1 470 m.

Moins de 4 % de la population polynésienne vit aux Australes. Les habitants sont surtout de confession protestante (90 %). Beaucoup d'entre eux rejoignent Papeete à la recherche d'un emploi. L'habitat est concentré en petits villages. L'essentiel des ressources vient de la pêche et de l'agriculture. Un petit artisanat, le tressage des feuilles séchées de pandanus, permet la réalisation de chapeaux, paniers, corbeilles, qui sont vendus dans les *curios* et sur les marchés de Papeete. Le tourisme est très peu développé.

Rurutu*

C'est la seule île, avec Tubuai, à posséder un aéroport, situé à **Unaa**. Cette île-montagne, à 574 km au S de Tahiti, n'a pratiquement pas de lagon. Bordé de falaises abruptes, son récif frangeant n'est coupé que de deux étroites passes. L'île a 11 km de long sur 5 de large.

L'île est sauvage, vous pouvez la visiter en 4x4, en vous adressant à vos hôtes. Plus pittoresques sont les excursions à cheval ; adressez-vous à M. Nicodème. Si vous préférez les balades en hors-bord, contactez M. Robert Viu, Moreai à la mairie ☎94.03.48.

Les trois centres urbains de l'île, Moerai, Avera et Auti, regroupent l'essentiel de la population, de caractère rural. Les habitants y vivent des cultures, favorisées par le climat frais des Australes, et de la pêche, facilitée par l'installation de vastes parcs à poissons. Certaines maisons, typiques du lieu, sont construites avec des blocs de corail.

Les bonnes adresses

Hébergement. Rurutu Village, BP 6 ☎94.03.92. En bordure de lagon et d'une plage de sable blanc, près de l'aéroport et du village Moerai. *7 bungalows* très confortables avec s.d.b. individuelle, terrasse face au lagon. Eau chaude par énergie solaire. Restaurant, bar, salon, piscine, petite bibliothèque.

Plongée sous-marine. Te Ava Ma'o Club, BP 31, Moerai ☎94.02.29.

Adresses utiles. Air Tahiti, ☎94.03.57. Banque Socredo, Moerai ☎94.04.75.

Tubuai*

À 670 km au S de Tahiti, mesurant 10 km de long sur 5 km de large, l'île est entourée d'une barrière de corail protégeant un beau lagon. Une seule passe est vraiment praticable au N de l'île en face de Mataura, le chef-lieu. L'île dispose d'un aéroport. Elle abrite la subdivision administrative des îles Australes. Comme dans toutes les îles Australes, le climat est plus frais qu'à Tahiti. Cela permet d'acclimater des légumes et des fruits qui ne poussent pas dans les autres archipels.

Les bonnes adresses

Hébergement. Chez Karine & Tale, BP 34, Mataura ☎95.04.52. *1 bungalow* avec cuisine à Taahueia. Chez Taro, Mataura ☎95.03.82. *2 ch.* avec cuisine à disposition, à 4 km de l'aéroport.

Loisirs. Pour faire des pique-niques sur les *motu* ou des excursions en hors-bord, joignez M. Peipi Yieng Kow (hôpital de Mataura) ou M. César Tenauri (coopérative des pêcheurs).

Artisanat. À Tubuai comme à Rurutu, le tressage du pandanus est une spécialité. Vous pouvez acheter des *peue* (nattes), des chapeaux, des paniers…

Adresses utiles. Banques : Tahiti, Mataura ☎95.03.63 ; Socredo, Mataura ☎95.04.86. Compagnie aérienne : Air Tahiti ☎95.04.76.

L'ARCHIPEL DES MARQUISES

C'est le plus septentrional de toute la Polynésie, à 1 500 km de Tahiti entre les latitudes 7° 50' et 10° 30' S et 138° 30' à 140° 50' de longitude O. Légèrement décalé vers l'E par rapport à l'archipel de la Société, l'archipel des Marquises a, par rapport à celle-ci, un décalage horaire qui se traduit par une demi-heure d'avance. Les 12 îles Marquises, dont 6 sont habitées, s'allongent sur une diagonale

N-O/S-E d'environ 370 km de Hatutu à Fatu Hiva. On a l'habitude de les diviser en 2 groupes :

– le groupe nord, formé de 3 îles principales, **Nuku Hiva*****, **Ua Huka**** et **Ua Pou****, de quatre îles ou îlots inhabités, Hatutu, Eiao et Motu Iti, et de l'Île de Sable.

– le groupe sud comprend **Hiva Oa*****, **Tahuata*** et **Fatu Hiva****, toutes les trois centres importants habités ; on trouve aussi 2 îles mineures non habitées Fatu Huka et Motane.

L'administration centrale, l'évêché et le collège sont à **Taiohae****, centre principal de Nuku Hiva. Mais le village d'**Atuona***, à Hiva Oa où séjournèrent Paul Gauguin et Jacques Brel, rivalise d'importance avec la « capitale » de l'archipel.

Physionomie des Marquises

Les Marquises sont toutes des **îles hautes** d'origine volcanique. En raison du sens du déplacement de la plaque océanique vers le N-O, les îles de formation récente sont à rechercher au S-E de l'archipel alors que les îles plus anciennes se trouvent au N-O. À l'exception de Ua Pou et, dans une certaine mesure de Hiva Oa, toutes les îles donnent l'impression de faire partie du même ensemble géologique. On y retrouve en général une haute chaîne centrale de plus de 1 000 m qui forme l'armature principale de l'île. À Nuku Hiva et à Hiva Oa, un grand plateau d'environ 500 m domine des vallées très encaissées. Ua Pou semble géologiquement plus récente et possède en son centre de **belles aiguilles** de roches volcaniques, semblables à celles de la montagne Pelée à la Martinique, qui donnent à l'île un caractère très particulier et en font un des paysages les plus beaux de l'archipel. Les géologues expliquent l'origine de Ua Pou et Hiva Oa, de formations plus récentes et de nature différente, par des « injections de magma » qui entraîneraient le rajeunissement de ces îles.

Les îles Marquises n'ont pas de récif-barrière. De tous les archipels de Polynésie, ce sont les plus exposées aux courants froids qui remontent de l'Antarctique pour infléchir leur trajectoire en se rapprochant de l'équateur. C'est à ce rafraîchissement des eaux océaniques qu'est due, sans doute, la forte limitation de croissance des formations coralliennes. Les **falaises** de roche basaltique, dénudée, noire, qui se dressent directement en surplomb sur la mer, sans plaine littorale, battues par la houle de l'océan, accentuent le caractère inhospitalier des côtes sauvages.

À l'intérieur des îles, des pics basaltiques surplombent de profondes vallées d'érosion couvertes d'une abondante et dense végétation tropicale. Dans le prolongement des vallées, taillées à vif par les rivières, s'étalent de larges baies, plus ou moins profondes qui, à l'abri des contreforts montagneux, adoucissent subitement le paysage. Toutes les baies d'une importance suffisante ont permis l'installation de centres urbains. Les **villages marquisiens** s'organisent autour de l'église, de la mairie, de l'école et du bureau de poste avec, de nos jours, une cabine téléphonique à carte qui permet d'atteindre en un instant le monde entier. Les alluvions sablonneuses sont suffisamment fertiles pour que les Marquisiens puissent produire sur place une bonne partie de leurs fruits et légumes. Les jardins égaient le milieu de touches colorées où s'épanouissent crotons, hibiscus, bougainvillées. Le bord de mer, élégamment souligné d'une plage de sable noir, parfois de sable ocre, incite au repos et à la rêverie, curieux contraste de douceur avec la rudesse des paysages.

Quelques repères archéologiques et historiques

Les historiens et les archéologues pensent que la Polynésie s'est peuplée suivant un courant de migration O-E. Les Marquises apparaissent comme un centre d'organisation très ancien, point de départ du peuplement des autres archipels (Société, Gambier, Hawaii). La première installation de Polynésiens venant des Samoa aux Marquises remonterait vers 700 av. J.-C.

Le Pr Ottino relate en ces termes la vie de ces premiers habitants des Marquises : « Dans un premier temps, les populations nouvellement arrivées s'installent et acclimatent les ressources qu'elles ont apportées avec elles, plantes et animaux, tout en tirant largement leur subsistance de l'exploitation de la mer, dont elles ne vivent pas très éloignées. Leur outillage lithique, de même que la poterie unie qu'elles utilisent et certains éléments de parure, témoignent de leur origine de Polynésie occidentale, et plus précisément des Samoa. Ces populations vivent dans des habitations construites à même le sol, de plan ovale, semble-t-il, et précédées parfois d'un pavage. Elles enterrent leurs morts en position allongée ou fléchie, le plus souvent dans les zones d'habitation ou encore des espaces plus extérieurs. » Pour de plus amples informations, consulter la brochure *Hiva Oa, images d'une mémoire océanienne*, de Pierre Ottino et Marie-Noëlle de Bergh Ottino, éditée par le Département archéologie du Centre polynésien des sciences humaines.

Entre 1956 et 1960, des missions archéologiques américaines dirigées par Suggs et Shapiro ont effectué des recherches à Nuku Hiva, en grande partie dans la **vallée de Taipivai** et la **baie de Haatuatua**. Elles ont pu dater avec une bonne précision les installations humaines entre 150 ans avant J.-C. et 100 après J.-C. pour les plus récentes. Les mouvements migratoires se seraient même poursuivis jusqu'au XIIe s. Les civilisations anciennes qui peuplaient les Marquises ont laissé de nombreux vestiges archéologiques, qui font de ces îles les plus remarquables et les plus riches en constructions datant de 1100 à 1400 apr.

J.-C. C'est à cette période que commencent à être édifiés une multi-tude d'ouvrages en pierre, tels que les pavages des lieux de réunion et de grands rassemblements appelés *pae pae*, ainsi que les *tohua*, vastes espaces publics dallés où se déroulent manifestations et fêtes, et les *marae*, anciens lieux de culte, souvent annexés aux *pae pae*, et carac-térisés dans leur architecture, par l'édification d'un autel d'impor-tance variable en fonction de la taille du *marae*. C'est aussi à cette époque que les sculpteurs marquisiens apprennent à ciseler le tuf vol-canique, moins dur que le basalte, pour exécuter des statues à l'effigie de divinités qu'ils veulent honorer, les *tiki* (voir p. 107).

Les Marquises sont le premier archipel découvert par les Européens en 1595, grâce à **Alvaro Mendaña**, venu du Pérou pour coloniser les îles Salomon. Il reconnaît Fatu Hiva, puis les îles du groupe S et les appelle « **Islas Marquesas de Mendoza** » en l'honneur de la marquise de Mendoza, épouse du vice-roi du Pérou. **Cook** relâche dans le groupe S en 1774 et ramène de ce bref passage des objets d'art an-ciens de Polynésie.

En 1791, le navigateur marseillais **Marchand** et l'Américain **Ingraham**, après avoir fait escale dans les îles du groupe S, décou-vrent des îles du groupe N.

En 1797 et 1798, le premier missionnaire, appartenant à la **London Missionary Society**, réside dans l'archipel. Les îles Marquises devien-nent bientôt un point de relâche des baleiniers. En 1804, une expédi-tion russe dirigée par l'amiral **Yvan Fedorovich de Krusenstern** ramène des pièces d'art marquisien de qualité exceptionnelle et dé-barque deux marins, un Bordelais et un Écossais, acceptés sans diffi-culté par les tribus de l'île. En 1813, l'Américain **David Porter** engage un conflit armé contre une tribu guerrière de l'île de Nuku Hiva, les **Taipi** qui résidaient dans la vallée de Taipivai. L'écrivain **Herman Melville**, engagé sur un baleinier, déserte en passant à Nuku Hiva et fait un séjour de plusieurs semaines chez les Hapaa et les Taipi. En 1838, c'est au tour de la mission scientifique française dirigée par **Jules Dumont d'Urville** de séjourner quelque temps sur l'île de Nuku Hiva.

En 1842, l'amiral **Dupetit-Thouars**, au nom de la France, décrète le protectorat français. L'administration locale se met lentement en place dans ces îles assez inhospitalières, avec l'influence exceptionnelle des missions catholiques. Les Marquisiens, citoyens français depuis 1947, s'administrent aujourd'hui par l'intermédiaire de leurs municipalités et délèguent des conseillers à l'Assemblée territoriale de Papeete.

Les Marquisiens : du cannibalisme au catholicisme

Sur le plan ethnologique, les Marquisiens sont des Polynésiens, dont ils ont tous les caractères. Le dialecte parlé dans ces îles montre ce-pendant des différences notables par rapport au tahitien (les diffé-rences s'atténuant d'ailleurs dans les îles du groupe sud), et se caractérise surtout par certains aspects phonétiques archaïsants, par exemple le maintien d'un *k* là où le tahitien ne laisse plus passer que la fameuse « glottale » : *tiki* pour *ti'i*, *mako* (requin) pour *ma'o*, *upokó* (tête) pour *upo'o*, etc.

Les coutumes marquisiennes et les mœurs comme la vie sociale an-cienne diffèrent peu de celles des Tahitiens. On y retrouve la préémi-nence d'une classe de chefs dont le plus important, l'*hakaiki nui*, peut étendre son influence sur toute une île. Ils sont assistés par des prêtres, les *taua*, et des chefs de guerre, ou *toa*. Chaque vallée constitue le domaine particulier d'une tribu, souvent en conflit avec les voisines. Ainsi à Nuku Hiva, les Taipi de Taipivai se dressent contre les Teavaaki d'Ooumi.

La religion reconnaît la plupart des grandes divinités polynésiennes sous des noms parfois différents, depuis les grands créateurs Taka'oa, Teekumoana, Maui ou Tiki jusqu'aux plus petits, comme un certain Akauumoa, protecteur des arbres à pain. Les lieux de culte ne sont cependant pas les grands *marae* des îles de la Société, même s'ils en portent le nom *(me'ae)*. En général, ils sont surtout constitués d'une terrasse de gros blocs de pierre (ou *pae pae*) sur laquelle se trouvait la case du prêtre avec parfois quelques statues. La plupart du temps, cette terrasse voisine avec un banyan sacré. Les plus grands *me'ae* sont constitués de plusieurs terrasses étagées à flanc de colline. C'étaient alors des lieux de sacrifices ou même de repas cannibales et, dans un trou carré du *pae pae* principal, on jetait les restes du festin. Enfin, comme à Tahiti, il faut différencier les lieux de culte familial (appelés ici *ahu ikoa*) et les *me'ae* communs à la tribu ou *ahu henua*. L'originalité des Marquises par rapport à Tahiti est la pratique du cannibalisme jusqu'au XIXe s. En fait, il ne faut pas confondre sacrifices humains, fréquents, semble-t-il, (mais pas plus qu'ailleurs) et parfois publics, et repas cannibales rituels et exceptionnels, réservés à un très petit nombre de « privilégiés ». Officiellement, les dernières festivités de ce genre eurent lieu en 1879 à Hiva Oa.

À l'heure actuelle, la population des Marquises reste essentiellement catholique, ce qui la différencie nettement du reste des Polynésiens, en majorité protestants. En 1842, les Marquises comptaient près de 20 000 habitants ; en 1926, la population tombait à 2 080, pour se stabiliser aujourd'hui à 8 200 personnes. Les courants migratoires vers Tahiti semblent se ralentir.

Caprices de climat

Très proches de l'équateur, les Marquises ont un climat plus chaud qu'à Tahiti (moyenne annuelle de 26 °C). Les pluies sont en général plus faibles et les saisons moins tranchées que dans les îles de la Société. Théoriquement, les pluies augmentent de mai à juillet, mais tout dépend de l'exposition de chaque vallée. Les Marquises peuvent connaître, collectivement ou individuellement, de longues périodes de sécheresse ou, au gré des caprices climatiques, de très longues périodes de forte pluviosité. Cela fut notamment le cas en 1992 où l'on enregistra, avec des pluies quasiment quotidiennes, un excédent pluviométrique quatre fois supérieur à la normale. Comme dans toutes les îles polynésiennes, les côtes « au vent » exposées au souffle des alizés sont les plus humides ; on les reconnaît à l'épaisse végétation qui les recouvre ; les côtes « sous-le-vent » ne possèdent parfois qu'une végétation maigre et rase. À la différence des autres archipels polynésiens, nettement plus décalés vers le S, les Marquises ne sont pas affectées par les cyclones ; ceux-ci se forment souvent à proximité mais ne les atteignent pas directement.

■ LES MARQUISES MODE D'EMPLOI

Accès

En avion. Les Marquises sont maintenant très bien desservies par voie aérienne. Les changements d'itinéraires étant fréquents, ceux que nous communiquons ne sont qu'indicatifs et doivent être vérifiés avant d'envisager un départ. 4 vols par sem. au départ de Papeete, pour l'île principale, **Nuku Hiva**, les mar., jeu., sam. et dim. Aller le matin et retour l'après-midi. Durée du voyage : env. 3h30 (décalage horaire : + 30 mn). Les mar. et dim., ces vols passent par l'île de **Hiva Oa**. Le sam., vol **Papeete-Rangiroa**, l'avion continue ensuite sur Nuku Hiva. Le mer., au départ de Rangiroa, un vol sur **Napuka** qui, après une courte escale, continue sur Hiva Oa. Le jeu., un vol A/R **Hiva Oa-Nuku Hiva-Ua Pou**. Le ven., retour au départ d'Hiva Oa sur **Napuka** puis Rangiroa. **Air Tahiti**, Nuku Hiva ☎92.01.45. Hiva Oa ☎92.72.31. Ua Pou ☎92.51.08.

Par avion avec le Club Med. Circuit-découverte de 7 jours. Papeete, Nuku Hiva, Hiva Oa, Papeete. Transferts en hélicoptère de l'aéroport de Nuku Hiva au village de Taiohae. Les excursions-découvertes sont effectuées en 4x4, combinés 4x4 - hélicoptère, ou en bateau. 4 participants minimum, 10 maximum. BP 575, Papeete, Tahiti, ☎56.15.00, fax 56.19.51.

En goélette. Au départ de Papeete, le voyage aux Tuamotu, puis aux Marquises dure 16 jours, en pension complète. Itinéraire : Papeete, Tuamotu (Kaukura et Takapoto), Marquises (Ua-Pou, Nuku Hiva, Hiva Oa et Tahuata, Fatu-Hiva, Hiva Oa, Ua Huka et Nuku Hiva), Rangiroa, Papeete. *Aranui II*, compagnie polynésienne de transports maritimes, BP 220, Motu-Uta, Papeete, Tahiti ☎42.62.40, fax 43.76.60. On peut rejoindre directement l'*Aranui II* en avion au départ de Nuku Hiva ; la durée de la croisière aux Marquises est alors ramenée à 7 jours. *Tamarii Tuamotu*, BP 2606, Papeete ☎42.95.07. Départ 1 fois par mois, durée du voyage 28 jours. Itinéraire : Papeete, Tuamotu N-E et centre, Tahuata, Hiva Oa, Nuku Hiva, Fatu-Hiva, Ua Huka, Nuku Hiva, Papeete. Pas de cabine à bord ; pont uniquement. *Taporo IV*, BP 368, Papeete ☎42.63.93, fax 42.06.17. 2 départs de Papeete par mois : Papeete, Tahuata, Hiva Oa, Nuku Hiva, Ua Pou, Papeete. Il y a des cabines et le pont.

En catamaran ♥. 8 journées permettent une très bonne approche et une découverte de quelques-uns des sites importants des principales îles de l'archipel : Nuku Hiva, Ua Pou, Hiva Oa, Tahuata, et Ua Huka (voir p. 208). **Archipels Croisières**, BP 1160, Papetoai, Moorea ☎56.36.39, fax 56.35.87.

Circuler

Quelle que soit l'île, la vie s'est toujours réfugiée dans des vallées, très isolées les unes des autres. Les routes sont de plus en plus nombreuses, souvent difficilement entretenues. Ce ne sont parfois même que des sentiers, permettant d'accéder aux sites de l'intérieur des îles. Les excursions et les déplacements s'effectuent en 4x4 avec un chauffeur marquisien. Aux Marquises, il ne sera pas question de « tour de l'île », mais d'incursion sur le littoral ou en suivant le cours des vallées, dans l'intérieur des terres.

Le **bateau** est aussi un moyen de déplacement très commode quand il s'agit de se rendre d'une vallée à l'autre.

Les **chevaux** restent privilégiés aux Marquises, des randonnées équestres empreintes de poésie qui ne manqueront pas de séduire les adeptes d'équitation qui pourront exercer leur sport favori dans l'un des cadres naturels les plus grandioses qui soient. Il faudra donc compter sur la gentillesse des Marquisiens pour se procurer chevaux, moyennant rétribution bien sûr.

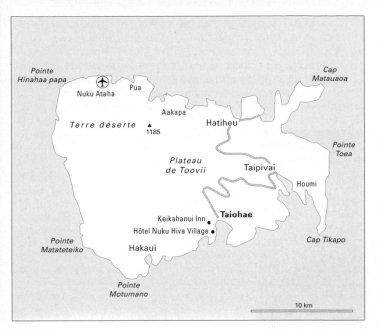

Nuku Hiva

Nuku Hiva***

L'île la plus grande de l'archipel des Marquises couvre 330 km². Sa superficie est légèrement supérieure à celle de Hiva Oa, la seconde île par ordre d'importance. L'île, montagneuse, doit sa structure géologique à la juxtaposition de plusieurs édifices volcaniques ; son sommet, le mont Tokao, culmine à 1 210 m. La population est d'environ 2 200 habitants. Chef-lieu : **Taiohae****. La ville de **Taiohae** est le centre administratif des îles Marquises. On y trouve une mairie, un bureau de poste, un hôpital, la gendarmerie et le siège de l'administration des îles Marquises.

La plupart du temps, on arrive à Nuku Hiva en avion, à l'aéroport de **Nuku Ataha** situé à « Terre déserte », au N-O de l'île alors que la ville de Taiohae se trouve au S, c'est-à-dire tout à fait à l'opposé. Il vous faudra ensuite rallier Taiohae en fourgon, en 4x4 ou en truck (2h30 de trajet en moyenne), ou prendre une goélette et longer les côtes souvent abruptes. Le transfert est prévu de l'aéroport au centre de l'agglomération ou directement à votre hôtel ou pension.

On peut aussi prendre un **hélicoptère** pour regagner le centre administratif en survolant les montagnes de l'intérieur et leur épaisse végétation, les cascades, le plateau de Toovii ; on aperçoit même une partie de la **vallée de Taipivai***** avant d'atteindre Taiohae. L'arrivée sur Taiohae est particulièrement spectaculaire alors qu'on domine la montagne verdoyante et qu'on plonge sur la baie de Taiohae qui forme une anse parfaite enserrant un profond bras de mer ouvert sur l'océan.

Si vous avez choisi d'arriver en **goélette**, vous débarquerez dans la baie de Taiohae gardée par deux colonnes rocheuses, les Sentinelles.

LES MARQUISES EN CATAMARAN

*Comment résister à la découverte de l'un des archipels
les plus attirants de Tahiti, celui des Marquises ?
Rien de tel qu'un confortable voilier pour admirer ces côtes
déchiquetées, succession de pitons, falaises, lignes
de crête et vallées où la roche se mêle à une végétation
luxuriante. Journal de bord sur le catamaran,
dans l'univers de Gauguin, de Stevenson et de Brel…*

Rencontre avec des
chevaux sauvages parmi
la végétation luxuriante
d'Hohoi, à Ua Pou.
Troisième visage
des Marquises avec
la mer et la montagne.

Vue sur la baie des
Traîtres à Hiva Oa.

Samedi, les eaux calmes de Daniel's Bay

A l'aéroport de Tahiti Faaa, un bimoteur ATR 42
nous embarque à destination de l'île principale
des Marquises, Nuku Hiva, pour un voyage de 3h30.
Perdues dans l'azur confondu du ciel et de l'océan,
les îles de Tetiaroa, Makatea, apparaissent en survol,
puis Rangiroa et son immense anse corallienne,
Ahe, Manihi, Takaroa et Takapoto que l'on quitte
pour le grand saut vers les Marquises. La silhouette
sombre et déchiquetée de Ua Pou précède
d'une dizaine de minutes notre atterrissage à Nuku
Hiva, sur la piste de l'aéroport de « Terre Déserte ».

Chaleureux et spontané, le skipper Alexis de Boucaud
fait les présentations de ses coéquipiers sur le
catamaran *Motu Iti* : Bénédicte, l'hôtesse du bord
et Teiki, Marquisien d'origine et remarquable
navigateur. C'est également le premier contact
avec les autres convives, qui deviendront très vite
des amis : Charles, Philippe, Colette, Guy, Marie-
Claude et Elie. Tous sont venus spécialement
pour la croisière. Nous embarquons dans la baie
d'Haaopu où nous découvrons le *Motu Iti*,
ce catamaran dont nous avons rêvé, silhouette
immaculée sur le bleu intense du lagon. À bord,
la cabine, très bien aménagée, est décorée avec
goût, confortable et accueillante. Ambiance
détendue, chacun « trouve son espace » sans la
moindre gêne…

Nous mettons le cap plein sud, le jour même,
navigant sous le vent pour longer une côte sauvage
aux falaises escarpées, totalement déserte. Au niveau
de la pointe Motumano, la mer se fait assez forte,
la navigation virile, pour atteindre très vite les eaux

Le *Moto Itu*, catamaran de 17,5 m, ici au mouillage dans la baie d'Hatiheu, à Nuku Hiva, est aisément reconnaissable à ses deux coques accouplées.

totalement calmes de la baie d'Hakaui, « Daniel's Bay » pour les marins du monde entier. Daniel, patron de l'unique maison de la baie, avec bar et point d'eau, ce Marquisien au visage maigre, buriné, a vu défiler bien des célébrités : Éric Tabarly, Olivier de Kersauzon, Nicolas Hulot… Nuit de rêve à bord du *Motu Iti*… Teiki et Philippe couchent sur le pont, perdus dans la contemplation de l'extraordinaire voûte céleste des mers du Sud.

Dimanche à Taiohae

Départ pour Taiohae, 1h30 de navigation. Une succession de falaises escarpées découpant le basalte noir défilent sous nos yeux. La couverture végétale égaie à peine l'austérité du paysage. Nous débarquons sur le quai maritime et visitons le village, avant de nous attarder sur le merveilleux site du *pae pae* Temehea.

Vers 14h, une fois la visite de Taiohae terminée, nous partons à destination de Ua Pou. Par vent de travers, le catamaran avance rapidement, 4h suffisent pour nous mener dans la baie d'Hakahau.

Détail de la chaire sculptée de l'église d'Hakahau, à Ua Pou.
Les statues modernes montrent une ciselure beaucoup plus fine et plus travaillée que les anciennes.

Lundi terrestre

Découverte de Ua Pou. Canna, au volant de son 4x4, nous conduit à travers le foisonnement végétal de l'île jusqu'aux baies d'Hakamui et de Hohoi. Intenses moments de contemplation : des points de vue à vous couper le souffle s'ouvrent sur les pitons rocheux et la côte découpée de l'île. Pique-nique sous un abri de pêcheurs en bordure de la « plage aux galets fleuris ». Nous repartons le soir. Dix heures de navigation seront nécessaires pour atteindre Hiva Oa. *(suite p. 212)*

Le vaste plan d'eau est un mouillage idéal pour les nombreux voiliers qui font escale quelques jours, quelques semaines, parfois des mois ou des années, avant de reprendre leur route dans la direction des Tuamotu et des îles de la Société ou vers les Amériques.

La petite bourgade de **Taiohae**, faite de maisons simples, s'étire sur le front de mer le long d'une très belle plage de sable noir. Attention aux *nono*, petites mouches à la piqûre tenace, et aux moustiques (ne pas oublier une protection).

Taiohae**

Une fois à quai, à l'E de la baie, en prenant un petit chemin à dr. dominé par les frais ombrages des flamboyants, vous passerez devant la maison de l'Administrateur. En retournant sur vos pas, vous verrez le bâtiment administratif de style colonial, façade blanche, balcons, galeries… On longe ensuite Fort Collet (ancienne fortification disparue), puis la **prison** qui compte deux employés, le gardien, sa femme et aucun prisonnier ! Un juge effectue une fois par an une tournée pour juger les délits commis le plus souvent sous l'emprise de la boisson ou du *bakalolo* (l'herbe, en marquisien). Quand se présente un prisonnier pour petit délit, il est employé dans la journée à des travaux d'intérêt public et, le soir, il joue aux cartes avec le gardien.

En poursuivant la promenade, vous passerez devant la plaque commémorative dédiée à Étienne Marchand, déclaration de la prise de possession de l'île pour le roi de France, en 1791. Il ignorait que l'Américain Graham avait découvert l'île 4 mois avant lui ! Après avoir dépassé les maisons en planches des commerçants chinois, prendre la bifurcation à dr., qui mène à l'église de la mission catholique. La **cathédrale Notre-Dame**** est un véritable **musée d'art polynésien** avec des sculptures pieuses monumentales réalisées par les meilleurs artistes marquisiens.

Quelques maisons après la banque, vous découvrirez « l'arbre à saucisses » qui doit son nom à l'aspect particulier de ses fruits. Ensuite se succèdent l'hôtel *Moana Nui*, le restaurant *Kovivi's*, le collège de Taiohae puis à g., en front de mer, le site remarquable du *pae pae* Temehea***.

♥ *Le pae pae* Temehea***

Magnifique restauration et reconstitution d'un *pae pae* marquisien, en bord de mer, face à la splendide baie de Taiohae. On y découvre la vaste aire dallée du *pae pae*, le *tohua*, lieu de célébration des fêtes, la reconstitution d'une case marquisienne et, à l'arrière de la case, le *marae*, temple de sacrifices aux dieux de la mythologie.

Le *pae pae* est décoré de multiples **statues**** exécutées par les plus fameux sculpteurs marquisiens, ainsi que de l'île de Pâques, à l'occasion du Festival des arts des Marquises en 1991. L'ensemble des sculptures retrace l'histoire de l'île et constitue le plus bel ensemble d'art contemporain qu'il vous soit donné d'admirer aux Marquises. Déjà couvertes d'une belle patine naturelle, les statues sont parfaitement intégrées au paysage.

De la route du front de mer, on accède aux *fare* traditionnels de l'hôtel Nuku Hiva Village, d'où l'on a une très belle vue sur la baie de Nuku Hiva, la plage, le *pae pae* Temehea.

Le Festival des arts des Marquises

Le festival a été créé sous l'impulsion de l'association *Motu Aka* pour encourager les Marquisiens à mettre en valeur leur culture originale, qu'il s'agisse de la sculpture, de la décoration des *tapa*, des tatouages ou des chants et des danses dont la spécificité, en comparaison avec les arts tahitiens, est nettement marquée. Petit à petit, le Festival des arts marquisiens a redonné le goût aux chefs et animateurs de groupes artistiques de mieux valoriser leur patrimoine exceptionnel et de le faire connaître hors des Marquises. Pour la première fois, en 1985, un groupe de danseurs et d'artisans de Ua Pou a osé se produire à Papeete à l'occasion du 4e Festival des arts du Pacifique. Le succès a été immédiat et considérable, le véritable point de départ d'une réelle renaissance artistique et culturelle aux îles Marquises.

Un premier Festival des arts des Marquises se tient deux ans plus tard à Ua Pou puis, en 1989, c'est au tour de Nuku Hiva d'organiser une manifestation grandiose dans le site du *pae pae* Temehea restauré à cette fin. En 1991, Hiva Hoa organise le festival et restaure à cette occasion les deux sites archéologiques uniques qui comptent parmi les plus fameux de Polynésie, les *marae* Taata et Puamau où l'on découvre les deux plus grands *tiki* de Polynésie. Festival grandiose en 1995 à l'occasion des manifestations de l'Année du Pacifique Sud, « South Pacific Year 1995 ».

La vallée de Taipivai***

La vallée de Taipivai est le plus beau site accessible facilement depuis Taiohae. Vous pouvez effectuer ce trajet en 4x4 avec chauffeur. Vous partirez par une piste carrossable dans la direction de la bordure E du plateau de Toovii par le col de *Muake*. L'ascension du **mont Muake** est possible. Arrivé au sommet, très beau point de vue dominant la baie de Taiohae au S, la baie d'Atiheu au N ; on découvre aussi à l'horizon, par temps très clair, l'île de Ua Pou dont les colonnes de trachyte gris en saillie évoquent une immense cathédrale.

Il faut 1 à 2 h pour atteindre le petit village de **Taipivai** par un chemin parfois accidenté comme chaque fois qu'on pénètre à l'intérieur des Marquises. On pourra admirer de nombreuses cascades, des paysages grandioses, le village dont les descendants des célèbres Taipi se consacrent à l'agriculture sur les plaines alluviales fertiles, culture de la vanille et récolte du coprah.

Taiohae-Taipivai en bateau. La vallée de Taipi est l'une des plus profondes vallées fluviales navigables de Polynésie ; elle est facilement accessible en bateau au départ de **Taiohae** en longeant la côte rocheuse sauvage, battue par les flots, très découpée, qui mène à la **baie du Contrôleur**. Dès qu'on pénètre dans la vallée de Taipi, située dans le prolongement de la baie, c'est la découverte d'un paysage doux et paisible de collines boisées et de cocoteraies dont les arbres qui bordent les eaux se mirent sur la surface immobile de la rivière. Ce havre de paix et de beauté mène au village.

Taipivai-marae de Paeke. *Il faut compter 1h30 à 2h30 à pied, au départ de Taipivai, pour la visite de ce site archéologique remarquable. Prévoir une protection contre les piqûres d'insectes.* En poursuivant au-delà du village de Taipivai, à pied, on s'enfonce sous la luxuriante couverture végétale pour atteindre dans un site sauvage et isolé les deux *marae* de **Paeke**. Les autels des *marae* sont formés de plates-formes empierrées

Navigation en pleine mer à bord du *Motu Iti*.

(suite de la p. 209)

Mardi recueilli

Hiva Oa. Au petit matin, le bateau s'immobilise dans la baie des Traîtres. Visite du village d'Atuona qui se trouve à 3 km du débarcadère de Tahauku. Nous nous recueillons au cimetière du Calvaire** sur la sépulture de Paul Gauguin, dominée par la silhouette d'Oviri. Très sobre, le tombeau de Jacques Brel, où figure un médaillon de l'artiste et sa compagne, est admirablement fleuri. Visite du musée Gauguin.

Raid en 4x4 pour Taaoa et visite du *pae pae* Tahua Upeke. Puis nous rentrons sur Atuona pour prendre un pot à l'hôtel Hanake d'où l'on découvre une vue grandiose sur la baie des Traîtres, les vallées d'Atuona et de Tahauku. Nous quittons Hiva Oa à regret, sans avoir pu retourner sur le site extraordinaire de Puamau, que nous avions découvert quelques années auparavant. En fin de journée, nous mettons le cap sur Tahuata. La traversée du canal du Bordelais ne dure qu'un peu plus d'une heure. La plus grande partie de l'île semble déserte, seul un galop de chevaux sauvages distrait la quiétude du lieu. Nous atteignons très vite le mouillage de la splendide baie d'Anamoena, bordée d'une belle plage de sable blanc.

Sculpture de *tiki* au *pae pae* Naniuhi Tohua, à Nuku Hiva. Si elles imitent les motifs anciens, ces statues sont contemporaines. Placés près d'un *marae* antique, les *tiki* en demeurent les gardiens.

Mercredi en eaux claires

Détente et baignade, les eaux limpides de la baie ont une température proche de 30 degrés ! On nage jusqu'au rivage. Avec Philippe Martin, un spécialiste des coquillages, nous palmons le long de la côte à la recherche de quelques spécimens rares, spécifiques des Marquises. Séance de photos sur la plage bordée de cocotiers. Le soir, c'est la fête à bord, Bénédicte nous apporte un splendide plateau de langoustes pêchées le jour même. Grande navigation de nuit pour rejoindre, Ua Huka, au petit matin.

Jeudi avec les oiseaux et les dauphins

Ua Huka. Étonnant contraste avec la charmante baie d'Anamoena que nous avons quittée la veille : la baie de Vaipaee est très encaissée, dominée par les flancs basaltiques austères qui surplombent l'embarcadère. Raid en 4x4 pour visiter Vaipaee, son musée et le jardin botanique, puis les villages de Hane et de Hokatu. Dans chaque localité, nous pouvons admirer les très belles sculptures sur bois des artistes de l'île. Des amis marquisiens nous attendent pour un petit festin, repas traditionnel avec le cochon de lait cuit au four tahitien.

Les Marquises ont pris conscience de la richesse de leur patrimoine et tentent de le valoriser par des reconstitutions de cases marquisiennes des temps anciens : la case était une pièce unique où l'on cuisinait, mangeait et dormait (musée d'Atuona, à Hiva Oa).

Des pitons rocheux forment les sommets déchiquetés de Ua Pou.

Soirée de navigation. Après avoir dépassé l'île aux oiseaux, le *Motu Iti* met le cap vers l'ouest dans la direction de Nuku Hiva. C'est le grand rendez-vous avec les dauphins. Leur ballet aquatique est impressionnant, nous sommes tous à l'avant du catamaran pour admirer leurs évolutions et leur incroyable habileté à se mouvoir. Quelques sauts joyeux nous précèdent. Nos nouveaux compagnons ne nous quittent plus durant plusieurs heures. Ce n'est que le soir, après avoir contemplé un coucher de soleil, comme seules les mers du Sud en ont le secret, que nous perdrons leur trace. À la nuit, nous atteignons la baie d'Anaho située au nord de Nuku Hiva.

Vendredi chez R. L. Stevenson

Au clair de lune, sur les eaux scintillantes de la baie, un bel « au revoir » aux Marquises.

Départ en début de matinée pour rejoindre la baie voisine d'Hatiheu au charme sauvage, dominée par de belles aiguilles basaltiques. C'était la baie préférée de l'écrivain écossais Robert Louis Stevenson, auteur d'une *Ile au trésor* qui existe réellement aux Marquises ! Au départ d'Hatiheu, sous la canicule, nous partons pour une randonnée à pied, à la découverte de l'admirable site archéologique du *pae pae* Naniuhi Tohua.

Chaleureux accueil le soir, chez nos hôtes marquisiens, pour une ultime soirée au bord de la plage, à quelques dizaines de mètres du *Motu Iti*, dont la silhouette se détache, immobile et rassurante.

L'adieu du samedi matin

Trois heures de navigation nous ramènent dans la baie Haaopu, dernier parcours à travers les « terres désertes » pour rejoindre l'aéroport, quitter à regret nos amis du *Motu Iti*. Deux mois plus tard, nous revoyons déjà à Paris notre compagnon Philippe Martin pour parler Marquises et coquillages !

Voyage de la rédaction avec Ultramarina et Archipels.

dont les parois de soutènement possèdent, enchâssés, des *tiki* anciens sculptés dans le même tuf volcanique, relativement tendre, que les autres statues anciennes de Polynésie. Ces *tiki*, à l'image des divinités païennes, gardent l'autel sacré et le protègent des intrus. Malheur à qui s'aventurerait à franchir les limites de l'aire interdite !

De Taipivai à Hatiheu

En prenant une bonne piste carrossable vous pouvez, en 4x4, poursuivre votre périple dans la direction de la côte N de Nuku Hiva. Vous traversez la bordure E du **plateau de Toovii** ; beaux panoramas sur le point culminant de l'île, le **mont Tokao** et les lignes de crêtes ainsi que sur ses pentes vallonnées couvertes de pâturages où l'on rencontre des troupeaux de bovidés qui paissent en liberté. La descente sur Hatiheu offre de très beaux points de vue sur le cirque montagneux qui enserre l'une des plus belles baies des Marquises, aux dires de l'écrivain écossais Robert-Louis Stevenson qui s'y arrêta au cours de sa navigation en Polynésie. Le petit village de **Hatiheu** s'allonge le long de la baie. On appréciera, côté montagne, la pureté de la silhouette de la petite église blanche à clochetons symétriques de couleur brique. Arrivé au fond de la baie, vous prendrez à g. un petit chemin en lacets qui s'élève à flanc de colline. Une vingtaine de minutes suffisent pour atteindre, à pied, le magnifique site archéologique du *pae pae*.

Naniuhi Tohua***. Le *pae pae* est un ancien lieu de réunion et de fêtes qui comprend plusieurs niveaux de constructions. Le *tohua*, remarquablement restauré, est formé d'un enclos constitué d'une muraille formée de volumineux blocs de pierres volcaniques qui enserre l'aire où se tenaient jadis les réunions et les festivités destinées aux habitants du village.

Dans le vaste espace du *tohua*, deux magnifiques sculptures monumentales de *tiki* donnent au site la touche mystique que l'on attend. On admirera l'exceptionnel raffinement de ces sculptures récentes qui témoignent de la vivacité de l'art marquisien. Au fond de l'aire se trouve, surélevé, le dallage du *marae* avec un authentique *tiki* ancien. On poursuivra en s'élevant progressivement vers un **épais sous-bois** ♥, à l'abri de banyans géants. Vous pourrez admirer plusieurs niveaux de plates-formes dont les blocs sont gravés de pétroglyphes.

De Taiohae à Hakaui**

Par bateau, on peut accéder à Hakaui. On contournera les crêtes découpées des reliefs montagneux qui dominent la **baie d'Hatiheu****. Sur l'un de ces pitons rocheux se trouve une grande statue blanche de la Vierge. On longe la côte rocheuse pour atteindre le village d'Hakaui, point de départ d'une splendide excursion à pied vers le fond de la vallée, au terme de laquelle on verra les somptueuses **chutes d'Hakaui****, hautes de 350 m.

LES BONNES ADRESSES

Hébergement

▲▲ **Nuku Hiva Village**, Fare Gendron, BP 82, Taiohae ☎92.01.94, fax 92.05.97. VISA, AE, MC. *15 bungalows* équipés d'un lit double, d'une terrasse, d'une s.d.b. avec eau chaude ; restaurant et bar.

▲ **Keikahanui Inn**, BP 21, Taiohae ☎92.03.82, fax 92.00.74. VISA, MC. *5 bungalows* sur pilotis, avec vue sur la baie, de style polynésien, lavabo, douche, véranda.

▲ **Moana Nui**, situé à 1 km du quai de *Taiohae*, BP 9, Taiohae ☎92.03.30, fax 92.00.02. *7 ch.* avec s.d.b. individuelle.

▲ **Moetai Village** ☎92.04.91, situé à 500 m de l'aéroport de Nuku Hiva.

Logement chez l'habitant

Pension Anaho, BP 202, Nuku Hiva ☎92.04.25. *2 bungalows et 3 ch.* donnant sur une plage de sable blanc située dans la baie d'Anaho.

Chez Haiti, BP 60, Nuku Hiva ☎92.01.19. *2 bungalows* situés en bordure de rivière dans le village de Taipivai.

Chez Fetu-FH, BP 22, *Taiohae* ☎92.03.66. A 600 m du quai de Taiohae. *3 maisons* avec dans chaque ch., salon, s.d.b., cuisine avec réfrigérateur.

Chez Yvonne, BP 199, Nuku Hiva ☎92.02.97. *5 bungalows* pour 2 personnes, avec s.d.b. individuelle, situés dans le village de Hatiheu, à 1h de bateau de l'aéroport de Nuku Hiva.

Shopping

Les Marquisiens sont d'habiles artistes et comptent parmi les meilleurs créateurs du Pacifique. Leur réputation dépasse largement le cadre de l'archipel. Une partie de leur production est écoulée dans les *curios* de Papeete, mais avec le développement du tourisme aux Marquises, (croisières Archipels ou Aranui, circuit en avion du Club Med), les artistes marquisiens ont l'opportunité de vendre directement leurs créations. Tout le monde y est gagnant : le visiteur qui bénéficie d'un choix plus important et de prix nettement plus avantageux, l'artisan qui, vendant directement sa production, est lui aussi bénéficiaire.

Les meilleures sculptures sur bois se trouvent directement chez l'artiste ou dans une coopérative à Nuku Hiva, Hiva Oa, et dans un centre artisanal de Ua Huka. La matière sculptée est belle : **bois de *miro***, de ***tau*** et, plus rarement, de **santal**. La pierre, trachyte gris, est aussi utilisée mais beaucoup plus rarement de nos jours. Sur place, vous pourrez approcher les sculpteurs, vous les verrez travailler dans des ateliers très rustiques, avec des outils souvent rudimentaires. En insistant un peu, vous pourrez, si vous restez quelques jours, commander une sculpture et vous la faire livrer à la fin de votre séjour.

Dans l'île de Fatu-Hiva, on fabrique les *tapa* marquisiens décorés de motifs traditionnels stylisés.

Adresses utiles

Banques. Socredo, Taiohae ☎92.03.35. *Ouv. du lun. au ven. de 7h à 11h et de 13h30 à 16h.* Westpac, Taiohae ☎92.03.81. *Ouv. du lun. au jeu. de 7h30 à 11h30 et le ven. de 14h à 17h.*

Club de plongée sous-marine. Centre plongée des Marquises, BP 100, Taiohae ☎92.00.88.

Location de bateaux à moteur avec marin. M. Falchetto, dit Teiki ☎92.05.78.

Location de chevaux. Teikiteetini, BP 171 Taiohae ☎92.03.01.

Location de voitures avec ou sans chauffeur. M. Puhetini ☎92.03.47.

Objets, artisanat. *Curios* du marché de Taiohae situé sur le front de mer.

Poste. Taiohae ☎92.03.74. *Ouv. du lun. au jeu. de 8h à 15h, le ven. de 7h30 à 16h30 et le sam. de 8h30 à 9h30.*

Urgences. Hôpital de Taiohae ☎92.03.75. Infirmerie de Taipivai ☎92.01.42. Infirmerie de Hatiheu ☎92.01.43. Gendarmerie ☎92.03.61.

Ua Pou**

Au S de Nuku Hiva, cette petite île très montagneuse, maintes fois dessinée et peinte, est l'une des plus belles et des plus typiques de la Polynésie. « Beauté sauvage, reliefs montagneux spectaculaires », les adjectifs louangeurs ne manquent pas ! Vues de loin, les colonnes de trachyte gris dominant le centre de l'île évoquent les clochetons d'une cathédrale géante. D'une superficie de 105 km², elle culmine au mont Oave à 1 232 m. Elle a une population de 2 000 habitants et son chef-lieu est Hakahau. La courbe parfaite de l'anse de la baie d'Hakahau est coupée à l'E par la digue attenante au débarcadère. Les eaux de l'océan viennent mourir sur la vaste plage de sable gris qui s'étire le long de la cocoteraie. Retirées vers l'intérieur, à quelques centaines de mètres du rivage, les constructions du petit **village d'Hakahau*** se répartissent de part et d'autre de l'artère principale d'où l'on découvre de très beaux points de vue sur les pitons rocheux de l'intérieur.

On ne visite pas le village, on s'y promène. L'église mérite un détour pour ses très belles sculptures marquisiennes ; au centre, un grand Christ en bois de *tau*, à dr., une Vierge à l'enfant aux lignes pures et surtout, à g., une chaire monumentale en forme de proue de bateau dressée fièrement sur les flots ceints d'un filet et de sa pêche colossale.

À Hakahau même et aux alentours se trouvent d'excellents sculpteurs. Demandez à votre hôte de vous y conduire. Une piste carrossable circulaire contourne l'île ; à Ua Pou, on fait le « **tour de l'île** » **en 4x4 ou à cheval**. Une excursion en 4x4 sur la côte E vous mènera jusqu'à la **baie de Hohoi**, appelée la « baie des galets fleuris ». Vous admirerez les sommets en aiguille de l'intérieur de l'île, au gré des détours de la route qui serpente sous un couvert végétal aux essences variées : *filao*, *purao*, *tau*, *miro*, teck, acajou, banyans, *mape*, acacias, flamboyants, manguiers sauvages, barbadines (arbre à fruits de la passion), kapokiers, clématites géantes formant des lianes. Pendant le trajet, des groupes de chevaux sauvages fuient devant vous sans grande conviction, en jetant un regard plus curieux qu'apeuré. La piste s'arrête à la plage de galets et de sable noir de Hohoi. Vous y déjeunerez de poissons grillés sur les galets, assis sur les bancs des abris de pêcheurs.

De très belles excursions sont réalisables en **bateau**, au départ d'Hakahau. La côte sauvage et très découpée permet d'admirer d'imposants surplombs rocheux, des falaises abruptes, des grottes marines battues par l'océan ; le caractère inhospitalier de la côte en accentue l'attrait esthétique. On admirera au passage le *motu* Ua, qui abrite d'importantes colonies d'oiseaux.

LES BONNES ADRESSES

Hébergement chez l'habitant

Chez Marguerite, BP 17, Hakahau ☎92.53.15. *2 ch.* à 300 m du quai des caboteurs. **Pukuee-PF**, BP 31 Hakahau ☎92.50.83. Maison de *4 chambres* située près du quai des caboteurs. 2 salles de bains communes. **Pension Vaikaka**, BP 16 Hakahau ☎92.53.37, fax 92.51.71. Fare de 1 chambre avec salle de bains individuelle. **Chez Samuel et Jeanne-Marie**, BP 19 Hakahau ☎92.53.16. 2 maisons de 2 chambres, salles de bains individuelles.

Adresses utiles

Banque. Socredo, agence Hakahau ☎92.53.63.
Infirmeries. Hakahau ☎92.53.75. Hakatao ☎92.51.04. Hakamaii ☎92.52.99.

Inspirée de la mythologie, cette sculpture du *pae pae* Temehea à Nuku Hiva est l'émanation vivante de l'art marquisien contemporain.

Location de bateaux à moteur avec marin à Hakahau. M. Taata ☎92.53.39. M. Albo ☎92.52.80. M. Tissot ☎92.51.92. M. Hikutini ☎92.53.08.

Location de chevaux. M. Kohumoetini, Hakahau ☎92.52.28.

Location de voitures 4x4. M. Klima, BP 16 Hakahau ☎92.53.37, fax 92.51.71.

Poste. Agence de Hakahau ☎92.53.50.

Shopping. Directement chez les sculpteurs, de beaux plats allongés (*umete*), *tiki*, haches, casse-tête, lances.

Ua Huka**

C'est la plus petite des îles Marquises, avec seulement 77 km². Très montagneuse comme ses sœurs, elle est plus sauvage. Le sommet de l'île est le mont *Hitikau* à 855 m. Peuplée de 600 habitants, elle a pour chef-lieu le petit **village de Vaipaee***. L'île est très belle en raison de ses pentes escarpées couvertes de végétation, il ne faut pas manquer de se rendre sur les plateaux, d'où l'on jouit d'un point de vue exceptionnel.

Les **vallées de Hane et de Hokatu,** que l'on peut aisément atteindre à l'occasion d'une excursion en 4x4 d'une journée, méritent aussi le détour. On trouve dans l'île des sculpteurs sur bois qui sont parmi les meilleurs des Marquises. On peut aussi faire des excursions-pique-nique, de la pêche à la langouste de nuit et même une magnifique randonnée à cheval qui permet la traversée de l'île.

Vaipaee, chef-lieu de Ua Huka. Vaipaee est un petit village ramassé sous les ombrages des acacias, des *uru*, des bananiers, cocotiers et des bougainvillées, autour de son élégant bureau de poste. On découvre une mairie accueillante et une école primaire où les rires et les mimiques joyeuses des enfants qui jouent dans la cour vous font escorte jusqu'au bout du chemin qui mène au musée communal de Ua Huka.

Le musée communal de Ua Huka*. À l'origine de la création du musée se trouvent la passion du maire de Ua Huka, M. Lichtlé et les efforts opiniâtres de Mme Maeva Navarro, directrice du Département d'archéologie. La population de l'île, sensibilisée à l'intérêt archéologique, culturel et promotionnel du musée pour la petite île de Ua Huka, a fourni un précieux concours, en prêtant de très nombreux objets anciens, sculptures sur bois, coquillages, parures anciennes, ustensiles de cuisine, *umete* (plats) auxquels viennent s'ajouter de très belles sculptures contemporaines : pagaies, casse-tête, *tiki* qui sont l'œuvre d'un sculpteur émérite, J. Vaatete. Tous les objets sont très bien présentés et classés. Dans le fond de la salle du musée une grotte funéraire a été reconstituée avec ses pirogues-cercueils et ses coffres destinés à recevoir les crânes des défunts.

Le jardin botanique*. Il est composé d'une réserve botanique où sont acclimatées et cultivées la plupart des plantes tropicales utiles à l'homme. Parmi celles-ci, on pourra admirer une impressionnante collection de palmiers, dont quelques très beaux spécimens de palmiers-éventails, des bambous, tout comme des caféiers, mangoustiers, noyers, avocatiers ainsi que tous les arbres fruitiers capables de se développer sous les tropiques. À côté des bassins où s'épanouissent les nénuphars se développent quelques espèces de plantes utilisées en parfumerie, telles que le classique tiare mais aussi l'ylang-ylang, originaire de Madagascar et d'Indonésie, tandis que de magnifiques plants de vanille croissent sur les parois d'une tonnelle. À quelque distance de cette réserve botanique d'une exceptionnelle richesse se trouve, à flanc de colline, l'arboretum où sont acclimatés et cultivés des arbres susceptibles d'être ultérieurement utilisés pour des missions de reboisement.

De Vaipaee à Hokatu. Les villages de Hane et de Hokatu sont accessibles par une piste carrossable qui, à flanc de montagne, vous permet de bénéficier de splendides points de vue sur la côte rocheuse très accidentée. Vous y croiserez des groupes de chevaux sauvages qui paissent en liberté à deux pas de l'océan. Étonnant contraste que celui de ces étendues verdoyantes qui, de crêtes en vallons, descendent en cascade jusqu'à la roche basaltique du bord de l'océan.

Le site archéologique de Hane**. À flanc de montagne, au-dessus du village de **Hane**, accessible à pied sans grandes difficultés, se trouve l'un des sites archéologiques les plus riches des Marquises et aussi le plus ancien puisqu'il remonte à 250 ou 300 ans avant J.-C. Les *marae* sont formés de plusieurs terrasses dallées superposées ; perdus au milieu d'un abondant couvert végétal de fougères se dressent trois splendides *tiki* anciens sculptés dans du tuf rouge, qui comptent parmi les sculptures anciennes les plus élégantes et les plus fines. Le site de Hane, avec quelque 3 000 pièces archéologiques découvertes et classées, a contribué à apporter des informations essentielles sur la préhistoire de l'archipel des Marquises. Vous poursuivrez ensuite votre périple jusqu'au petit village encaissé d'**Hokatu**, réputé pour ses sculpteurs regroupés en coopérative, comme les artistes des villages de Hane et de Vaipaee. Vous trouverez, dans la boutique de chaque coopérative, le plus grand choix de très belles sculptures marquisiennes authentiques, à des prix corrects compte tenu de la qualité du travail proposé. Les trois coopératives se font concurrence et il est préférable d'acheter des objets sculptés au retour de Hokatu vers Vaipaee, de manière à pouvoir comparer.

Les bonnes adresses

Hébergement chez l'habitant. Chez Alexis, Vaipaee ☎92.60.19. *4 ch.* Auberge Hitikau, Hane ☎92.60.68. *4 ch.,* restaurant et bar. **Chez Joseph,** vallée de Haavei ☎92.60.72. *2 bungalows et 5 ch.* **Chez Maurice,** Hokatu ☎92.60.55. *3 ch.*

Adresses utiles. Bureau de poste : agence de Vaipaee ☎92.60.26. **Location de bateaux :** M. Teatiu, Vaipaee ☎92.60.88. **Location de chevaux :** M. Lichtlé, Haavei ☎92.60.72 et village de Vaipaee ☎92.60.87 ; Alexis Fournier, village de Vaipaee ☎92.60.05. **Location de voiture avec chauffeur :** Marcel Fournier, Vaipaee ☎92.60.20 et Hane ☎92.60.68 ; M. Rootuehine, Hokatu ☎92.60.55. **Urgences :** infirmerie de Hane ☎92.60.58.

Hiva Oa***

Située au S-E de l'archipel, Hiva Oa fait partie des îles du groupe sud. Elle a une superficie de 320 km^2 et est considérée comme le « jardin des Marquises » en raison de la fertilité de ses terres. L'île a une forme étirée suivant un axe E-O, de part et d'autre de la caldeira du volcan. Le point culminant est le mont **Temetiu** à 1 190 m. La population est d'environ 1 800 habitants. Outre la présence des **tombes de Paul**

Jacques Brel à Hiva Oa...

Marc Bastard, ancien officier de la marine, ancien professeur au collège Sainte-Anne d'Atuona, ami de Jacques Brel, raconte en ces termes son arrivée et son installation à Atuona.

« Je garde un souvenir précis de cette matinée de novembre 1975 où, me trouvant à la pêche, je vis entrer dans l'étroite baie de Tahauku, située à proximité du village d'Atuona, un grand ketch noir battant pavillon belge. C'était l'Askoy. L'ancre une fois mouillée, l'embarcation de la gendarmerie se dirigea vers le yacht pour effectuer le contrôle réglementaire des bâtiments étrangers. Au bout d'un quart d'heure environ, le « boat » du gendarme se dirigea vers moi. « Jacques Brel désirerait vous voir. » « Vous voulez dire Brel le chanteur ? » « Lui-même. » « Mais je ne le connais pas autrement qu'à la radio... » « Je lui ai parlé de vous et il voudrait des renseignements sur Hiva Hoa. » J'empruntai l'esquif du gendarme et me dirigeai vers l'Askoy. Jacques Brel, souriant, m'accueillit. La sympathie fut immédiate et Madly, la belle Guadeloupéenne qui l'accompagnait me fit visiter le bord. Partis d'Anvers huit mois plus tôt, ils avaient séjourné aux Açores, aux Antilles et en Amérique du Sud. Leur dernière escale avant d'atteindre le groupe sud des Marquises avait été l'archipel des Galapagos. « C'est là où nous avons perdu notre canari » me confia Brel avec une moue faussement attristée. Ils me questionnèrent sur Hiva Hoa, les gens, la vie quotidienne. Leur intention était de se reposer une quinzaine de jours et de poursuivre leur route jusqu'à Tahiti. Le surlendemain, je les croisais, main dans la main, sur l'unique route du village. « Finalement nous restons ici. Le pays est beau, les habitants agréables et, Dieu merci, ils ne me connaissent pas. » Il avait reconnu Atuona comme le bout de sa course, loin d'un monde qui l'étouffait. Jacques Brel fuyait l'agression médiatique que lui devaient sa célébrité et les rumeurs concernant son état de santé. Il voulait redevenir un homme « comme tout le monde ». « Il me reste peu de temps », me confia-t-il lorsque nos relations se firent plus intimes. Il envisageait sa mort à court terme, avec une sérénité ironique. Il ne la prenait pas au sérieux. En 1976, ayant choisi de vivre à terre, il s'installa avec Madly à flanc de colline, au-dessus du village d'Atuona, dans une petite maison noyée dans la verdure où des perruches multicolores répondaient en écho à la musique de Mozart ou de Verdi de ses disques. C'était la maison du bonheur et de l'amitié. Des discussions passionnées s'engageaient parfois. Jacques Brel refaisait le monde, un monde idéal, généreux, un monde de poète... »

Extrait du *Bulletin de l'association des historiens et géographes de la Polynésie française*, nov. 93.

Gauguin et de Jacques Brel dans le petit cimetière du Calvaire** à Atuona, le chef-lieu, on peut visiter le **musée Ségalen-Gauguin***, la reconstitution de l'ancienne « maison du Jouir » où vécut le peintre et, dans l'île même, l'un des sites archéologiques les plus intéressants de la Polynésie, **Puamau****, situé au N-E, où se trouvent les plus grands *tiki* de Polynésie.

Autre centre d'intérêt archéologique de l'île : le *pae pae* de Taaoa***, vaste lieu de rassemblement et de culte dans les temps anciens, situé dans le cadre exceptionnel d'un sous-bois de banyans géants.

Atuona**

Atuona se trouve au milieu de la vaste baie de Taaoa qui occupe la partie immergée de la caldeira du volcan dont les pentes forment le cirque montagneux qui encercle la baie. Elle est dominée par la ligne

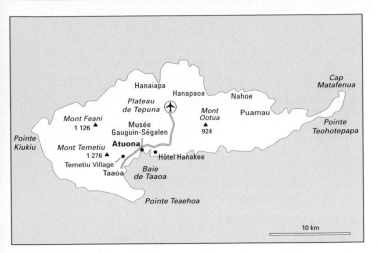

Hiva Oa

de crêtes qui souligne les limites de la caldeira où l'on trouve les monts Temetiu, Feani et Ootua.

Le village d'Atuona est proche de l'entrée d'un bras de mer qui forme la **baie des Traîtres**, mouillage apprécié par les marins du monde entier qui s'arrêtent à Hiva Oa. En face d'Atuona, dans la baie, telle une sentinelle avancée, se trouve l'**îlot Anake**. Le village, égayé d'une riche végétation de cocotiers, d'uru, de pandanus, de bananiers, de goyaviers, est composé de petites maisons classiques en bois peint de teintes claires et à toiture en tôle. La plupart d'entre elles ont des jardins avivés par les couleurs lumineuses des crotons et des bougainvillées. Au cœur du village se trouve le centre administratif, *fare* traditionnel à toit de *niau*, belles boiseries, piliers de soutènement artistement sculptés de *tiki*, magnifiques jardins parfaitement entretenus ; on y trouve la mairie et la poste.

Le musée Ségalen-Gauguin*

La salle vitrée du musée présente un ensemble d'éléments culturels liés à la « mémoire polynésienne » telle que la percevait Paul Gauguin à travers sa peinture, ses dessins, ses écrits et ses sculptures et son ami l'écrivain Victor Ségalen. Les œuvres présentées sont surtout le reflet de cette « mémoire polynésienne » plutôt qu'une rétrospective de l'œuvre des artistes. Les documents exposés s'organisent autour de grands thèmes comme les généalogies et glyphe, les motifs marquisiens, les parures, des instants de vie, des sculptures, des lettres, des souvenirs, des *tiki*, musique et danses, la maison du Jouir…

À l'extérieur de la salle du musée se trouve une reconstitution de la maison du Jouir, dont la façade principale est ornée de panneaux en bois sculpté, copies de l'œuvre originale de l'artiste. On y relève les maximes : « Soyez amoureuse et vous serez heureuse » et « Soyez mystérieuse et vous serez heureuse ». Les panneaux originaux avaient été achetés à Gauguin par son ami Victor Ségalen, et furent ensuite acquis par le musée du Louvre. On peut actuellement les admirer au musée d'Orsay à Paris, dans la galerie des Impressionnistes. Sur une

---

Oviri

Oviri signifie sauvage en tahitien. Gauguin se plaisait à se traiter lui-même de sauvage. La statue originale d'Oviri est une sculpture en céramique qui représente une femme polynésienne au visage inquiétant retenant contre elle un loup ensanglanté. La statue d'Oviri, que Gauguin nommait « la tueuse » était adulée par l'artiste au point qu'il souhaita, dans ses dernières volontés, qu'elle soit posée sur sa tombe. Il réalisa aussi une gravure sur bois d'Oviri qui fut dédicacée en ces termes à son ami : Stéphane Mallarmé, « cette étrange figure, cruelle énigme ».

---

pelouse, à côté du musée, se trouve une très belle reconstitution d'habitation marquisienne d'antan et un *tiki* en tuf rouge.

Le cimetière du Calvaire**

Par une petite route en lacet on accède au cimetière du calvaire après être passé devant l'ancienne maison de Jacques Brel. Le cimetière est édifié en terrasse dominant la splendide baie d'Atuona ; havre de paix et d'émotion, décoré d'arbres admirablement entretenus et de nombreuses plantes fleuries.

La **tombe de Jacques Brel** se trouve près de l'entrée à g. À travers les crotons et les feuillages de jeunes palmiers, sur une simple pierre dressée figurent le portrait de l'artiste et celui de sa compagne, Madly. Sur une terrasse surélevée à la dr. de l'entrée se trouve la **tombe de Paul Gauguin** surmontée d'une sculpture sur pierre, copie d'*Oviri*.

De Atuona à Taaoa

➤ *Par une petite route qui longe la baie, après 7 km de trajet, on atteint le village de Taaoa.*

On poursuit à pied en empruntant un chemin qui s'élève en sous-bois sur les contreforts montagneux. Le *pae pae* de Taaoa Upeke*** se distingue par l'ampleur des constructions qui consistent en un empilement de volumineux blocs de pierre assemblés tantôt en murailles de soutènement des terrasses, tantôt en pavage pour former les vastes aires dallées des *tohua*, anciens lieux de réunion. Les *meae*, lieux sacrés qui servaient au culte des divinités païennes mais aussi à l'inhumation des morts, renferment les dépouilles des anciens dignitaires. Ils sont retirés dans un sous-bois obscur au cœur d'un bois de banyans géants qui donnent au site un caractère aussi mystérieux que romantique par l'abondance des feuillages, les troncs aux proportions énormes, et l'inextricable enchevêtrement de racines aventives qui tombent des branches (les banyans sont une variété de figuiers sauvages originaires des Indes). Vous trouverez, au terme de votre exploration, deux *tiki* anciens : l'un des deux est très finement sculpté.

De Atuona à Puamau***

➤ *On doit prendre un bateau pour se rendre d'Atuona à Puamau, au N-E de l'île, sur la côte opposée.*

Vous longez la côte déserte, sauvage, et les falaises découpées du S de l'île. Après avoir franchi le cap Matafenua, battu par les vagues, vous atteignez le village de **Puamau** situé au fond d'une baie. Un parcours d'environ 2 km entre arbres et herbages vous mène au site des plus grands *tiki* de Polynésie, le **meae** **Oipona**.

Chaque *tiki* a un nom. Le plus imposant par sa taille est **Takaii** : avec 2,35 m de haut, c'est le plus grand des *tiki* de Polynésie. Un ensemble monumental remarquable fut restauré à l'occasion du Festival des arts des Marquises, organisé à Hiva Oa en 1991. Deux grands *tiki* sont adossés aux dalles dressées qui forment la tombe d'une chef-fesse, **Haa Tepeiu,** vénérée pour son *mana* (pouvoir surnaturel).

Deux autres très belles sculptures sont également remarquables. Une tête de *tiki*, fichée dans le sol, scrute le ciel sans le voir « *Te Tovae Noho-ua* » et, encore plus étrange, un tiki-femme allongé dont la tête est également tournée vers le ciel. Selon l'écrivain A. t'Serstevens, auteur de *Tahiti et sa couronne*, cette idole mystérieuse a de quoi inquiéter : *Le sculpteur canaque avait renversé la tête vers le dos sous un tel angle que la face, maintenant, regarde le ciel : elle est large et lunaire, à la forme des hanches on voit bien que c'est une femme, le ventre, caché, doit faire saillie pour abriter la fente vaginale. Debout, elle ne regardait donc pas le ciel, mais ce qui se trouvait derrière elle. Je ne pense pas qu'il existe dans la statuaire maorie une autre idole de cette forme, cette brisure des lignes tient beaucoup plus à l'art maya.* Le site archéologique de Puamau est d'une exceptionnelle richesse et les fouilles sont loin d'être achevées. Le gigantisme de ces statues préfigure l'ampleur des *mohai* de l'île de Pâques, ce qui n'a rien de surprenant puisque le peuplement de l'« île mystérieuse » eut pour origine des migrations de populations de souche marquisienne. On retrouve dans l'évolution des dialectes des preuves irréfutables, entre autres, de l'origine marquisienne du peuplement pascuan.

Pascuan	Marquisien	Tahitien	Français
ariki	ariki	ari'i	chef
taringa	pu-a'ika	taria	oreille
moko	moko	mo'o	lézard
mango	mako	ma'o	requin
hare	ha'e	fare	maison
henua	henua	fenua	pays
kai	kai	ai	manger
maunga	mou'a	moua	montagne
tangata	enata	ta'ata	homme

LES BONNES ADRESSES

Hébergement

▲▲ **Hanakee**, BP 57, Atuona ☎92.71.62, fax 92.72.51. Visa, mc. Domine la baie et le port de Tahauku, avec vue grandiose sur la baie des Traîtres, les vallées d'Atuona et de Tahauku. *5 chalets* offrent un confort remarquable.
♦♦♦ **Restaurant** où l'on pourra déguster des fruits de mer (langoustes, crevettes, crabes, etc.).

Chez Bernard & Antoinette, Puamau ☎92.72.27. Visa. *2 ch.* avec cuisine à disposition, dans le village de Puamau.

Pension Gauguin, BP 34, Atuona ☎92.73.51. *4 ch.* avec cuisine à disposition, dans le centre d'Atuona.

Temetiu Village, BP 52, Atuona ☎ et fax 92.73.02. *3 bungalows* et *2 ch.* Restaurant-Bar.

Adresses utiles

Banques à Atuona. Socredo ☎92.73.54. Westpac ☎92.73.66.

Bureau de poste. Atuona ☎92.73.50.

Comité du Tourisme d'Hiva Oa. BP 62, Hiva Oa ☎92.71.62, fax 92.72.51.

Location de bateaux. M. Heitaa, BP 52, Hiva Oa, Atuona ☎ et fax 92.73.02. M. Rohi, BP 43, Hiva Oa, Atuona ☎92.73.43.

Location de voitures avec ou sans chauffeur. M. Kaimuko, Atuona ☎92.72.87.

Urgences. Hôpital d'Atuona ☎92.73.75. Infirmerie de Puamau ☎92.74.96. Gendarmerie d'Hiva Oa ☎92.73.61.

Fatu-Hiva**

➤ *Vedette communale Teauona, commune de Fatu-Hiva ☎92.80.23, fax 92.80.39. Cette vedette effectue la navette entre Fatu-Hiva et Hiva Oa.* Si vous êtes amateur d'art, il ne faut pas manquer de séjourner dans cette très belle île encore à l'écart des circuits touristiques. L'île est située au S-E de l'archipel des Marquises dont elle est la plus méridionale et la plus isolée. Cette petite île de 80 km² est remarquable par sa végétation qui s'étage jusqu'au littoral en forme de croissant de lune que dessine la ligne de crêtes de la caldeira du volcan où se trouvent, du N vers le S, les monts Faeone (820 m), Natana, (810 m), Tauaouoho (960 m), le point culminant de l'île et, au S, le mont Teearua (885 m).

Fatu-Hiva est aussi l'île la plus humide de l'archipel des Marquises. La population, environ 600 habitants, est concentrée autour du chef-lieu, **Omoa**** et du deuxième village, **Hanavave****. Chacun de ces deux villages s'abrite au cœur d'une magnifique baie : la **baie des Vierges**** pour **Hanavave**** et la **baie d'Omoa**. La baie des Vierges, dominée par des pitons rocheux aux formes extravagantes est, par la beauté du site et le calme des eaux marines, l'un des mouillages les plus appréciés des navigateurs du monde entier qui font escale aux Marquises (avec la baie des Traîtres à Hiva Oa et la baie d'Anaho à Nuku Hiva). Ces baies sont aussi des sites archéologiques où l'on peut visiter de très beaux *pae pae*.

Fatu-Hiva est surtout l'un des plus prestigieux centres d'art et d'artisanat des Marquises et de la Polynésie tout entière. La production des sculpteurs est la même que celle des autres îles, mais avec une touche de perfectionnisme en plus qui fait la différence. On peut acquérir des pagaies sculptées, de magnifiques *umete* (plats creux allongés), des casse-tête traditionnels, des lances, des boîtes finement ciselées en forme de tortue ou ornées de têtes de *tiki*… C'est à Fatu-Hiva que se trouve le dernier maître sculpteur de noix de coco, qu'il habille d'élégants motifs stylisés typiquement marquisiens, laissés en relief et teintés en noir.

Fatu-Hiva est enfin la seule île des Marquises où sont encore réalisés à la main les plus beaux *tapa* qu'il puisse vous être donné d'admirer (voir p. 108). Il en est de même des tatoueurs qui comptent encore, à Fatu-Hiva, parmi les meilleurs.

Les bonnes adresses

Hébergement chez l'habitant. Chez Cécile, Omoa ☎92.80.54. *2 ch.* situées dans le village. **Chez Claire**, Omoa ☎92.80.75. *2 ch.* situées dans le village même. **Chez Norma**, Omoa ☎92.80.13. **Chez Albertine**, Omoa ☎92.80.58. Maison de *2 chambres* située dans le village.

Adresses utiles. Bureau de poste : Atuona ☎92.73.50. **Location de bateaux :** Vedette communale, commune de Fatu-Hiva ☎92.80.23, fax 92.80.39. **Location de chevaux :** M. Marae Taata, Omoa ☎92.80.23. **Location de pirogues à moteur :** M. Gilmore, Omoa ☎92.80.54 ; M. Tehevini, Omoa ☎92.80.79 ; M. Pavaouau, Hanavave ☎92.80.45. **Urgences :** infirmerie de Omoa ☎92.80.36 ; poste de secours à Hanavave ☎92.80.61.

Tahuata*

➤ *Vedette communale Te Pua Omioi, c/o commune de Tahuata ☎92.92.19, fax 92.92.10. Au départ d'Atuona, cette vedette assure les transferts avec l'île de Tahuata.*

Petite île de 70 km², Tahuata a une population d'environ 650 habitants. La plus grande partie de l'ancien volcan Tahuata est aujourd'hui immergée, mais l'ensemble de l'édifice volcanique est considérable. Le sommet de l'île, le mont Tumu Meae Ufa atteint 1 050 m. Comme dans la plupart des îles des Marquises, les vallées sont à visiter. Il y en a 5 dans l'île : **Vaitahu**, **Motopu**, **Hana Tetena**, **Hana Teio** et **Hapatoni**. Le principal centre d'intérêt est le village de **Hapatoni****, le chef-lieu de l'île construit en bord de mer le long d'une route édifiée sur un pavage ancien. On remarquera les coquettes maisons du village qui confèrent à celui-ci une curieuse physionomie de petite province du bout du monde. Autre source d'étonnement, pour une si petite île, la monumentale église moderne dont les fenêtres sont ornées de beaux vitraux contemporains.

Sur une petite place, en front de mer, une grande stèle commémorative avec une ancienne ancre de marine est dédiée à l'**amiral Dupetit-Thouars**. On peut y lire l'inscription : *Ici, le 4 août 1838, la population de Vaitahu et son chef Iotete accueillaient l'amiral Dupetit-Thouars en première mission de reconnaissance au nom de la France.* L'histoire de la petite île de Tahuata, de nos jours si tranquille et retirée, a pourtant été riche en événements puisque, en raison de sa situation géographique, c'est elle que **Mendaña** découvrit en 1595, nommant ensuite l'archipel « **les Marquises** ». En 1774, Vaitahu accueillit le capitaine **Cook** qui appela la baie dans laquelle il ancra son navire « **baie de la Résolution** ».

D'autres navigateurs se succédèrent. En 1840, le chef Iotete reconnut la souveraineté de la France et une petite garnison s'installa dans un fort qui fut attaqué deux ans plus tard, tandis que ses occupants étaient massacrés sous les ordres du même chef. Difficile d'imaginer une histoire si tourmentée dans ce charmant village !

On peut, à la mairie de Vaitahu, visiter le petit **musée d'art polynésien**. Les vestiges archéologiques de la vallée de Vaitahu (destinée aux bons marcheurs) méritent également le détour. Enfin, au départ de **Hapatoni**, des **excursions en 4x4** sont organisées et permettent d'accéder, par des pistes carrossables, à d'autres vallées. Une excursion dans la direction de **Motopu** vous permettra d'admirer les paysages sauvages et la riche végétation tropicale de l'île avant de prendre un bain à la très belle plage de sable blanc de **Hanamoenoa**.

On peut atteindre en bateau les autres vallées de l'île quand l'état de la mer le permet. La vallée de Hanatahau abrite de nombreux *pae pae* avec des blocs ornés de pétroglyphes anciens.

Les bonnes adresses

Hébergement chez l'habitant. Chez Naani, Vaitahu ☎92.92.26. *Une maison avec 4 ch.* ; en pension complète uniquement.

Adresses utiles. Location de bateaux à moteur : Te Pua Mioi, Vaitahu ☎92.92.19, fax 92.92.10. Urgences : Infirmerie de Vaitahu ☎92.92.27.

QUELQUES MOTS DE TAHITIEN

Les nombres

un	*hoé*
deux	*piti*
trois	*toru*
quatre	*maha*
cinq	*pae*
six	*ono*
sept	*hitu*
huit	*vau*
neuf	*iva*
dix	*ahuru*
cent	*hanere*
mille	*tauatini*
dix mille	*ahuru tauatini*
million	*mirioni*

Le temps

demain	*ananahi*
après-demain	*ananahi atu*
hier	*inanahi*
avant-hier	*inanahi atu*
le jour	*te ao*
la nuit	*te pô, te rui*
le matin	*te poipoi*
le soir	*te ahiahi*
à midi	*te avatea*
l'aube	*te ààhiata*
le crépuscule (soir)	*te marumarupô*
l'année	*te matahiti*
lundi	*monire*
mardi	*mahana piti*
mercredi	*mahana toru*
jeudi	*manaha maha*
vendredi	*manaha pae*
samedi	*mahana maà*
dimanche	*tapati*
janvier	*tenuare*
février	*fepuare*
mars	*mati*
avril	*eperera*
mai	*mê*
juin	*tiunu*
juillet	*tiurai*
août	*atele*
septembre	*tetepa*
octobre	*atopa*
novembre	*novema*
décembre	*titema*

La famille

l'homme	*te taata*
la femme	*te vahine*
le père	*te metua tane*
la mère	*te metua vahine*
le mari	*te tane*
l'épouse, la femme	*te vahine*
le fils	*te tamaiti*
la fille	*te tamahine*
le garçon	*te tamaroa*
la fille	*te potii*
le frère aîné	*te tuaana*
le frère cadet	*te tuane*
le parent	*te fetii*
les enfants	*te tamarii*
les descendants	*te huaài*
les ancêtres	*hui tupuna*

Les aliments

porc	*puaa mahoi*
viande	*inai*
aliment, repas	*maà*
sauce de coco	*miti hue*
banane sauvage	*fei*
fruit de l'arbre à pain	*uru*
four tahitien	*ahimaà*
repas (festin)	*tamaaraa*
coco	*niu*
ignames	*taro, ape, hoi, ufi*
patate douce	*umara*
mangue	*vi*
pomme	*apara*
langouste	*oura*
poisson cru	*ia ota*

Les expressions et mots courants

assez	*atira*	bonjour	*la ora na*
beaucoup	*e mea rahi*	comment vas-tu ?	*e aha to oe huru ?*
longtemps	*maoro*	venez	*a haere mai*
jamais	*e ore roa*	te portes-tu bien ?	*e mea maitai anei oe ?*
maintenant	*i teie nei*	je me porte bien,	
là	*i reira*	je vais bien	*e mea maitai au*
ici	*i o nei*	et toi ?	*e o oe ?*
là-bas	*i ô*	asseyez-vous	*a parahi*
encore	*faahou, â*	où vas-tu ?	
comment	*nahea, nafea*	où allez-vous ?	*te haere nei oe i hea ?*
combien	*e hia, toohia*	je vais à la maison	*e haere au i te fare*
salut !	*la ora !*	où est votre maison ?	*tei hea to outou fare ?*

DES LIVRES, DES DISQUES ET DES FILMS

Ouvrages généraux

Atlas de Tahiti et de la Polynésie française, Éd. du Pacifique, Papeete, 1992.
Bora Bora, R. BAGNIS et E. CHRISTIAN, Éd. du Pacifique, Papeete, 1981.
Bulletin de L'Association des historiens et géographes de la Polynésie française, Éd. du CTRDP, Tahiti, 1993.
Guide du tour de l'île, B. DANIELSSON, Éd. du Pacifique, Papeete, 1976.
Hiva Oa, images d'une mémoire océanienne, P. et M.-N. OTTINO, Centre polynésien des Sciences humaines Te Anavahaurau, 1991.
Îles merveilleuses du Pacifique, M. BITTER, Éd. NEL, 1984.
L'Océanie française, A. HUETZ DE LEMPS, PUF, « Que sais-je ? », 1975.
Tahiti, M. SAVATIER, Caractères, 1988.
Te fenua, Le livre de Tahiti, J.-L. SAQUET, Éd. Polymages, Papeete, 1987.
Voyage aux îles du Grand Océan, J.-A. MOERENHOUT, 2 vol., Éd. Maisonneuve, 1959.
Brochures illustrées traitant de la culture polynésienne, écrites par les plus grands spécialistes de chaque thème. Société des Océanistes, Éd. du Musée de l'Homme.

Histoire

À la recherche de la Polynésie d'autrefois, W. ELLIS, Société des océanistes, Musée de l'Homme, 1973.
Les Chinois de Tahiti : de l'aversion à l'assimilation, 1865-1866, G. COPPENRATH, Société des océanistes, Musée de l'Homme, 1967.
L'Église protestante à Tahiti, D. MAUER, Nouvelles Éd. Latines, 1970.
L'Expansion française dans le Pacifique : 1800-1842, J.-P. FAIVRE, Nouvelles Éd. Latines, 1953.
Le Mémorial polynésien, P. MAZELIER, Éd. Hibiscus, Papeete, 1980.
Tahiti au temps de la reine Pomaré, P. O'REILLY, Société des océanistes, Musée de l'Homme, 1967.

Tahiti aux temps anciens, H. TEUIRA, Société des océanistes, Musée de l'Homme, 1951.
Tahitiens d'autrefois, J. GARANGER, J. POIRIER et J. O'REILLY, Nouvelles Éd. Latines, 1978.

Art, langue et littérature
À la poursuite du soleil, A. GERBAULT, Grasset, 1929.
Bougainville à Tahiti, E. TAILLEMITE, Nouvelles Éd. Latines, 1972.
Dans les mers du Sud, R.-L. STEVENSON, Gallimard, « Folio », 1983.
Gauguin à Tahiti et aux îles Marquises, B. DANIELSSON, Éd. du Pacifique, Papeete, 1979.
L'Île, matère de Polynésie, R. PINIERI, Éd. Balland, 1992.
Noa-Noa, P. GAUGUIN, réédition, Emom, 1980.
Oviri, écrits d'un sauvage, P. GAUGUIN, Gallimard, « Idées », 1974.
Peintres de Tahiti, P. O'REILLY, Nouvelles Éd. Latines, 1977.
Sept histoires des mers du Sud, B. VILLARET, Éd. du Pacifique, Papeete, 1972.
Un paradis se meurt, A. GERBAULT, Self, 1949.
Veillées d'Océanie, R.-L. STEVENSON, Les Belles-Lettres, 1945.
Voyage autour du monde par la frégate « La Bouderie » et la flûte « L'Étoile », L-A. de BOUGAINVILLE, La Découverte, 1980.
Grammaire approfondie de la langue tahitienne, H. COPPENRATH et P. PRÉVOST, Librairie Pureora, Papeete, 1993.

Société
Baleiniers à Tahiti, E. DODGE, Nouvelles Éd. Latines, 1971.
La Cuisine de Tahiti et ses îles, J. GALOPIN, Éd. Arapoanui, Papeete, 1988.
L'Enfant à Tahiti, C. WEINMANN, Nouvelles Éd. Latines, 1974.
Les Immémoriaux, V. SEGALEN, rééd. Presses-Pocket, 1983.
Le Tahitien et la mer, A. LAVONDES, Nouvelles Éd. Latines, 1979.
Tahiti et ses archipels, P. Y. TOULLELAN, Éd. Karthala, 1991.

Nature et sports
Coquillages de Polynésie, B. SALVAT et C. RIVES, Éd. du Pacifique, Papeete, 1975.
Les Coraux, B. ROBIN, C. PETRON et C. RIVES, Éd. du Pacifique, Papeete, 1992.
Fatu-Hiva, le retour à la Nature, T. HEYERDAHL, Éd. du Pacifique, Papeete, 1976
Fleurs et plantes de Tahiti, B. HERMAN et J.-C. RIVES, Éd. du Pacifique, Papeete, 1991.
Guide sous-marin de Tahiti, R. BAGNIS, Éd. du Pacifique, Papeete, 1976.
Huîtres perlières de Polynésie, W. REED, nouv. éd., Nouvelles Éd. Latines, 1973.
Oiseaux de Tahiti, J.-C. THIBAULT et C. RIVES, Éd. du Pacifique, Papeete, 1975.
Les Perles noires de Tahiti, J.-P. LINTILHAC et A. DURAND, Éd. Fascination, 1985.
Plonger à Tahiti et en Polynésie, T. ZYSMAN, Éd. du Pacifique, Papeete, 1991.
Randonnées en montagne : Tahiti et Moorea, P. LAUDON, Éd. du Pacifique, Papeete, 1986.
Tahiti, la magie de la perle noire, P. SALOMON et M. ROUDNITSKA, SNC Wan & Cie, 1987.

À voir et à écouter
De très nombreuses cassettes vidéo, audio et CD dans les grandes librairies de Papeete et dans les boutiques. La production est telle qu'il n'est pas possible de citer les œuvres dans ces pages.
Les Îles françaises du Pacifique, Vidéo-Guides Hachette, 1988.
On peut commander directement par correspondance certaines productions en consultant le catalogue de « Made in Tahiti » (p. 58).

INDEX

Ua Huka: nom de lieu
Cook James: nom de personnage
Perles noires: mot-clé
Les folios en **gras** renvoient aux textes les plus détaillés. Les folios en *italique* renvoient aux cartes et plans.
Musées, églises, marae, etc. sont répertoriés à leurs noms ainsi qu'en sous-entrée des principales villes.

GUIDES VISA

DANS LE MONDE

- En Afrique du Sud et aux chutes Victoria
- A Amsterdam et en Hollande • En Andalousie
- En Angleterre et au Pays de Galles • En Australie
- Aux Baléares • A Barcelone et en Catalogne
- En Bavière et en Forêt-Noire • A Berlin
- Au Brésil • A Bruges et à Gand • A Budapest
et en Hongrie • En Californie • Aux Canaries
- En Chine, à Hong-Kong et à Macào • A Chypre
- En Corée • En Côte d'Ivoire • En Crète et à
Rhodes • A Cuba • Au Danemark • En Écosse • En Égypte • A Florence et
à Sienne • En Floride • En Grèce • En Guadeloupe • Aux îles Anglo-
Normandes • Aux îles Grecques • En Inde du Nord • En Indonésie
- En Irlande • En Israël • A Istanbul • Au Kenya et en Nord-Tanzanie
- Au Liban • A Londres • A Madagascar • A Malte • Au Maroc
- A Marrakech et dans le Sud marocain • En Martinique • A Moscou et
à Saint-Petersbourg • Au Népal • A New York • En Nouvelle Calédonie
- En Pologne • Au Portugal • A Prague et à Brno • Au Québec
- A la Réunion, à l'île Maurice et aux Seychelles • A Rome • Au Sénégal
- En Sicile • Au Sri Lanka et aux Maldives • En Suède • En Syrie • A Tahiti
et en Polynésie française • En Thaïlande • A Tokyo et au Japon • En Tunisie
- En Turquie • A Venise • A Vienne et en Autriche • Au Viet Nam

EN FRANCE

- Midi-Pyrénées Sud (Gers, Haute-Garonne,
Ariège, Hautes-Pyrénées) • A Paris • Pays de
la Loire (Mayenne, Sarthe, Maine-et-Loire, Loire-
Atlantique, Vendée)

À *paraître* :

- Bretagne Nord (Ille-et-Vilaine, Côtes d'Armor,
Finistère Nord) • Bretagne Sud (Morbihan,
Finistère Sud)

Hachette Tourisme

VIDÉO GUIDES HACHETTE
Et le rêve commence...

GRATUIT :
UN GUIDE
PRATIQUE
DOCUMENT
ORIGINAL

VIDEO GUIDES
55 mn

Tahiti
et la Polynésie française

Les îles de la So...
Tuamotu, Mar...
Gambier, Au...

Une cassette de
55 minutes environ
et un guide pratique

EN VENTE PARTOUT

GRATUIT :
UN GUIDE
PRATIQUE
FILM
INÉDIT

VIDEO GUIDES
55 mn

2
NOUVEAU
FILM

Les îles françaises
du Pacifique

46

Plongée sous-marine
en Polynésie française

Le monde féerique des lagons de Tahiti

HACHETTE   HACHETTE   HACHETTE   MEDIA 9

1 - **SKI EN FRANCE** (épuisé)
2 - **LES ÎLES FRANÇAISES DU PACIFIQUE** (nouveau film 97)
3 - **PARIS** (nouvelle édition)
4 - **NEW YORK** (nouvelle édition)
5 - **AUSTRALIE** (nouveau film 95)
6 - **ANTILLES** (nouvelle édition) : Guadeloupe, Martinique
7 - **USA CÔTE OUEST**
8 - **PARIS RÉTRO** (non disponible)
9 - **CANADA** (3ème édition)
10 - **GRÈCE** (nouvelle édition) : Athènes et les îles
11 - **AUTRICHE** (nouvelle édition)
12 - **ÉGYPTE** (nouvelle édition)
13 - **FLORIDE**
14 - **LE QUÉBEC** (nouvelle édition)
15 - **LA RÉUNION** (nouvelle édition)
16 - **ATTRACTIONS EN FLORIDE**
17 - **LONDRES** (nouvelle édition)
18 - **TUNISIE** (nouvelle édition)
19 - **TEXAS / NOUVEAU-MEXIQUE**
20 - **ÎLE MAURICE**
21 - **CHÂTEAUX DE LOIRE**
22 - **THAÏLANDE**
23 - **MARTINIQUE** (nouvelle édition)
24 - **GUADELOUPE** (nouvelle édition)
25 - **L'OUEST CANADIEN**
26 - **SAN FRANCISCO**
27 - **LOUISIANE / MISSISSIPPI**
28 - **GUYANE**
29 - **VIET-NAM** (nouvelle édition)
30 - **BANGKOK**
31 - **CUBA** (nouvelle édition)
32 - **LOS ANGELES**
33 - **IRLANDE**
34 - **LE MONT SAINT-MICHEL ET SA BAIE**
35 - **TAHITI ET LA POLYNÉSIE FRANÇAISE**
36 - **TANZANIE**
37 - **NORVÈGE**
38 - **LA RÉUNION 2**
39 - **LES SEYCHELLES**
40 - **CHINE**
41 - **BALI**
42 - **L'ÉGYPTE PHARAONIQUE**
43 - **LE SINAÏ**
44 - **LES CARAÏBES SUD**
45 - **LES CARAÏBES NORD**
46 - **PLONGÉE SOUS-MARINE EN POLYNÉSIE FRANÇAISE**
47 - **MASSACHUSETTS**
48 - **ANGLETERRE**
49 - **SRI LANKA**
50 - **NOUVELLE-CALÉDONIE**
51 - **PARCS NATIONAUX DU FAR WEST N° 1**
52 - **MEXIQUE**
53 - **PORTUGAL**
54 - **CHYPRE**
55 - **BRÉSIL**
56 - **LES MALDIVES**
57 - **TOSCANE**
58 - **LA DÉSIRADE - MARIE-GALANTE LES SAINTES - LA DOMINIQUE**
59 - **PARCS NATIONAUX DU FAR WEST N° 2**
60 - **PÉROU**
61 - **AFRIQUE DU SUD**

En préparation :
L'OCÉAN INDIEN, MADAGASCAR, MAROC, KENYA...

HACHETTE   MEDIA 9

our tout renseignement, téléphonez au 01 42 26 40 10

Partez
avec
TOURINTER
~~ *Le* **N°1** *vers la Polynésie* ~~

Partir en polynésie... c'est le plus beau cadeau du monde !

Pour en profiter pleinement et sans surprise, choisissez la garantie du Spécialiste !

Tourinter vous propose des séjours et combinés d'îles sur mesure, en petits-déjeuners, demi-pension ou résidences parmi ses 35 hôtels typiques rigoureusement sélectionnés.

La Société : *Tahiti, Mooréa, Huahine, Bora Bora, Maupiti, Tahaa, Raiatea.*

Les Tuamotu : *Tikeau, Manihi, Rangiroa.* **Les Marquises** : *Nuku Hivi, Hiva Oa.* **L'Ile de Pâques. Croisières et voiliers. Club Med 2.**

Offres spéciales : *Voyages de Noces, Anniversaire de Mariage, avec des réductions jusqu'à - 40% pour Madame.*

TOURINTER
~~ *Passion des îles* ~~

Antilles Réunion Maurice Seychelles Tahiti

Renseignez-vous auprès de votre agence de voyages
ou TOURINTER Lyon
Tél. 04 72 56 44 44 - Fax 04 78 37 80 92

Imprimé en France par IME - 25110 Baume-les-Dames
Dépôt légal n° 1362-04/1997 - Collection n° 12 - Edition n° 01
ISBN : 2.01.242682.4 - ISSN : 0762.2392 - Impression n° 11428-24/2682/3